Scrittori italiani e stranieri

Eugenio Montale

FUORI DI CASA

ARNOLDO MONDADORI EDITORE

I edizione marzo 1975
II edizione gennaio 1976

Dello stesso autore

Nella collezione Scrittori italiani e stranieri
Farfalla di Dinard

Nella collezione Lo Specchio
Ossi di seppia
Le occasioni
La bufera e altro
Satura
Diario del '71 e del '72
Quaderno di traduzioni

Fuori di casa

a Barbara e Maurizio Mattioli

I

Le Cinque Terre

L'ipotetico e poetico *flâneur* di spiagge che un mattino di bel tempo al soffio di un maestrale leggero – e perciò senza timore di disastrose soluzioni, alla Shelley – voglia inclinare il bordo del suo *cutter* sul filo d'orizzonte che congiunge la punta Monesteroli al capo del Mesco, può vederle tutte insieme entro un arco incantevole di rocce e di cielo le Cinque Terre che molti conoscono soltanto per il nome dei loro vini e per le pitture che di quei paesi (e soprattutto di Riomaggiore) ci ha lasciato Telemaco Signorini. Ma tanti, tanti di più sono coloro che, senza saperne il nome, le hanno scoperte a guizzi, a spicchi, a frammenti fulminei e abbaglianti, dai pochi oblò che si aprono nel tunnel che porta da Levanto fin quasi alla Spezia. E non diremmo che tale iniziazione ferroviaria sia la meno conforme ai caratteri di un paesaggio che il pittore macchiaiolo ha troppo raggentilito e « toscanizzato ». Curioso destino di un angolo di terra che attende ancora il suo vero pittore, e che intanto deve proprio all'arte di più lenta circolazione poco meno che il suo atto di nascita, passaporto per quel mondo della cultura visiva e sentimentale che entra per sì gran parte nella formazione di una completa « cultura », senza aggettivi. Non ebbe bisogno di pittori Capri (e non che ne mancasse), isola di non facile accesso ma sempre aperta all'estro dei forastieri più inquieti e più raffinati; come non ne ebbero bisogno Taormina o Siracusa o Bordighera o tanti altri luoghi in cui un buon biglietto di agenzia turistica potesse avviare, in treno rapido o in torpedone, folti gruppi di visitatori in cerca di miti mediterranei e di color locale. Ma le Cinque Terre? La strada maestra le abbandona a se stesse, lasciando Sestri per salire al passo del Bracco; i convogli che vi passano per fermarvisi erano, fino a pochi anni fa, treni lumaca, omnibus e « operai »; avaro vi è lo spazio che non permette passeggiate se non a coloro che vogliano inerpicarsi come capre fra terrazze di vigneti digradanti verso il mare; scarso e un tempo pressoché nullo il *comfort* per la mancanza di alberghi e di pensioni dotati di qualche moderna comodità. Paesaggio roccioso e austero simile ai più forti di Calabria, asilo di pescatori e di contadini viventi a frusto a frusto su un lembo di spiaggia che in certi tratti va sempre più assottigliandosi, nuda e solenne cornice di una delle più primitive d'Italia. Monterosso, Vernazza e Corniglia, nidi di falchi e di gabbiani, Manarola e Riomaggiore sono procedendo da ponente a levante i nomi dei pochi paesi, o frazioni di paese, così asserragliati fra le rupi e il mare.

Poca gente vi capitava prima che le comunicazioni si facessero più facili. D'estate qualche compaesano inurbato che veniva a riaprirvi la casa natale; e giornalieri, nelle ore di punta, gli operai dell'arsenale spezzino, quando non mancava il lavoro. Caute e rare le visite del vescovo – per lunghi anni quello di Sarzana, Luni e Brugnato che quei bravi pescatori sentivano, per ragioni geografiche, come un estraneo (più tardi li abbracciò la nuova diocesi della Spezia e tutto andò per il meglio).

Zappatori d'orto e marinai di piccolo cabotaggio, gli abitanti delle Cinque Terre parlano un linguaggio che non è quello – conservatosi invece quasi intatto nella colonia di Portovenere – dei Genovesi e che varia anche qui, notevolmente, da paese a paese. A due chilometri di distanza, ma due chilometri di mare e senza strade!, tra la parlata di Monterosso e quella di Vernazza corre forse maggior differenza che fra il milanese e il bergamasco. Non c'è molto contatto neppur oggi fra i vari comuni: solo qualche festa, qualche regata, qualche processione ai santuari di Soviore, di Reggio e di Montenero chiamano a raccolta la scarsa popolazione del litorale.

Quand'ero ragazzo io i nomi delle più vistose locomotive – Bellerofonte, Astarotte – facevano parte della misteriosa mitologia locale. La politica non arrivava laggiù. Una volta (più di trent'anni fa) vi scese un oratore dal nome inverosimile: Papirio Triglia, che vi tenne un pistolotto anticlericale, *I calcinacci del Vaticano*, ma quasi nessuno andò a sentirlo.

Anche Arturo Toscanini, verso i primi anni del secolo, passò qualche tempo fra questi scogli. Non sapevano chi fosse ma lo chiamavano l'*omu dai zeughi*, perché, secondo loro, aveva la faccia di un giocoliere o di un prestigiatore. Ma in quei tempi un cavallo, un mulo erano ben altre rarità che non un artista piovuto dal cielo! La gente stupiva del mondo prossimo, non del mondo lontano di cui era giunto sentore. Nelle famiglie numerose i destini erano presto segnati: c'era un prete, un pescatore, un contadino e un figlio mal riuscito che non faceva nulla; e, spesso, anche un emigrato, un esule di cui non si aveva notizia per trent'anni e che poi tornava, se tornava, per fabbricarsi una casa.

Qui è facile riconoscerle le case di questi reduci. Hanno tetti aguzzi, *bungalows* a colonnine morse dal salnitro, torricelle con vetri policromi; vi passeggiavano dinanzi uomini d'antico pelo che leggevano la « Prensa » e « Caras y Carejas » e che tenevano, nel tinello, il ritratto di Porfirio Diaz o del generale Belgrano. Su qualcuno corsero voci poco chiare, notizie giunte da La Paz o da Capetown; ma ormai è acqua passata... Oggi i figli di simili *revenants* (in tutti i sensi) si sono inurbati anch'essi e, se tornano occasionalmente al paese, sudano freddo nel riconoscere i loro amici d'infanzia, i poveri figli dei loro vecchi *manenti* (mezzadri di un solo orto che s'arrangiano con mille altri piccoli mestieri e si nutrono quasi solo di pane e cipolle). Si ripete, a poche ore da Genova, la situazione verghiana di Jeli il pastore.

La guerra è passata visibilmente anche di qui e le distruzioni non sono poche, ma il desiderio di ricostruire non manca. Da Monterosso una strada andrà un giorno a unirsi a quella del Bracco, presso Pignone; e si perderà forse un paesaggio quasi castigliano dove il Don Chisciotte di Pabst avrebbe potuto trovare la sua più degna cornice. Dalle iscrizioni dei muri si direbbe che anche i tempi di Papirio Triglia siano un ricordo sbiadito. Vedo scudi crociati col motto *Libertas*, falce e martello, e persino le insegne del *Paevècciu* (pronunciate l'*è* milanese di cotolètta), una sorta di gruppo apartitico, come quello della Madonnina di Milano, che si presenterà alle elezioni amministrative. Notate che il *Paevècciu* (vecchio padre) è il più grande scoglio del paese. E a questo punto il pensiero può anche correre al Messico o al Nuovo Messico di Lawrence e dello Steinbeck – ma con una sfumatura più semplice e più nostrana e quasi senz'ombra di animismo.

Così si presentano, cambiate di poco ma prossime a grandi mutamenti, le cinque classiche terre dello *sciacchetrà*, il vino che il Boccaccio conobbe col nome di vernaccia di Corniglia. Bevuto sul posto, cioè autentico al cento per cento, il tipo rosso superava nettamente quel farmaceutico vino di Porto che ebbe larga fortuna in Inghilterra dopo la grandezza e la decadenza del marsala. Ma oggi, dopo tanti innesti di nuove viti, esisterà ancora il vecchio *sciacchetrà* e potrà reggere a certi paragoni? Per fortuna non è mutata la pesca delle acciughe che quest'anno è stata miracolosa. E chi non ha visto tornare all'alba, semisommerse da cento rubbi (ottocento chili) di acciughe una di queste barche, entro le quali i vogatori sembrano arare i flutti stando in piedi sulle acque, non potrà dire che i pescatori del Nuovo Testamento gli siano in qualche modo familiari.

1946

II

Viaggiatore solitario

A Edimburgo, città dove le piazze principali hanno forma e nome di « crescente », ovvero di mezzaluna, sorge una chiesa dal perimetro poligonale che ha tutt'intorno una scritta assai più lunga delle tante che decoravano le mura dei nostri villaggi fino a due anni fa. Tale sterminata leggenda che si segue di muro in muro facendo il giro della chiesa e tenendo il naso bene all'insù, non celebra alcun Capo terreno né alcuna gloria del nostro mondo perituro. Procedendo per sapienti esclusioni e negazioni l'avviluppata spirale, dipinta a caratteri d'oro o forse composta con pietre di musaico (chi se ne ricorda?), dice allo smemorato passante dove il Capo Celeste non si trova, dov'è inutile cercarlo... *God is not where*, Dio non è dove... – e chi legge deve spostarsi di alcuni passi e affrontare un'altra faccia del poligono: *God is not where...* – e tutti i luoghi dove la vita si presenta facile gradevole e umana e dove veramente Dio potrebbe trovarsi o cercarsi sono elencati in lunghe filze che seguono quel ricorrente memento: Dio non è qui, e neppur qui, e neppur qui...

Un giorno d'estate mi capitò di girare a lungo intorno a quella folta matassa, ritornando continuamente sui miei passi e dicendomi con l'angoscia in cuore e la vertigine in testa: Ma insomma, dov'è Iddio, dov'è?

Forse pronunziai davvero la domanda ad alta voce perché un distinto signore che attraversava il « crescente » e che seppi poi essere un colonnello in congedo, del corpo dei *Highlanders*, si fermò vicino a me e recisamente negò che tra quelle mura presbiteriane, dentro o fuori, scritta o non scritta, potesse trovarsi la soluzione del problema.

— God is not here, Sir — disse con aria seriamente informata; e tratta di tasca una piccola Bibbia incominciò a leggermene alcuni versetti ad alta voce. Si fermarono altre persone e fecero circolo intorno al lettore: dapprima alcune donne e due o tre operai, poi il capannello crebbe, uno degli astanti cavò di tasca un'altra Bibbia e lesse per conto suo dimostrando di voler recisamente oppugnare la tesi dell'ufficiale preopinante. Dopo poco i crocchi furono tre o quattro, e in ciascuno c'era un direttore di scontro, un arbitro improvvisato che dava o toglieva la parola, riassumeva il pro e il contro dei vari argomenti, tentava conciliazioni e mediazioni forse impossibili. Presbiteriani di stretta osservanza o arminiani di manica larga, battisti, metodisti, darbysti e unitariani, tiepidi e indifferenti, uomini e donne e ragazzi, borghesi e operai, impiegati e *rentiers*, tutti ascoltavano o parlavano con una strana luce negli sguardi. Confuso di aver destato senza volerlo quel mistico vespaio mi allontanai di pochi passi volgendo verso Princes' Street, la grande strada costruita da un lato solo, che lascia scoperta l'imponente (per gli Scozzesi) visione della Rocca, alta ben trecento piedi, e del Castello. In Princes' Street ci sono i club di difficile accesso, i circoli « esclusivi », protetti da finestre a doppio cristallo dalle quali si profilano severi maggiordomi in livrea. Tira sempre vento e sulla regale strada non passa nessuno, ma di fianco ai maggiori fabbricati si scorgono divallare strade più popolari che portano a nuovi « crescenti », ad altre piazze con altre chiese e giardini. *God is not where...* Dov'era? Lo avevano dunque trovato? Mi sentivo in grande ansia e mi rimproveravo di non essermi posto per tanti anni, nel mio paese, il problema in termini precisi. Quando feci ritorno sulla piazza trovai che c'era rimasta poca gente. Il vecchio colonnello che stava intascando la sua Bibbia si accompagnò a me, commentando con gagliarda cortesia – *heartily* – l'andamento della discussione. Non gli chiesi il risultato, né forse avrei potuto ricavarlo da quel fiume di parole di cui metà mi andavano perdute.

1946

Sbarco in Inghilterra

Sbarcare in Inghilterra, impresa probabilmente assai difficile a un'oste nemica, se anche il ferratissimo Baffo, quando ritenne di essere a un pelo dal trionfo, credette di rimandarla *sine die*, e si sa con quale suo vantaggio (lascio agli studiosi del subconscio di decidere quanta parte vi avesse una sua segreta ammirazione per i biondi – « Angeli o Angli? » – nativi dell'Isola), era in realtà una facile passeggiata in quella sosta fra le due grandi guerre che si è convenuto di chiamare « pace », forse nella speranza che il nome generasse la cosa. Bastava avere un passaporto in regola – ciò che implicava fastidi quasi solo da noi – e un portafoglio sufficientemente guernito di sterline o di altra valuta pregiata, e il più era fatto: si poteva filare senza incagli verso la meta, presentare *pro forma* i documenti a uno sportello dichiarando che non si aveva per nulla l'intenzione di sovvertire le leggi di *His Majesty*, scendere a un albergo declinando magari senza ragione un nome falso che veniva accettato senza discutere, e viaggiare in lungo e in largo con una libertà, per noi latini, senza precedenti. La sola iniziativa allora impossibile, negli alberghi più rigidi nella custodia del loro decoro, era che un uomo ammogliato il quale avesse avuto la cattiva idea di chiedere un paio di camere – una per sé e una per la moglie – potesse poi penetrare di giorno, e peggio che mai di notte, nell'asilo della sua compagna; impossibile, s'intende, se le due stanze non erano attigue e comunicanti. Nascevano in tal caso contestazioni penose e c'era l'eventualità di essere trascinati al *bureau* da un'esagitata camerista irlandese e di dover subire interrogatòri non sempre brevi o gradevoli. Ma è un fatto al quale assistei una volta come semplice testimonio di difesa e non potrei dire che sia frequente, anche perché la maggior parte delle legittime o illegittime coppie in viaggio non amano le tristi camere *single-bedded*, a un letto solo, degli alberghi e delle pensioni. Tuttavia anche l'accesso a un paese, dove tutto scorre o scorreva liscio come l'olio, è legato nel mio ricordo a uno strano incidente. In quel giorno del luglio 1934 il piroscafo *Astoria* che faceva la spola fra Dieppe e Newhaven, nel tratto più lungo ma anche più economico della Manica, era affollatissimo di viaggiatori, molti dei quali parlavano la lingua italiana. Non si trattava affatto di una « quinta colonna » di nostri connazionali animati da intenzioni particolarmente aggressive e nemmeno di una legione di « lavoratori della mensa » (si dice così?) che dalle amene valli comacine si recassero nell'isola misteriosa per offrirvi i conforti di un'arte che in Inghilterra fu sempre praticata con onore da figli delle nostre regioni lacustri. No: la folla di coloro che con svariate inflessioni dialettali rivelavano una notevole dimestichezza col linguaggio del sì, era composta probabilmente di congressisti, di cultori di non so quale ramo dello scibile avviati a Londra o in qualche altra città britannica per un convegno dal quale molto poteva attendersi lo sviluppo della Scienza. E frammischiati a questi, naturalmente, uomini donne bambini d'ogni età razza e colore; ma Inglesi per lo più, viaggiatori di mestiere, commercianti, gente avvezza a varcare il Canale chissà quante volte all'anno e che non si guardava troppo d'attorno. Per me nuovo era un'altra faccenda, e così per molti dei presunti congressisti. Appoggiato al bordo pulsante del pacchebotto non perdevo di vista per un momento la costa lunga e salina che si profilava all'orizzonte e i voli dei gabbiani che seguivano la nostra scia emettendo strida tutt'altro che attutite dal sordo ron-ron del motore.

I gabbiani non erano e non sono per me — a tempo perso animalista appassionato — volatili molto noti e familiari: se ne vede qualcuno in Italia nelle giornate tempestose, qualche esemplare solitario, grosso come un aquilotto, alto sui flutti, con le forti ali ben arcuate, ma lo si vede da lontano, simile a una virgola decorativa su un paesaggio di Claudio Lorenese o del Turner; o ne vedono di più i pescatori quando salpano quelle loro reti che restano sospese a fior d'acqua per captare i pesci volanti, i pesci rondine e i lacerti. Ma tutto sommato, da noi, anche per un uomo nato sul mare come me, il gabbiano resta uno sconosciuto, un assente o la figura emblematica che appare nella ballata del vecchio marinaio del Coleridge. I gabbiani atlantici che vidi quel giorno erano invece numerosi, garruli, infinitamente più socievoli e più piccoli dei nostri; una nube piumosa che inseguiva il battello, una dissolvenza di ali e di guizzi e di strida nell'aria grigia ma chiara del mattino. Tra i viaggiatori che gettavano in aria briciole di pane o di biscotto perché i gabbiani se ne cibassero a volo alcuni Italiani erano visibilmente i più interessati al giuoco. E i gabbiani che venivano a sfiorare il bordo del piroscafo nel punto dove mi trovavo io dovevano essere, per un ammirevole senso di divisione del lavoro, sempre gli stessi: un gruppo di quattro o cinque agili *sea gulls* grigio perla e in mezzo ad essi un gabbianotto un po' più scuro e dalle ali forse più sfrangiate o spennacchiate, che non gl'impedivano però di volare assai bene. Al loro passaggio i viaggiatori buttavano in alto manciatelle di molliche e di zibibbi, e con maggior lena degli altri uno spilungone vestito color cacao e dai baffi spioventi, mongolici; e il piccolo sciame si abbassava con uno squittio di giubilo e neppure una midollina che fosse visibile a occhio nudo giungeva a inabissarsi tra i flutti: ogni gabbiano prendeva in aria la sua parte, poi l'alato stuolo si risollevava e un attimo dopo eccolo ancora librato su noi, compatto, guardingo, pronto a tornare all'attacco.

— Hai visto? — disse l'uomo color cioccolato a un compagno di viaggio. — Hai visto quel gabbiano tardivo? È il meno pronto di tutti, resta sempre a becco asciutto. — E preso un bel pezzetto di *plum cake* lo gettò in aria con l'atteggiamento di chi prometta « ora aggiusto io le cose ». Tutti i presenti lo avevano imitato. In un uragano di sibili e di sbattimenti d'ali – un tempuscolo appena – i pennuti si abbassarono; chi prese una porzione, chi ne arraffò due, ma fu subito chiaro che il gabbiano scuro era giunto debitamente in ritardo.

— Te lo dicevo? — ripeté l'uomo preoccupato. Ruppe in fretta un buon centimetro di croccante, lo lanciò verso l'uccello meno agile ch'era rimasto alquanto da parte; ma si udì un'ira di dio di fischi e di strida, e giù, ecco, uno, due gabbiani più svelti contendersi la preda mentre il destinatario stava quasi per averla nel becco.

— Non è possibile, — affermò con aria smarrita l'uomo dai baffi prolissi — non può, non deve andar così. — Agitò un ombrello di seta verso la fazione dei *gulls* più intraprendenti e quando gli parve ch'essi si tenessero fuori tiro ripeté un lancio di briciole al quale seguì un coro lacerante, un attuffarsi d'ali che annullarono in un batter d'occhio ogni *handicap* e tolsero al favorito qualsiasi speranza di successo. I passeggeri risero commentando spregiudicatamente la disavventura del gabbiano scuro; ma si volsero poi a un grido sordo, a un singhiozzo che veniva dall'uomo allampanato, il quale stava smaniando e torcendosi fra le braccia di alcuni suoi compagni di viaggio. Parole inafferrabili alla maggior parte dei presenti gli sfuggivano dalla bocca e con l'ombrello imbustato tracciava cerchi minacciosi intorno a sé. Fu un accorrere di gente, un chiedere, un agitarsi e anche un commissario di bordo si mosse per vedere che cosa accadeva, mentre qualcuno accompagnava l'uomo marrone verso il *buffet*.

— Di che si tratta? — chiese il commissario preoccupato. — Uno svenimento? Mal di mare?

— È un malato, — disse uno — forse un epilettico.

— Un pazzo — opinò un altro.

— Forse soltanto un alienato, — suggerii — un uomo uscito per un momento fuori di sé.

— Per rientrarci? — domandò il primo signore.

— Certo, non appena sia sparito il pretesto che gli si è presentato qui. Probabilmente quel *gentleman* si è... identificato nel gabbiano che restava sempre a becco asciutto. Ha riveduto né più né meno che se stesso. Nei fatti suoi privati, nella sua vita non ha mai saputo reagire, forse non s'è reso neppur conto di ciò che gli accadeva; un senso di colpa, un permanente *inferiority complex* glie l'ha sempre impedito. Ma qui, trattandosi d'altri – e d'un semplice uccello! – s'è fatto coraggio e ha visto chiaro nella faccenda. Un po' in ritardo, non è vero?, e anche fuor di proposito... Non crede che sia così?

Tutti mi guardarono interdetti, un ecclesiastico mi chiese se mi sentivo male e mi porse una boccetta di sali da fiuto (Oltre tutto dovevo essermi espresso in un pessimo inglese)

Poi qualcuno riprese a lanciare briciole in alto, ma lo spettacolo aveva perso d'interesse, il gabbiano tardivo s'era ormai allontanato dallo sciame dei suoi rivali e già il battello fischiava rauco in prossimità degli scali bassi e quasi invisibili di Newhaven. Eravamo giunti in Inghilterra.

1946

Baffo e C.

Sono seduto nella sala d'ingresso del mio albergo, in Basil Street, Londra Knightsbridge. « 9 a. m. » dice il programma « A car will wait for you ». Attendo la macchina che deve riportarmi alla Stazione Victoria. Il lungo itinerario fissato punto per punto da una miss Collins è stato sempre sottolineato da questo pedale, da questo basso continuo: « una macchina verrà a prenderti »; ed ora sono all'ultima battuta della musica.

Le nove in punto. Un'auto silenziosa s'arresta davanti alla porta a tamburo; ne scende una figuretta di un'eleganza discreta. È lei, miss Collins, la perfetta regista del mio *trip* d'invitato, che ha voluto darmi il buon viaggio. Da domani andrò a piedi o in *métro*.

— Le sue impressioni? — mi dice miss Collins, arrestando con un gesto quasi energico il fiotto inesperto dei miei ringraziamenti. E mi guarda con i grandi occhi celesti, impenetrabili. Cerco le parole adatte; miss Collins ha uno *step-father* milanese ma è una delle poche inglesi da me recentemente incontrate che non spiccicano una parola d'italiano. Non è mai stata in Italia, *she's longing* per venirci, lo desidera molto, ma tant'è, finora ha dovuto farne a meno.

— Le mie impressioni — rispondo cercando di ravvivare i luoghi comuni del mio vocabolario — non sono molto diverse da quelle di quindici anni fa, per quanto la guerra abbia infierito anche qui. D'altronde io non sono in Inghilterra con intenti giornalistici e non ho preso appunti. Se chiudo gli occhi e cerco di riassumere i ricordi, qualcosa può venirne fuori. Ma saranno cose importanti? Dopo tutto sono un invitato serio che ha visitato un paese terribilmente serio. Se dal pozzo di San Patrizio del subconscio dovessi estrarre soltanto dei *trifles*, delle inezie, che figura farei? Dovrei parlarle di cose gravi o almeno di cose nobili. Dei vostri pittori, per esempio, da Turner e Constable fino all'espressionista *avant lettre* Palmer morto nel primo quarto dell'Ottocento e ignoto da noi. Ma la memoria insiste invece su aspetti e particolari che potrebbero sembrarle quasi ridicoli. La pensione dei gatti a Dover per dirne una, dove veterinari e infermiere sorvegliano i bei felini durante il periodo della necessaria quarantena. Quanti gatti nella vostra isola! Peccato che siano quasi tutti siamesi. Se cerco più in là, rivedo le lunghe barbe dei separatisti scozzesi che mi hanno tenuto almeno per quattro ore in una *informal discussion* organizzata dai loro amici-nemici britannici. Oppure seguo i riflessi del ponte sull'acqua, a Reading, presso Caversham Bridge, e le solitarie, assidue ruminazioni dei soci dell'Angling Club. Non ho mai visto tanti pescatori gettar l'amo in un fiume notoriamente privo di pesci.

Lo so, qualche predestinato finisce poi, dopo anni, per tirar su uno storione immenso, di otto, di dieci *stones*. Quanto fa in chilogrammi, miss Collins? Forse quindici, venti chili. Ma sono casi rari; bisogna attenderli tutta la vita. Un vecchio pescatore di Edimburgo mi disse di esserci arrivato una sola volta in sessant'anni. E in Scozia, non so perché, mi immagino che i fiumi siano più pescosi.

— *Fishing?* Nient'altro? — mi chiede stupita miss Collins consultando il suo orologino da polso per assicurarsi che c'è ancor tempo. — Niente di più interessante?

— È appena l'inizio del mio viaggio retrospettivo, miss Collins. Le ho detto di non aver preso appunti, ed è quasi vero. Ma qui, in un pezzo di carta che mi trovo nel taschino del panciotto, vedo scritto Baffo: e Baffo era proprio uno di questi pescatori che non pescano. È il nome che ho dato a uno studente che ho poi riveduto altrove. Mi telefonava spesso. Rientravo tardi, la sera, e talvolta il portiere dell'albergo mi consegnava un foglietto dov'era scritto Baffo o Baphoo o qualcosa di più impronunciabile. Baffo vuol dire in italiano *moustache*. Giovanissimo, portava grandi mustacchi a spazzola che sembravano finti; non avevo più visto nulla di simile dai tempi dei *Moschettieri al convento*. Il suo vero nome è Salomone Kohn, studente di legge a Cambridge e britanno a metà, se un Kohn potesse esserlo solo al cinquanta per cento. Lo era invece al massimo; ma il cuore l'aveva lasciato da noi. Era, miss Collins, come Gill, come Hamish, come tanti altri che ho conosciuto, *uno dei duecentomila*... — Uno dei duecentomila? — fa miss Collins estraendo uno specchietto per rimettersi un po' di cipria sul naso.

— Sì, uno dei duecentomila dell'ottava Armata. Rastrellando l'Italia dal fondo alla cima hanno buttato in aria e sparso al vento i semi della nostra cultura e della nostra lingua. *Graecia capta*, miss Collins, con quel che segue. Non tutti, si capisce. Ma verranno fuori da quei duecentomila i migliori amici del nostro paese, in Inghilterra. Il pescatore Baffo che esclamava *ostrega* per esprimere il suo disappunto quando alzava dall'acqua l'esca intatta, è uno di questi. Non pronostico né auguro nuove invasioni alla nostra penisola, miss Collins, ma osservo semplicemente che nessuno sforzo di propaganda, nessuna fatica di Minculpop (le dirò dopo il significato della strana parola) poteva iniettare nella miglior gioventù inglese un tale desiderio di conoscerci e di saper tutto di noi. Parlano l'italiano, torneranno in Italia, leggeranno persino i nostri libri.

Ho preso parte a un *recital* di poesie di bianchi e di negri, a Londra, con Moravia, in un circolo artistico; e uno dei duecentomila ci disse di aver fatto quattr'ore di ferrovia per venirci a sentire. Ci ringraziò in fretta e si avviò verso la stazione per rimettersi in treno. Da noi è difficile che un conferenziere possa avere simili compensi. Bisognerebbe esserseli meritati. Ma per Baffo e C. noi non eravamo uomini, eravamo un pezzo della loro gioventù, un richiamo, un simbolo. E in questi casi si può anche affrontare la noia di un viaggio...

Erano tutti giovani di condizione modesta, Baffo, Gill, Hamish e gli altri. A Oxford e a Cambridge il numero dei figli di operai che sono mantenuti agli studi a spese dello Stato non si conta più. Arrivando credevo che l'aringa e i *corn flakes* tipo unico fossero le sole conquiste (ahimè quanto sgradite) del vostro socialismo. Poi ho visto l'altro lato della medaglia...

Un sommesso suono di *clackson* si fa sentire dalla strada. Sono le nove e mezzo; il treno parte poco dopo le dieci e bisogna sbrigarsi. Fra due ore sarò sulla Manica, poi traverserò la Normandia deserta. E l'Isola s'allontanerà come un sogno.

— Grazie ancora, miss Collins. Vuol dirlo alle gentili persone che mi ha fatto incontrare? A Baffo lo dirò per iscritto; non ho il suo indirizzo ma so che legge i giornali italiani.

1948

Due irresistibili

In Inghilterra, stavolta, ho veduto poche donne. Sarà perché io, pilotato quasi sempre in macchina, ho avuto rare occasioni di scendere nell'*underground*, dove, nelle ore di punta, si incontrano milioni di impiegate, di commesse, di ragazze che lavorano, tra le quali non manca mai una piccola percentuale di volti degni di Gainsborough (cito il pittore inglese più tipico e più pagato in America, non il più grande); o sarà forse effetto dei tempi duri che inducono le signore a non esporre troppo alla luce del sole i loro logori e tesseratissimi « effetti personali ». E il sole vi assicuro che c'era, perché l'Isola ha avuto un inverno quale non si ricorda a memoria d'uomo. In ogni modo, cito il fatto senza indagarne le cause.

Ma in cambio ho veduto in Inghilterra alcune donne italiane, di fresca importazione, mogli di ufficiali che hanno vissuto qualche tempo fra noi. E vale la pena di parlarne, perché esse aprono qualche prospettiva alle donne di casa nostra che ambiscano ancora (se ce n'è) a formarsi un nido sotto quel cielo non sempre sereno. Due esemplari basteranno: li ho scelti perché mi hanno lasciato perplesso, come di fronte a un segreto di cui non si possiede la chiave. E nella vita non sono le cose facili quelle che si ricordano di più.

La signora Fulgenzia Horwill abita in un *cottage* fuori mano, a Cambridge. È moglie di uno studente di ventidue anni, ex-combattente, che ha vinto uno *scholarship*, una borsa di studio. Il giovanissimo marito ha una barbetta già grigia, gli occhi anche più grigi e parla a modo suo l'italiano. Studia, m'ha detto, « lingue ». Lingue moderne, immagino. Vuole impararne molte per farne oggetto d'insegnamento. Ha conosciuto Fulgenzia a Istonio, vulgo Vasto, patria di Gabriele Rossetti, se l'è sposata e l'ha condotta in Inghilterra. La signora Horwill non mastica l'inglese, condizione favorevole al marito, che con lei dovrà tenersi in esercizio.

Prima di esserle presentato dovetti subire una iniziazione durata alcuni giorni. — Conoscerà la signora Horwill — mi dicevano gli studenti mentre il mio sguardo seguiva le pigre evoluzioni del Cam, il fiume che chiude come un anello la cerchia dei vecchi Collegi.

— Non oggi, però — si affrettavano ad aggiungere. — Domani forse. *Wait and see. A nice Italian lady.*

— *Charming* — postillava un altro, avvolgendosi nel suo pipistrello di « pupillo » in libera uscita serale. — *Pretty cute* — rincalzava un giovane americano calvo facendo schioccare le dita, da buon conoscitore. Fu deciso che la visita sarebbe avvenuta due giorni dopo, a coronamento del mio ingresso al *Plough* (l'aratro), tipica e superstite taverna britannica che non dovevo assolutamente lasciarmi sfuggire.

Al *Plough* bevemmo infatti una birra, con reciproci brindisi. Mi attendevo un'atmosfera da osteria elisabettiana e mi trovai invece in una saletta dove non manca che la macchina del caffè espresso per credersi al bar della stazione di Pontassieve. Non vi sono contadini né si immagina vi si possa incontrare qualche gagliardo furfante, come l'Autolico di Shakespeare. Tutti i convenuti erano correttamente vestiti, si scambiavano gentili *How do you do* e si immergevano subito nella lettura di giornali illustrati. Un insieme di gente che da noi si direbbe indomenicata; eppure non eravamo in un giorno festivo.

Dopo la visita all'*Aratro* affrontammo la trionfatrice di Cambridge. La signora Horwill sedeva su uno sgabello, al pianterreno di una casetta d'affitto posta a fianco di una grande via asfaltata. È una donna di piccolissima statura e trovandosi in stato di avanzata pregnanza sembrava un vecchio affresco raffigurante l'immortale fecondità della Chiesa piuttosto che una distinta signora italiana. La signora Horwill ha i capelli tirati, gialli e lisci, gli occhi altrettanto gialli. Teneva i piedi sopra una grande pelle di tigre. La casa è di proprietà di un vecchio esploratore e cacciatore del Kenia.

Mrs. Horwill mi disse anche lei *How do you do* e aggiunse poche altre parole in un italiano alquanto rudimentale. Fu servito il tè, a cura del marito, e passò di mano in mano un piattino contenente alcune pillole di saccarina. Lo sposo Horwill pareva intimidito dalla presenza della consorte. Mi susurrò che sua moglie sarebbe stata un giorno, finito il tesseramento, una mirabile cuoca. Ma c'era tempo, molto tempo, borbottò lei. Per ora stavano bene così. Suo marito doveva ancora farsi « una posizione ».

Tutti annuirono gravemente. Lo studente americano ebbe alcune parole ammirative per le future virtù della padrona di casa e poi propose di tornare in città. In punta di piedi, silenziosamente, prendemmo congedo con grandi inchini.

L'altra vittoriosa l'ho conosciuta a Edimburgo. Abita là da due mesi, moglie di un ufficiale che da noi si direbbe « di complemento » e ch'è uno dei più noti industriali scozzesi. Lei porta un illustre nome greco ma viene da Bari, sua città natale. Suo marito l'ha vista al P. W. B., non appena sbarcato, e si è dimostrato un ottimo pescatore di perle.

Al contrario della signora Horwill, il cui fascino sfugge a qualsiasi indagine da parte di un connazionale, Antonia Bright attira l'attenzione per un complesso non comune di virtù interne ed esterne. È alta e sottile e i suoi occhi di miope, sempre un po' socchiusi, incutono un grande rispetto. Il naso garbatamente adunco e affilato non spiove in basso e non rassomiglia per nulla a un becco, anzi aumenta la sua naturale distinzione. È giovane ma potrebbe anche non esserlo: tutti i suoi caratteri fisici, pur non temendo l'analisi del buongustaio, sembrano tali da sfidare l'usura del tempo. È una donna intonata, non una donna che attraversa una stagione felice: e l'intonazione è una virtù permanente, un dono degli dèi. Le sue vesti sono sobrie ed elegantissime: la gonna dell'ultima moda, piuttosto lunghetta e improvvisamente allargata a campana, sembra fatta apposta per lei. Quando passa in Princes' Street (la via Tornabuoni di Edimburgo, una delle sette meraviglie del mondo malgrado il vento che la spazza) la signora Bright desta un brusio di ammirazione alquanto insolito. La gente non osa volgersi perché in Inghilterra è considerato *shocking* manifestare apertamente la propria ammirazione per una donna; ma la voce pubblica ha meno ritegni e oggi a Edimburgo tutti parlano della signora Bright.

Mrs. Bright possiede alla perfezione quell'inglese di duecento parole ch'è il segreto di tante donne; e quando invita a pranzo gli amici all'albergo C. la sua voce melodiosa trova la via per forzare i cuori induriti dei *maîtres d'hôtel.* Ce n'è gran bisogno, ve lo assicuro. Il pranzo inglese a tipo unico, da cinque scellini – l'unico ammesso dalle rigide disposizioni vigenti nell'Isola – comprende quattro cucchiaiate, né più né meno, di brodo di dadi, una pietanza e un *dessert*, per lo più un dolce fatto di surrogati.

La lista dei locali più seri si fa anzi il dovere d'informare a caratteri di stampa: « in questi dolci non c'è né latte, né zucchero, né uova, né vera farina... ». Si tratta per lo più di piccole torri cilindriche gelatinose, tremule ad ogni scossa di auto o di camion quando sono esposte nelle vetrine con la scritta: *delicious food.* Il cliente ha diritto di sostituire a uno di questi tre piatti due fette di pane con qualche plumbeo truciolo di « burro nazionale » (c'intendiamo...). Ma il momento più insidioso è la scelta del piatto forte, del capitello centrale. Nei ristoranti ben forniti la lista permette di esitare tra *fish*, *fowl* e qualche altra squisitezza, come la *moussaka.* Il *fish* è merluzzo scondito, ossia baccalà; il *fowl* si riduce in pratica a un pezzetto d'osso di volatile con un po' di pelle sopra, ma non ricorda affatto i polli alla diavola del Valdarno; e quanto alla *moussaka*, attenzione! È la *callida iunctura* di due pastette di color diverso, giallo e bianco: polvere d'uovo e polvere di patata, tutt'e due stemperate nell'acqua, con l'aggiunta di qualche *sprout*, o cavolino di

Brusselle, semicrudo, e rare listarelle di trippa emergenti dall'ingrata miscela. Quando la *moussaka* è fatta con polvere d'uovo andata a male il suo effetto più blando è di far perdere la memoria per circa quindici giorni; come successe alla signora Beryl F., che fu riaccompagnata a casa dalla polizia dopo indagini condotte sui suoi documenti di identità personale.

Ebbene, nulla di simile può accadervi se siete tenuti al guinzaglio dalla signora Bright. Miracoli non ne avvengono, ma neppure siete esposti alle delusioni di Soho, dove le tagliatelle 1948 sembrano ormai una pallida caricatura dell'originale italiano. Con lei, semplicemente, il *fowl* si veste di carne, il merluzzo prende un illusorio sapore di pesce fresco e la gelatina indietreggia e crolla per far luogo a un gingillo più commestibile. Non crediate che ci sia di mezzo qualche mancia allungata sottobanco o un'indebita collusione fra Antonia Bright e il capo cuoco. L'insolito trattamento viene dall'influsso medianico di lei, che rende impossibile un'accoglienza diversa; da quel suo sorriso di esportazione, non timido, non impacciato, non sfrontato, non attraente, non respingente che in Italia è raro e che in Inghilterra è sconosciuto.

Mrs. Bright è probabilmente l'unica figura riuscita del preraffaellismo; nata fuori sede è rientrata spontaneamente nel suo quadro, e non ne uscirà più.

In una città piena di belle donne, lei sola sembra degna di farsi arricciolare i bei capelli dal vento, nella « Strada dei Principi ».

1948

Grilli folletti e vampiri

Tempo fa un produttore di film che svolge la sua attività in Inghilterra, dovendo « girare » l'*Enrico V* di Shakespeare, per non trovarsi nel caso di presentare anacronistici « esterni » tagliati dal volo di qualche aeroplano, scelse l'Irlanda a sfondo della sua pellicola. E nell'Eire, sebbene anche là l'Aer Lingus, la società irlandese di navigazione aerea, metta in cielo non pochi apparecchi, il produttore (l'italiano Filippo del Giudice) riuscì nel suo difficile compito.

Basta citare questo fatto per suggerire quanto oggi il cielo dell'Inghilterra sia pieno d'ali. A Northolt, che è il secondo dei grandi aeroporti inglesi, giunge un aereo ogni due minuti; aerei da turismo, beninteso. La British European Airways – una delle tre grandi compagnie britanniche – trasporta giornalmente tremila viaggiatori e impiega circa trentacinquemila persone.

A un viaggiatore che vola corrispondono dunque undici sedentari che assicurano le migliori condizioni del suo viaggio. La B.E.A. – come naturalmente anche la B.O.A.C. e la B.S.S.A. che formano la triade dei grandi complessi inglesi di navigazione aerea – è una compagnia d'interesse pubblico, nazionalizzata. Può permettersi cioè il lusso di perdere qualche milione all'anno e di guardare lontano, perfezionando i suoi servizi e studiando nuovi apparecchi e nuovi sistemi di volo. Uno dei piccoli lussi della B.E.A. è stato l'invito che ha permesso ad alcuni giornalisti italiani di assistere alla distribuzione della posta fatta regolarmente da un elicottero in una catena di paesi del Norfolk. Partiti da Roma in un quadrimotore « Savoia-Marchetti » dell'Alitalia, i giornalisti potevano poche ore dopo prendersi il fresco che increspava leggiadramente il Serpentine e trovarsi puntuali il mattino dopo in un prato di Thetford, nel cuore della regione dove si svolgono finora questi voli sperimentali. L'elicottero doveva giungere esattamente a mezzogiorno e scendere in un punto indicato da un segno bianco tracciato con la calce. Eravamo in sei o sette estranei al servizio, più l'*officer* del locale ufficio delle poste. Nei pressi del prato c'erano anche alcuni contadini che non dimostrarono alcuna sorpresa quando, alle undici e cinquantanove, un grosso grillo verdastro si profilò all'orizzonte, giunse sulle nostre teste, scese a perpendicolo sul punto fissato e vi si arrestò di colpo come se una mano sicura ve lo avesse deposto. Dal grillo fu aperto uno sportello, il pilota porse un pacco di lettere all'incaricato, ne prese uno in consegna, grugnì un rapido *good morning* ai presenti e si rinchiuse nell'interno del suo insetto.

Era in perfetto orario: tutti guardavano l'orologio. Le lancette segnavano mezzogiorno e un minuto quando il grillo verde fu risucchiato in alto, sempre verticalmente sulle nostre teste, obliquando poi e sparendo alla vista in pochi secondi.

Ho detto « fu risucchiato » per indicare con una immagine quasi violentemente fisica ciò che rende sgradevoli questi pecchioni tuttora in fase di studio. L'enorme elica, il frastuono assordante, l'impossibilità di planare dovuta alla mancanza d'ali, con tutti i rischi inerenti, che anche un profano non tarda a intravedere, fanno sì che l'elicottero sembri piuttosto un insetto sollevato da uno spago che una viva libellula. Finora il sogno di Leonardo è meglio realizzato dai piccoli apparecchi da turismo e dalla grande *Colomba* (*The Dove*) che la società De Havilland ha messo a nostra disposizione per un volo fino a Christchurch, sulla Manica. Ma non c'è dubbio che l'elicottero possa sin d'ora rendere preziosi servizi di aeroambulanza nelle Ebridi, nelle isole anglo-normanne, nell'isola di Man e in genere in tutti i paesi tagliati fuori dalle vie ordinarie di comunicazione. Anche con mezzi di trasporto più normali i servizi d'ambulanza aerei sono già ben organizzati in Scozia, paese frastagliatissimo, dove la B.E.A. ha assegnato a tale compito alcuni dei suoi migliori piloti.

Purtroppo la mia visita di osservatore non si è limitata a conoscere apparecchi che possano beneficare l'uomo e renderlo infine pacifico padrone dei mostri meccanici da lui scatenati. Non solo verdi cavallette ho veduto, non solo bianche e mistiche colombe destinate a stringere vincoli di fraternità tra i popoli più lontani. La bella campagna inglese, ancora così dolce e umorosa in giorni già afosi per la nostra terra italiana, non ci offriva soltanto i prati di Newmarket, pieni di cavalli, o la stupenda vista della cattedrale di Ely; ma da essa scattavano ordegni sibilanti, che sembrano destinati, per ora, a operazioni di guerra. Si tratta dei già famosi apparecchi a getto, o a turbo propulsore della società De Havilland, che in questi giorni compiono voli audacissimi sui campi di Hatfield. Dopo aver assistito alle evoluzioni di un vampiro caudato, agghiacciante nel volo ma ancora normale nel disegno, ecco in aria i tipi « D. H. 108 » senza coda e ad ali raggrinzate, con motori *Goblin* (folletto).

Passa prima il pilota Geoffrey Pike che ha l'ordine di eseguire per noi un volo lento: circa 700 all'ora. Una bufera, in cui il suono precede tuttavia di un attimo l'apparizione del mostro. Poi dice la sua parola il pilota John Dill che compie *loopings* e *tonneaux* spingendosi alla velocità di 997 chilometri orari. L'apparecchio è una saetta che lascia dietro di sé un sibilo da giorno del Giudizio. Visti da lontano questi vampiri hanno veramente il zig-zag sinistro del pipistrello impazzito. E vederli da vicino è impossibile perché non si fissa il guizzo di un lampo. Non si riesce a immaginare che cosa potrebbe essere, in guerra, una battaglia di vampiri, né come essi potrebbero colpire o essere colpiti. Quanto alla incolumità personale dei piloti, essa – pare impossibile – è affidata a una cartuccia che in caso di pericolo *sparerà* in alto l'aviatore legato al suo paracadute. Per ora i vampiri sembrano soltanto le armi più avanzate di quella che si è chiamata la « guerra dei nervi ». Ma domani? Peter De Havilland, il figlio di Sir Geoffrey che è ancora alla testa della società, ci illustra le future possibilità turistiche degli apparecchi a reazione, che permetteranno di compiere il giro del mondo in dodici ore. La B.E.A. sta compiendo esperienze in proposito, che dureranno circa diciotto mesi.

Intanto John Dill è sceso dal cielo e viene a pranzo con noi. Si scusa della bassa velocità da lui raggiunta; l'aria, dice, era troppo *tough*, troppo dura. È un giovane di ventidue anni, biondo, di aspetto tranquillo, senza alcuna visibile vanità professionale. Altrettanto tranquillo sembra Peter De Havilland al quale l'aria ha tolto due fratelli: John, caduto col suo *Mosquito*, e Geoffrey, quest'ultimo dissoltosi in cielo col suo sperimentale *Goblin*, nel non lontano settembre 1947.

Il signor De Havilland ci fa visitare poi la stanza dove si allogò vent'otto anni fa l'*équipe* originaria dei fondatori della De Havilland; era una baracca di legno, oggi è in muratura, ma sul pavimento sono segnate la pianta del vecchio locale e persino la posizione dei tavoli dei direttori, alcuni dei quali tuttora in servizio. Visitiamo pure il museo, la raccolta dei modellini degli infiniti tipi di aeroplano costruiti dalla De Havilland dal 1920 ad oggi, e infine, preparati in ispirito, siamo ammessi a vedere un *Ambassador*, cioè il più grande e confortevole transatlantico aereo finora esistente, che trasporterà, a una velocità di crociera di 450 chilometri all'ora, una quarantina di viaggiatori da un continente all'altro. L'interno di questo ambasciatore di pace è un lussuoso caffè-ristorante in cui tutte le comodità sono previste, comprese quelle dello *sleeping-car*. L'*Ambassador* ha una formidabile autonomia di volo e può alzarsi anche da ristretti campi di atterraggio; il suo consumo di carburante non è eccessivo e la De Havilland spera ch'esso sarà un giorno non lontano, come mezzo di trasporto, accessibile a tutte le borse. L'*Ambassador* entrerà presto in servizio sulle principali rotte europee, dato che la B.E.A. ne ha già acquistato parecchi esemplari. E domani forse anche questo tipo di aereo sembrerà ridicolmente vecchio agli intellettuali del volo, follemente *jet-propelled* (turbo-lanciati) nell'etere. Chi vivrà vedrà, e forse a sue spese...

1948

Paradiso delle donne e degli snob

In Inghilterra, se il vostro orologio si ferma e lo fate visitare da un medico specialista, non vi sentirete facilmente dire che il guasto è grave, il bilanciere è spezzato, i rubini scrollano negli alveoli come denti ammalati, la molla non tiene, ecc. Vi diranno invece, con vostro stupore: « Niente di grave; è sporco; venti scellini e sei settimane di tempo ».

Se avete della biancheria da far lavare, l'albergo ve la restituirà dopo tre o quattro settimane, e vi accorgerete che sulle camicie è stato impresso a caratteri indelebili *il vostro numero*, che può anche essere un numero di molte cifre. Negli alberghi il servizio cessa praticamente nelle prime ore del pomeriggio. Un giorno, verso le sedici, avendo segnalato telefonicamente al capo del *valets service* (di campanelli non c'è traccia) che in una certa ciambella di porcellana esistente nel mio bagno l'acqua non scorreva più, mi sentii dire di telefonare il giorno dopo, non troppo presto. Altri inconvenienti sono connessi al rito del *breakfast* che qui è sempre molto importante, anche se le materie prime che lo compongono si siano di molto rarefatte. Se chiedete (sempre per telefono) il *breakfast* in camera – e si tratterà in questo caso del solo *breakfast* « continentale », un tè con due fettine di pane e un francobollo di margarina – rischierete di attendere invano. Se scenderete al ristorante per consumare il pieno *breakfast* all'inglese, una coda di due o trecento persone in attesa di entrare vi scoraggerà; dovrete ripassare una mezz'ora dopo, ahimè in ritardo, e prima di servirvi vi faranno firmare un documento col quale accettate l'addebito di un *late breakfast charge*, cioè un aumento di prezzo per colpa della vostra pigrizia.

In molte pensioni è impossibile mangiare dal sabato al lunedì; in genere il *weekend* sospende la vita della città per due giorni consecutivi. La settimana londinese è di cinque giorni, e alle undici di sera in molti *boroughs* non si osserva più alcun movimento. Dico in molti, perché può accadere di trovare tutti i locali pubblici aperti da un lato della strada e chiusi ermeticamente tutti i locali dalla parte opposta. In tal caso siamo sul discrimine di due diversi *boroughs*; e le leggi dell'uno non valgono per l'altro. I *boroughs* hanno anche i loro giornali, diffusi ma quasi introvabili. Non andrete dal giornalaio per comprare la gazzetta di Kensington, la sola che vi può mettere in grado di penetrare i misteri di quell'affascinante città-nella-città. Del resto, scarseggiano anche i giornali maggiori. Alle nove del mattino i quotidiani più importanti sono già irreperibili. Bisogna abbonarcisi, non già direttamente ma presso il proprio rivenditore. Chi tardi arriva deve contentarsi dei dozzinali *pictorials*. Malgrado la grande richiesta di carta stampata, il campo del giornalismo è uno di quelli che più si mostrano in crisi. I giornali inglesi non sono passati da sei pagine a quattro o a due, come i nostri, ma da trenta o quaranta a quattro. Fleet Street che è la strada dei giornali, dove le notizie si vendevano persino per la strada, a due tre dieci scellini, in un libero giuoco di borsa fra giornalisti informatori galoppini e « trombettieri », è oggi molto più tranquilla. Anche New Bond Street è calata di tono, benché tuttora una galleria d'arte vi possa mostrare sessantasei (dico 66) Vuillard che probabilmente pochi francesi hanno potuto vedere insieme.

Il traffico è intenso dovunque, senza che sia raggiunto il frastuono di Milano o di Roma. Ma non basta questo silenzio a nascondere il fatto che qui, più che altrove in Europa, la civiltà dell'uomo meccanico mostra il suo volto pauroso. Guai se qualcosa dovesse spezzarsi in un simile ingranaggio di ruote e di leve; guai se l'uomo, chiamate alla vita le macchine, non riuscisse a mantenersi padrone dei mostri da lui scatenati! Oggi il pericolo non sembra probabile in Inghilterra, ma domani, quando il mondo intero sarà un immenso alveare di ordegni aerei e terrestri, potrà esistere ancora l'uomo della strada, l'uomo umano, l'uomo che è il sale e il pepe di ogni civiltà?

Torno al motivo iniziale e anticipo una risposta alla domanda che mi sarà fatta al mio ritorno: come si vive in Inghilterra? La domanda va posta naturalmente in relazione alle esperienze del Governo laborista, al lento terremoto che sta mutando la struttura sociale di questo paese. L'Inghilterra, che viveva prima di reddito e di lavoro, tenta oggi di vivere di lavoro e di risparmio. Minacciata nelle sue conquiste imperiali, nei suoi monopòli, nei suoi (d'altronde sudati) privilegi, essa sa di non potersi rinchiudere in un insulare isolamento e cerca di sfruttare al massimo i suoi vantaggi di posizione-chiave fra i due mondi. Intellettualmente, la sua situazione non è meno interessante perché la crisi economica di cui soffre non le permette di aprirsi a quella efflorescenza quasi bizantina di civiltà matura, avanzata, di cui essa avrebbe oggi bisogno.

Come si vive dunque nell'Isola? Credo che si possa rispondere in due modi opposti: che ci si vive male e ci si vive bene. Male, per le note ragioni: uno *standard* alimentare che può far rabbrividire un latino, ma che è sbalorditivo se si pensa che è veramente accessibile a tutti; scarsezza e caro prezzo degli alloggi, per quanto gli alberghi costino un po' meno che da noi; tesseramento generale e straordinario aumento della burocrazia e delle pastoie ad essa inerenti. Difficoltà d'ogni genere. Anche i divertimenti, se di primo ordine, sono complicati. Per assistere al film *Amleto*, all'*Odeon*, è necessario raccomandarsi ai sette santi per trovare un biglietto, magari con una settimana d'anticipo; poi bisogna recarsi a teatro alle sette, saltando il pasto, e alle undici di sera si è fortunati se si trova ancora qualche locale aperto in cui sia possibile consumare un bicchiere di latte (polvere annacquata) e uno *snack*, cioè due ostie di pane contenenti al massimo una fettina di cetriolo o di pomodoro.

Accanto a questi lati negativi – che probabilmente uno straniero di passaggio è indotto a esagerare – bisogna però riconoscere onestamente i vantaggi della vita inglese d'oggi. Ne indicherò uno solo, per ora, che non riguarda tutti gl'inglesi e nemmeno tutti i forestieri che vivono a Londra, ma che interessa tuttavia due sfere sociali di estrema importanza. L'Inghilterra – anche l'Inghilterra laborista – resta e probabilmente resterà ancora a lungo il paradiso delle donne e degli snob.

Se le donne non hanno ancora qui la preminenza raggiunta negli Stati Uniti, certo è che il loro peso sociale in Gran Bretagna tende ad accrescersi ogni giorno. Ci sono meno deputatesse che da noi, ma le donne occupano posti di primo piano nelle industrie, nelle organizzazioni sindacali, nelle professioni liberali e nel giornalismo. Non di rado i loro mariti sono dei semplici *yesmen* che si dedicano a opere casalinghe, alla pittura, al giardinaggio. Naturalmente, le donne inglesi non sono ancora convinte di aver raggiunto una piena emancipazione. Me lo negava giorni fa, con assoluta convinzione, una bionda giovanissima signora: ma subito dopo fui informato ch'essa aveva già legalmente *dismissed* il primo marito e che partiva per la Finlandia, « inviata speciale » di un'importante rivista del Labour Party.

Quanto al dandismo inglese è questione d'intenderci. Poco conta che alle corse di Ascot si torni ad andare in *gibus* grigio, e che cilindri e code di rondine facciano la loro ricomparsa al *Dorchester* o al *Savoy*. Si tratta di semplici abitudini mondane, sempre rispettabili: l'Inghilterra non pone etichette di pregio soltanto sulle bottiglie che le giungono (un po' meno di prima) da Jerez de la Frontera. Le mette dove può e dove meglio sa farlo.

Il dandismo inglese – quello che è contagioso anche per gli immigrati e per gli ospiti dell'Isola – è altra cosa. È probabilmente il gesto con cui l'individuo protesta contro la forza schiacciante della natura esterna a noi, e dell'ambiente sociale che ci condiziona; il segno di una disarmonia, di una mancata conciliazione col mondo. È un gesto che implica sfiducia e insieme ottimismo, disperazione e fede nel destino individuale dell'uomo. Non è necessario che il *dandy* porti sul risvolto della giacca il garofano verde perché questo senso si riveli: la piuma di gazza sul cappello di Roy Campbell può oggi valere il monocolo di Henry James. E neppure occorrono segni esterni per sentirsi iscritti alla grande famiglia. Chiunque, inglese o straniero, passeggiando a Chelsea si ricordi che là abitava Carlyle; chiunque, visitando il Museo della Marina a Greenwich, senta affluire nel proprio petto l'onda di quelle grandi memorie; chiunque scoprendo nella biblioteca di Edimburgo il piccolo Sofocle aldino che Shelley annegato stringeva ancora tra le mani provi un disperato orrore e insieme un inestinguibile amore per i nostri tempi « progressivi », è già segnato per sempre, è già un attivo sodale di quella civiltà che più delle altre, nel mondo moderno, ha combattuto perché l'uomo d'oggi fosse degno del suo divino sigillo.

Non so fino a che punto questo dandismo umanistico – che fu anche di Ugo Foscolo e di Herman Melville, non inglesi – potrà resistere alla scossa che investe la Gran Bretagna. Quanto ne sopravvive è pietà dell'uomo verso se stesso, autoironia, gusto di distinguersi dalla massa amorfa, desiderio di dare uno stile alla vita. E tanto basta perché in Inghilterra chi ama l'Europa e il suo retaggio culturale si trovi perfettamente a casa sua.

1948

I primi anni della TV

A Londra e nei dintorni, per un raggio di circa quaranta miglia (che in determinate condizioni possono anche salire a sessanta), oltre quarantacinquemila persone spendono l'ora del pisolino, del *nap*, dalle quindici alle sedici pomeridiane, e le ore della sera, fra le venti e trenta e le ventidue, assistendo a spettacoli di televisione. Quarantacinquemila è il numero di coloro che pagano la licenza, che costa due sterline all'anno; ma è noto che un buon numero di « evasori » si gode tale servizio senza spendere un soldo. Non ho fatto indagini per appurare se e come si intenda colpire questo nuovo genere di pirati... dell'aria. La mia opinione è che nulla dovrebbe esser fatto per disturbarli e per spingerli a costituirsi in leghe di « resistenti », come avviene da noi per coloro che pur ascoltando la radio ritengono di avere buone ragioni per non pagare una quota-parte delle onde hertziane da essi captate. Anche se oppressa dalle macchine e sommersa dalla crescente ondata dello spirito burocratico, l'Inghilterra resta per lo straniero la roccaforte del vero liberalismo; e liberalismo vuol dire anzitutto garanzia della libertà individuale. Non muovete un dito, signori del Governo laborista, per infrangere questo *cliché*! Limitatevi, ed è già molto in Inghilterra, a far riempire moduli e contromoduli allo straniero che arriva, ma continuate a guardarvi bene dal compiere indagini sulla veridicità delle dichiarazioni sottoscritte. Negli Stati Uniti, se un signor Bertoldi vuol trasformarsi *illico et immediate* in Mr.

Brown non ha che da fare una domanda e pagare una piccola tassa. Ecco un esempio di libertà veramente eccessiva che nessuno intende raccomandare ai governi delle nazioni europee. Ma in tutto il resto, voi che sapete mascherare così bene la poderosa organizzazione di Scotland Yard, mantenete intatto, se potete, il prestigio che la parola « libertà » ha dato al vostro paese!

Era questo lo stato d'animo che mi teneva in sospeso, giorni fa, ascendendo il colle di ben trecento piedi sul quale sorge Alexandra Palace, il quartier generale dei servizi di televisione della B.B.C. Poi compresi che non a caso il problema della libertà individuale mi si poneva dinanzi a un'invenzione che permetterà di frugare senza limiti nella vita privata dei cittadini. Anche se per ora il servizio sia limitato e costoso e nessuno rischi di trovare una macchina in agguato nella propria camera (*L'albergo dei divorzi*, suggerisco lo spunto a qualche ricercatore di *gags* cinematografici) resta il fatto che la « presa » dell'arrivo di un battello a Calais o di un direttissimo a Ostenda o a Santander può mettere in luce cose, fatti, incontri che qualcuno, chiuso nella propria camera, *non potrà più ignorare*! Sorgeranno allora, è facile supporlo, norme protettive, limitazioni; sarà ammessa dalle leggi la facoltà di viaggiare in domino e in maschera con la spesa di un modesto supplemento sulla tariffa del biglietto ferroviario. Oppure, nei giorni di *weekend*, sarà consentito l'accesso a luoghi garantiti, *off limits*, dalla presa di indiscreti apparecchi... Pongo il problema senza cercare di risolverlo; non senza un certo rammarico nel constatare che il maggiore attentato a una delle più grandi libertà individuali (la libertà *di non sapere e non vedere*) abbia trovato qui in Inghilterra, fin dal 1936, la sua più moderna e razionale organizzazione.

Entrati nel palazzo della televisione i sospetti, intendiamoci, sono tutt'altro che confermati. Nella fase attuale non c'è nulla di più discreto dell'uso che si fa qui di questo strumento indiscreto. Quando non si trasmettono scene esterne di fatti e avvenimenti ai quali nessuno si reca per restare nascosto (gare di tennis, il *cricket* a Lords e a Oval, il *rugger* a Twickenham o addirittura cerimonie di grande importanza politica o mondana) il servizio consta prevalentemente di commedie, scene di varietà, *news reels* o film di attualità del giorno, creati apposta dalla B.B.C. per i suoi studi di televisione. Non è ancora possibile, invece, assistere agli spettacoli dei comuni teatri e cinematografi restando a casa propria; e l'impossibilità, com'è ovvio, non è d'ordine tecnico ma pratico, perché teatri e cinema si difendono dalla concorrenza impedendo che i loro programmi vengano « televisionati ». C'è poi anche una difficoltà d'ordine estetico, come vedremo. Nei due studi di Alexandra Palace una compagnia di eccellenti attori assistiti da tecnici specializzati e da registi prepara durante il giorno gli esterni e gli interni delle commedie da rappresentarsi ogni sera. Non si tratta, come qualcuno può credere, di un ordinario teatro da tradursi in un film sonoro, ad uso e consumo di abbonati casalinghi e sedentari. E nemmeno regge la analogia col comune teatro di prosa, fondata unicamente sul fatto che gli attori debbono imparare la parte a memoria. In realtà il teatro da trasmettersi per televisione ha già, e più avrà domani, caratteri suoi che ne faranno probabilmente un genere intermedio fra il radioteatro e il film. Per mezzo dei suoi ritrovati, la resa delle voci umane e di ogni altro suono è incomparabilmente superiore a quella che si ascolta nei film incisi o nelle radio-commedie: qui un attore può veramente riconoscere la propria voce; qui il colpo delle racchette che giunge dai campi di Wimbledon può veramente toccare morbidezze affascinanti. Qui, infine, l'attore che recita può *vedersi recitare*, guardando in un piccolo schermo, e godere dei benefizi, incalcolabili ai fini del suo mestiere, di una doppia vista.

Si aggiunga poi che il duplice aspetto visivo e auditivo dello spettacolo a domicilio (simile in questo al film, ma con qualche limitazione nell'ampiezza degli esterni) induce a una giusta dosatura dei due elementi, che devono essere mantenuti in perpetuo equilibrio. A pensarci bene, non si potrebbe riprendere l'*Edda Gabler*, supponiamo, da un comune teatro di prosa, senza incorrere in una grande monotonia di effetti. Il regista che vorrà riprodurre per televisione i capolavori del teatro di prosa dovrà prima adattarli al nuovo mezzo, alternando con un sapiente gioco di carrelli i vari piani visivi, graduando il lontano, il semi-lontano, il vicino e il vicinissimo come un compositore di musica alterna e regola i suoi *f, ff, fff, p, pp, ppp, mf,* ecc. Dovrà preparare lo « spartito » cinematico e acustico di questo spettacolo misto che richiede, fra l'altro, un nuovo genere di *maquillage* da parte degli attori e una diversa tecnica del gesto.

Pensate a un film in cui gli esterni siano (per ora) sensibilmente ridotti o visti a frammenti, a spicchi, e nel quale le scene non si possano rifare e gli errori non siano mai correggibili; oppure pensate a un teatro che sostituisca alla « scena » (cellula di ogni composizione tradizionale) la sequenza e il ritmo, nella doppia prospettiva, ottica e sonora, e avrete i confini pratici ed estetici del nuovo dramma, della nuova commedia, della nuova opera lirica per televisione. Senza contare la rivista, i balletti, gli spettacoli di varietà... (Si prepara un mondo meraviglioso per i nostri amici registi; e pensare che qualcuno sperava di liberarsene al più presto!)

Ad Alexandra Palace, dove lavorano finora duecentosettantacinque persone, si pongono appena le basi dei futuri compiti, per quanto i programmi siano già gremitissimi. La televisione non è ancora un pericolo sociale, ed è soltanto all'inizio delle sue possibilità artistiche. Praticamente è possibile organizzarla solo in enormi centri, dove in breve raggio si riesca a chiudere milioni di anime. Ma Londra sarà presto in *relais* con Birmingham, e altri collegamenti sono previsti a breve scadenza. Probabilmente da questi due studi londinesi dove i mezzi sembrano inadeguati e dove invece la scenografia si rifà ai problemi del teatro elisabettiano (una sedia, un paravento con due freghi sopra, e con meraviglia vedrete apparire sullo schermo luminoso un appartamento di lusso), probabilmente dal palazzo di Alexandra la nuova arte, o se volete la nuova tecnica mista, prenderà il volo per esperienze di eccezionale interesse. Introdotto nelle case, *in tutte le case*, lo spettacolo televisivo sarà fonte di gioie e di guai senza precedenti. Ucciderà forse il senso dell'interno, il senso stesso della clausura domestica e familiare; nessuno si sentirà più *dentro*, tutti si sentiranno sempre *fuori*, sempre partecipi, eternamente in ballo... E nuove distrazioni, e anche distruzioni, sono già prevedibili da chi le ha sperimentate. Ma non anticipiamo, perché di esse darò notizia un'altra volta.

1948

Metamorfosi di Katia

A Londra, dove non si vive all'aria aperta come nelle città latine e dove un severo, sebbene spesso stupendo, scenario oppone un veto inesorabile all'indiscreta curiosità del forestiero di passaggio, è raro incontrare casualmente gente di conoscenza. Vi sono amici che si vedono una volta ogni dieci anni; vi sono persone di primo piano nella loro attività arte o commercio che non si conoscono tra loro e che pochissimi hanno veduto. Ciò non indica scarsità di vita sociale, come potrebbe credersi, ma innumerevoli piani di vita, poco o punto intercomunicanti. Londra è la città ideale per chi vuol sparire (se ha i mezzi per farlo). E come ho obiettivamente registrato il senso di disagio e di mal di mare che dà quest'immenso accentramento di uomini e di macchine, regolato oggi da una inflessibile ma forse necessaria impalcatura burocratica, così debbo rendere omaggio alla *privacy* della vita inglese, alle sue illimitate capacità di segretezza. In nessuna città come in questa, se vogliamo restare in Europa, si ha l'illusione di una quasi assoluta libertà personale. Creata la legge, si dice da noi, scoperto l'inganno; la nostra è in gran parte una libertà di *outlaws*, di fuorilegge. Qui invece sembra possibile la libertà senza inganno, sembra consentito e anche suggerito il più corretto e ortodosso « imboscamento » ai margini della grande macchina collettiva. Qui non ci si sente mai in stato d'accusa e non si prova il bisogno di infrangere qualche legge e qualche prescrizione; segno che lo Stato — anche se vogliamo provvisoriamente identificarlo col Governo oggi in carica – può essere esigente fin che si vuole ma non prevarica, non esce mai dai suoi limiti amministrativi. Riflettano su questo punto gli Italiani, e sono parecchi, che fondandosi sull'esistenza di una ristretta classe dirigente inglese, vorrebbero inferirne che la democrazia britannica sia cosa piuttosto estrinseca, di facciata... (Come se la nostra valesse di più!)

A Londra dunque (debbo tornare ai miei montoni, come Panurgo) gli incontri sono infrequenti ma spesso istruttivi. Ecco il più recente, in una di quelle giornate di vento e di freddo che son venute improvvisamente a compromettere le sorti della *season*.

Da tempo non sapevo nulla di Katia F., un'ebrea nata a Cernăuti e piovuta anni fa a Milano dalla Polonia dei crudeli *pogroms* e delle molteplici invasioni. A Milano, e poi a Roma, era un cadavere vivente, una povera piccola donna che viveva di espedienti – non disonesti – e di larvata mendicità. Poi scomparve. L'ho riveduta a un ricevimento al Brown Hotel, quasi elegante, severa nel portamento, arricchita di una bella zazzera di capelli color volpe azzurra e di un paio di grosse lenti di tartaruga. La risorta Katia occupa un posto di responsabilità in non so quale laboratorio dove si fanno esperienze sulle vitamine. Ha lavorato per tutta la guerra, sfidando i pericoli della V2 e in segno di riconoscimento le hanno concesso da poco la cittadinanza britannica da lei chiesta. Da molti mesi Katia aveva un'amica, una signora Watson al cui consiglio e aiuto molto doveva. Poi un bel giorno la signora Watson dichiarò a Katia che aveva « esaurito il suo compito » e che la domanda di cittadinanza era stata accolta. La signora Watson non era che un'agente di Scotland Yard messa alle sue calcagna per l'occasione. Il congedo delle due donne fu tenerissimo, concluso da un suggerimento: che Katia assumesse un nome che non sapesse troppo di *butchery*, di carne macellata. (Tale era il senso del cognome F., portato dalla signorina Katia per tanti anni e con tanta disinvoltura). Il parere fu accolto e oggi la nuova Katia è uscita dal limbo delle anime perse, è una donna nuova, irriconoscibile.

Gli incontri non erano finiti: due ore dopo m'imbattei in un piccolo ingegnere tedesco, anch'esso spinto in Inghilterra dalle persecuzioni razziali. Prima della guerra s'era rifatto una vita in Italia dove fabbricava accessori per apparecchi radio. Ora è consulente di grandi società industriali, approfondisce la fisica atomica e studia san Tommaso, il filosofo che secondo lui è più « in chiave » con le ultime scoperte scientifiche. È contento, da vecchio si ripromette di stabilirsi a Roma, ma per ora è soddisfattissimo della sua terza patria.

È evidente che quando si sia penetrati oltre la dura corteccia del difficile mondo londinese, le auto-reclusioni, i nascondigli possibili qui non sono solo civili e anagrafici ma spirituali. Allora l'uniformità si frantuma e un alito di vita, di autentica vita, sembra palpitare anche su questa sterminata superficie di asfalto, di cemento e di mattoni. Non solo meravigliosi parchi ha Londra ma ricche sorgenti di meditazione interiore e infinite isole culturali e sentimentali che non rompono la comune tradizione, anzi l'arricchiscono.

Vedete i cattolici, per esempio, che senza fare spicco ammorbidiscono la società inglese, la temperano, la rendono meno insulare. Sono una minoranza tre o quattro milioni in tutto, e si trovano per lo più tra i poverissimi e tra le alte sfere. Si dice che al Foreign Office un tempo fosse di moda, e forse lo sia ancora, dirsi cattolici. Cattolici fino a qual punto, e di che natura? Qui l'indagine si complica. Il « Tablet » di Douglas Woodruff ha una notevole importanza tra le riviste inglesi. Ha un tono un po' « Action Française », maurrasiano, assai sostenuto e privo di unzione ecclesiastica (ma senza una costituzione repubblicana, senza un legittimismo può reggersi una simile posizione?); tono contrastante con una rubrichetta finale che potrebbe leggersi in un bollettino parrocchiale italiano.

Cattolico, forse romano, era Charles Williams, morto pochi anni fa, autore di poesie esoterico-religiose che trovano fervidi ammiratori fra i giovani. Cattolico romano è Robert Speight, regista, attore e conferenziere di grande classe, forse più noto all'estero che nella stessa Inghilterra dove pure ha interpretato ben mille volte l'*Assassinio nella Cattedrale* di Eliot; cattolico romano Bernard Wall che dirige « The Changing World », una delle più serie riviste del dopoguerra; e accenno appena a Graham Greene, già noto in Italia, che scrive cupi romanzi a sfondo cattolico.

In ogni modo il cattolicismo, in Inghilterra, è un regime di « concorrenza », non è religione nazionale, e da questa situazione deriva quel suo carattere aristocratico, di fiore di serra che, almeno in certi ambienti, lo distingue. Talora si direbbe che esso sia una delle tante valvole di evasione di cui dispongono i giovani poeti inglesi, più dei nostri inclini a una vita morale sperimentalmente rischiosa e magari dilettantesca. In certe biografie di autori appena quarantenni, comunismo, anticomunismo, anarchia, cattolicismo, taoismo e perfino complicazioni sessuali sono ingredienti di una formula ben nota che si sforza di rinnovare se stessa. Di qui a concludere che la vita religiosa e spirituale inglese sia qualcosa di fittizio il passo è lungo e non credo si possa compierlo. L'Inghilterra ha una tradizione di poesia non solo metafisica ma religiosa alla quale (ingegno a parte) si deve se un Hopkins non è stato uno Zanella e se un Eliot (anglo-cattolico) non continua Thompson e non è letto dalle pinzochere. E tradizione vuol dire anche ambienti, gruppi, famiglie, case.

Chi salga a trovare Bernard Wall nella quiete di Palace Court, a due passi dalle strade più ricche di traffico, ha un'impressione quasi fisica dei grandi riposi intellettuali, delle profonde oasi di pace e di silenzio che son possibili in una città che sembra esprimere solo la condanna e la maledizione dell'uomo economico. Un giovane dal viso intelligente, sereno, uno sguardo penetrante, un giudizio affilato anche su faccende di casa nostra, italiane; una donna, sua moglie, che si chiama Barbara (una delle tre grandi Barbare inglesi, mi fu detto, e ignorerò sempre le altre due) ed è invece la dolcezza e la civiltà fatte persona; due bimbe, Gabriela e Bernardina, che dipingono scene dei Vangeli con infantile e stupefacente spontaneità: una atmosfera di pace che solleva fuori del mondo.

Ma il capitolo sui molteplici aspetti della vita intellettuale londinese del dopoguerra, il capitolo più difficile, resta pur sempre da scriversi. E questo è il maggior rammarico di chi, dopo un breve soggiorno, debba accomiatarsi dall'Isola.

1948

III

Da Tripoli di Siria

Il colore della capitale del Libano si rivela, in questa stagione, verso le cinque del pomeriggio, quando le prime ghirlande di lumi, le prime « greche » di fosforescenti caratteri arabi trascorrono sulla città e le dànno una sferzata improvvisa. Ma Tripoli di Siria anche in pieno giorno anche sotto i violenti acquazzoni che si succedono sulla riviera libanese (la stagione delle piogge sembra in anticipo) dimostra di colpo la sua follia, la sua epilessia architettonica. Vista dall'alto della Torre di Melisenda, Tripoli non è una città, è una impressionante fungaia di case senz'ordine e senza disegno; case che s'inerpicano a specchio di un fiume giallognolo e tortuoso (Abū 'Ali) e continuano a salire su due colline, disperdendosi poi in ogni direzione: case, casupole, orride villette di *biscuit* e di vetro, con *bungalow* o senza, *chalets*, capannoni, silos, tettoie; forti chiazze di colori pretti e neri ciuffi di vegetazione; budelli di *souks* e cinematografi quasi moderni, in un anfiteatro di palmeti e di banani, di fronte a un mare d'inchiostro che sfuma in un orizzonte di sangue.

È inutile sperare che l'autista al quale siete affidati possa indirizzarvi in qualche modo e portarvi alla destinazione desiderata. Più spesso avrà bisogno lui stesso del vostro conforto. In queste città le strade non hanno nomi e le case non hanno numeri. Tutti si offrono per darvi le chiavi del labirinto ma nessuna memoria umana potrebbe contenere il torrente di consigli e di suggerimenti che vi accompagna di crocicchio in crocicchio. D'altronde, i consiglieri non riescono a mettersi d'accordo fra loro e molti sembrano sorpresi che si possa cercare qualcosa o qualcuno. Nel Libano si è distinti per famiglia, mestiere e religione, e il portalettere è l'unico che veramente conosca le città.

Ho sostato a lungo per ascoltare i vocalizzi di un nero *muezzin*, nero su una torretta bianca protetta da una tettoia illuminata da corone di lampadine elettriche. Lo scroscio della pioggia pareva rendere più funebre quell'antifona, ma la ragazza libanese che l'ufficio Protocollo ha messo a mia disposizione come guida e *hostess* non trova affatto triste la melopea del buon sagrestano sunnita. È musulmana, sunnita anche lei, e si esprime perfettamente in francese e in italiano. Ha imparato la nostra lingua nella scuola italiana di Beirut e in casa sua tutti (una folla di fratelli e sorelle) parlano italiano tra loro. Perché mai? Per simpatia, per affinità elettive forse? Neppure per sogno: per comodità; perché la scuola italiana era la più vicina alla loro abitazione e perché i religiosi che la dirigevano accettavano studenti musulmani e non tentavano affatto di convertirli. A che cosa volessero i Francesi convertire i Libanesi nei venti e più anni del loro mandato, non si riesce invece a comprendere. Certo è che giunsero a rendere obbligatoria la loro lingua e *facoltativa* quella araba nelle scuole del Libano. Corruzione e incompetenza di alti commissari e di generali, boria gallica e totale incomprensione del paese a loro affidato, queste sono le accuse che si sentono formulare dai Libanesi contro i loro recenti protettori. Si salva, nell'estimazione generale, l'Università di Saint Joseph, dei gesuiti, fondata a Beirut nel 1865, che ha fiorenti facoltà di medicina, di diritto e di studi orientali; essa rappresenta, con l'Università americana (1866), la più alta istituzione culturale della Repubblica Libanese.

Il francese resta tuttavia, dopo l'arabo, la seconda lingua del Libano e della Siria; e tanto a Beirut che a Damasco le legazioni francesi, alloggiate nelle antiche loro residenze generali, svolgono un'azione intensa in favore delle loro culture. I due maggiori giornali libanesi – « Le Jour » e « L'Orient » – si stampano in francese e hanno una tiratura di circa seimila copie, che qui è considerata enorme.

Sono giornali anti-governativi, pretendono che ogni opposizione è stata *écrasée* dal governo di Bechara-El-Khoury; e annunziano persino che il Serraglio sta preparando (non appena la Conferenza dell'Unesco sarà finita) « une nouvelle vague de terreur » che dovrebbe abbattersi sul Libano.

Quando la pioggia sarà finita cercherò di orientarmi, anche senza i lumi dell'« Orient ».

Intanto, disceso dalla Torre, ho incontrato alcuni membri della delegazione peruviana alla Conferenza, e due lingue (il genovese e l'arabo) hanno prevalso nel nostro gruppo; ma l'arabo era limitato ai pochi scambi di notizie che correvano tra la bella musulmana e il nostro autista siriano.

Nella lingua dello *sci* abbiamo commentato le novità del giorno: le dimissioni di Julian Huxley dalla carica di direttore generale dell'Unesco, la sua sostituzione con Jaime Torres Bodet, ministro degli Esteri messicano, quarantottenne, poeta e romanziere, che ha annunziato il suo prossimo arrivo a Beirut.

Piove ma presto tornerà il sereno, e anche queste brutte giornate sono state feconde di lavoro e di buoni risultati per coloro che rappresentano l'Italia nella terza Conferenza dell'Unesco. Forse, per effetto dei loro sforzi, la futura quarta sessione si terrà in Italia e l'Unesco cesserà di essere, tra noi, una sigla misteriosa.

1948

Si cerca un « ABC » culturale

I torbidi scoppiati in Siria (i giornali libanesi stampano tra virgolette la parola « rivoluzione », quasi per diminuirne l'importanza con una strizzatina d'occhio) non rendono più difficili i viaggi d'andata e ritorno fra Damasco e il Libano. Le due capitali sono congiunte solo da qualche treno merci che impiega circa ventiquattr'ore, ma i viaggiatori si spostano in auto o per via aerea e il traffico è particolarmente intenso in questi giorni. La terza sessione della Conferenza generale dell'Unesco, entrata nella sua ultima settimana, si avvicina alla fine dei suoi lavori. È ora in azione il comitato della scure – quello del bilancio – che sforbicia e riduce le richieste delle varie commissioni e sottocommissioni per farle entrare nel preventivo delle spese, fissate in otto milioni di dollari; dopo di che l'assemblea plenaria passerà all'approvazione dei punti programmatici elaborati per il 1949.

Nella capitale del Libano continuano, frattanto, le manifestazioni in onore dei congressisti. Decaduto regolarmente Julian Huxley, un poeta, autore di numerosi romanzi e di tre libri di versi, dirigerà per sei anni la cultura del *brave new world*, se questo mondo riuscirà a non incagliarsi nelle secche di una nuova guerra. Jaime Torres Bodet, nuovo direttore generale, non dirigerà la cultura specializzata, intendiamoci, la cultura che si forma nei laboratori delle grandi università; ma la cultura di base, la cultura di

« massa » (*mass communication*) che è alla cima delle aspirazioni dell'Unesco.

Come ho potuto parlare di Congresso e di congressisti? Nel quadro generale dell'Unesco, la Conferenza dei rappresentanti dei singoli Stati è ciò che è il Parlamento nella vita istituzionale di ogni nazione: è un super, o meglio un interparlamento, depositario della volontà degli Stati aderenti, in fatto di cultura e di diffusione del pensiero. Prese le decisioni a maggioranza semplice (ogni Stato ha diritto a un solo voto) il Comitato esecutivo, composto di diciotto membri, « istruisce » il direttore della segreteria, il quale, assistito da circa seicento funzionari internazionali, traduce in realtà le numerose istruzioni programmatiche. In tre anni di vita l'organizzazione ha distribuito migliaia di borse di studio, ha promosso scambi di studenti e di professori, ha inviato commissioni di esperti, libri, film educativi, riproduzioni di opere d'arte a paesi di basso livello culturale, ha creato nuovi istituti (quello dell'Insula Amazonica ha un compito colossale di indagine e di esplorazione) e sta creandone altri (uno del dramma, uno della musica, sempre a carattere internazionale), ha favorito e finanziato seminari o *stages* su problemi educativi e sta iniziando l'attuazione di un vero *corpus* di traduzioni di opere classiche, e moderne, letterarie e scientifiche, in numerose lingue, ponendo insomma le basi di un colossale centro d'informazioni che se saprà darsi dei limiti potrà ricreare veramente dall'*abc* la cultura « primaria » dei cittadini del nuovo mondo di domani.

Una cosa salta subito agli occhi: col tentativo dell'Unesco il concetto di « massa » (« popolo » è parola troppo civile, troppo nazionale, legata a significati quasi quarantotteschi), l'idea di una « massa » amorfa che aspira alla cultura come a un suo diritto naturale, esce per la prima volta dall'ambito della propaganda marxista ed entra nei quadri della cosiddetta ideologia « borghese ».

« Pas de croisade anticommuniste à l'Unesco » ha dichiarato Julian Huxley in una conferenza-stampa, quando fu arrestato l'« osservatore » dell'Unione Mondiale delle Trade Unions, Mustafà El-Aris (trattenuto in carcere in virtù di una legge per la difesa dello Stato che sembra creata apposta per lui); *pas de croisade*, sta bene, restando certo che l'Unesco presuppone un pacifico ordine mondiale in cui gli Stati poveri ascendano a un maggior livello di cultura, ma in cui nessuna scossa violenta alteri le basi di quel generale ordinamento democratico al quale gli Stati membri dell'Unesco, almeno a parole, si ispirano tutti. Un marxista potrebbe dunque sostenere che l'Unesco è il primo grande tentativo che la decadente cultura occidentale fa per difendersi e per colpire i suoi nemici con le loro stesse armi. E a questa luce acquistano un sapore leggermente ridicolo i foglietti volanti, i libelli che i gruppetti libanesi contrari all'attuale Governo di Beirut diffondono fra le varie delegazioni. La Conferenza ha fissato, quest'anno, le sue tende in un grande *carrefour* di interessi, di razze e di religioni (sette vescovi vivono in buona armonia a Beirut); su una terra che ora sembra un'abile imitazione della Costa Azzurra, ora una nuova Svizzera ad uso dei ricchi mercanti del Medio Oriente; ma che guardata più a fondo si rivela per quello che è: un lembo estremo del mondo arabo, ricco di glorie antiche eppure diviso da insanabili contraddizioni; un mondo in cui la vecchia cultura non potrà rinnovarsi che al contatto di fecondanti occidentali, europei. Non c'è vera democrazia nel Libano di Bechara-El-Khoury e nella Siria di Chukri Kouatly? È perlomeno strano che i giornali che lo affermano si vendano liberamente e siano tanto numerosi: più di cento fogli, quasi tutti d'opposizione, si stampano a Beirut e a Damasco. Per noi visitatori, le questioni intestine delle due giovani repubbliche perdono un poco della loro importanza alla luce del sole che s'indugia sulla grande oasi di Palmira, dove ci siamo spinti per alcune ore. Siamo in pochi e ci attende il direttore della Sûreté che ci offre un rinfresco all'anice e uno spezzatino di montone immerso in una montagna di riso al forno; poi alcuni arabi « di servizio » fanno circolare un caffè amaro dal sapore di menta, di cui sembrano avarissimi: poche gocce a testa. E il pranzo è finito.

Palmira ha un complesso monumentale più imponente di quello di Ba'albek: vista dall'aereo, tra le dune, le palme e le sfilate dei dromedari che si dilungano in ogni direzione, essa offre un colpo d'occhio veramente incomparabile.

Posta a mezza strada com'è, tra l'Eufrate e la Siria, un tempo occorreva una vera e propria spedizione per arrivarci: oggi l'archeologo che vi giunga vi trova persino un discreto albergo. La città ebbe forse trentamila abitanti nell'epoca del suo splendore; ha odore di zolfo per le sorgenti solforose che alimentano l'oasi e si dice che i Palmireni quando vanno a Damasco trovano « insipida » l'acqua della loro capitale. Vi passano piccioni selvatici, ma v'incontrano sicuro sterminio gli uccellini, di cui gli Arabi sono ghiottissimi. « No singing birds in Lebanon », afferma il mio Baedeker; e lo stesso può dirsi del deserto siriaco.

Finito il pranzo arabo ci muoviamo in fila per seguire Julian Huxley sulle rovine del tempio di Bēl e del Castello Turco. Col suo cappelluccio verde in testa, Huxley è sempre davanti a tutti, frenetico, pedante, ingenuo e felice come un *enfant gâté* della scienza. Cerca se stesso o cerca Dio negli sparsi frammenti del mondo visibile? (Il Dio di un positivista, in ogni modo). Ma per lui, per virtù di lui, sembra già un miracolo che nel mondo alcuni uomini cerchino tenacemente qualcosa, al di là di se stessi e dei loro meschini interessi. No, decisamente; sotto la luce di Palmira, non possiamo chiedere alla democrazia medio-orientale di risolvere problemi che per noi restano ancora quasi insolubili.

1948

Un filosofo in trampoli

Grande emporio di traffici internazionali, Beirut è altresì una città di « commerci » religiosi, se non forse una città religiosa come qualcuno pretende. In essa vivono, oltre al nunzio apostolico, due cardinali, il primate siriaco e il primate armeno, e sette vescovi. Questi alti prelati rappresentano il cinquantatré per cento della popolazione libanese di fede cristiana; i Musulmani sono circa il quarantasette per cento e la convivenza religiosa sembra abbastanza pacifica. Le varie confessioni hanno diritto nel Libano, a una proporzionata rappresentanza politica: il Presidente della Repubblica è stato sempre un cristiano (la Repubblica ha avuto vari presidenti dalla fine del mandato francese ad oggi), a un sunnita spetta per consuetudine il posto di primo ministro. Pochi sono i cattolici « latini », non più di tremila; i maroniti, di rito siriaco (trecentoventottomila), i melchiti di rito bizantino (sessantaquattromila), i cattolici armeni (diecimila) e i cattolici siriani (quattromila) rappresentano i più forti gruppi cristiani del Libano: gruppi uniati, fedeli alla Chiesa romana. Greci ortodossi, Armeni ortodossi, giacobiti o Siriani ortodossi (un ramo della vecchia eresia nestoriana) e protestanti di varie sette completano il quadro della Cristianità: in tutto circa duecentomila anime.

Anche i Musulmani sono, naturalmente, divisi. I due grandi gruppi sono, com'è noto, quello dei Sunniti (in netta prevalenza) e degli Sciiti; ma esistono minori sottospecie di Sciiti di stretta osservanza, di pretesi discendenti dagli Hittiti, ed esistono soprattutto i Drusi che assommano fra Siria e Libano a più di settantamila e rappresentano un'eresia gnostico-musulmana che risale all'ottavo secolo. La loro religione è strettamente iniziatica e non cerca proseliti. I Drusi furono una volta un popolo guerriero; oggi sembrano pacifici contadini e artigiani, ed hanno, o avevano fino a poco tempo fa, un loro rappresentante al Parlamento di Beirut, l'emiro Kémal Bey Giumblat.

Questo eminente rappresentante della tradizione drusa ha tenuto a ricevere, giorni fa, un gruppo di delegati alla Conferenza dell'Unesco nel castello di Beit ed-Din, lussuosa sede estiva del Presidente della Repubblica. Il castello sorge a mille metri di altezza, nel cuore del roccioso Shuf, a circa un'ora di strada da Saida ed è stato costruito alla fine del Settecento da Bashī'r Shiha'b, uno dei santi padri dell'indipendenza libanese, alleato di quel pascià Mohammed 'Alī che combatté Napoleone in Egitto e che, prima di farsi battere dagli Inglesi, sognò di annettere la Siria al suo regno egiziano, promettendo al Libano piena indipendenza.

L'emiro Kémal Bey Giumblat è un uomo alto, magro, di aspetto molto giovanile, perfetto conoscitore di parecchie lingue europee. Stretti in un cerchio di duemila Drusi venuti da ogni parte del Libano del Sud, gli invitati hanno ascoltato la sua lettura di un discorso nel quale la vita dei Drusi, il loro passato, il loro avvenire erano illustrati con finezza pari alla foga. Solo un punto rimase all'oscuro: quello della religione, ch'egli ha affermato essere un orto concluso, inaccessibile a chi non faccia parte della stirpe eletta; ma in tutto il resto, trasmigrazione delle anime, giustizia sociale drusa, emancipazione della donna, monogamia, purezza di costumi, vita dei Drusi all'estero (soprattutto in America) l'Emiro ha dato un'illustrazione di un'eloquenza straordinaria. L'Emiro si è espresso in francese; in inglese ha invece parlato una giovane drusa che ha fatto i suoi studi all'Università di Chicago. Poi hanno recitato poesie d'omaggio in arabo alcuni improvvisatori che l'Emiro ha definito « trobadours ».

L'impressionante cerimonia (svoltasi sotto una pioggia scrosciante) è stata tutt'altro che tranquilla, anzi è avvenuta tra danze, canti, lanci di spade, suoni di bande, sventolamenti di gagliardetti, in un'atmosfera di crescente eccitazione. I Drusi ballano stretti in circoli concentrici, tenendosi per mano, lanciando grida altissime; il loro ballo (secondo i competenti) è simile alla *sardana* catalana, di origine greca, e raggiunge un grado di frenesia che solo alcuni capisquadra armati di scimitarra riescono a contenere in limiti non offensivi per le persone che – chiuse in quel vortice di ossessi – rappresentano l'obiettivo, il punto di mira del tempestoso omaggio.

Non fu possibile, tuttavia, sottrarsi alla stretta finale. Gli ospiti d'onore furono sollevati in alto e dovettero reggersi in aria, tenuti solo per i piedi, puntellati sotto le ascelle da pertiche e bastoni; e di lassù dovettero pronunciare a loro volta qualche sommaria allocuzione che rispondesse in qualche modo alle cortesie ricevute. Personalmente, sono riuscito a sfuggire all'ingrata sorte; ma non dimenticherò mai il fantasma aereo e donchisciottesco di Julian Huxley, con le grandi sopracciglia grondanti di pioggia, sorretto su una selva di alabarde, intento nello sforzo eroico di trovare qualche parola di occasione (« wonderful people », « gorgeous reception », « high civilisation ») che scendendo dal cielo e debitamente tradotta spargesse un poco d'olio su quella tempesta di invasati. Per ordine dell'Emiro non si ebbero colpi di fucile: i soli spari furono quelli delle bottiglie di sciampagna sturate per noi nel banchetto che seguì. Prima del pranzo, i grandi iniziati, i Saggi, che sono anche i soli a portare barbe e turbanti, discussero lungamente di filosofia col dottor Huxley e con due professori del Collège de France. Non era presente il grande arabista francese Massignon, malato ad 'Amman, dove è assistito dal dottor Tesio, un medico italiano che gode grande fama in Transgiordania; né c'era il nostro arabista, il Gabrieli, che in quello stesso giorno doveva tenere un discorso a Tripoli, in lingua araba. Il dialogo si svolse così attraverso la mediazione di alcuni interpreti trovati sul luogo.

I vegliardi, senza entrare nei particolari della loro oscura religione, enunciarono in ordine gerarchico le loro preferenze in fatto di filosofia antica. Dànno il primo posto a Pitagora, il secondo a Platone, il terzo ad Aristotele e confinano Socrate al quarto posto. Julian Huxley, ormai rimesso dalle emozioni dei trampoli, svolse una elaborata arringa in favore di Aristotele, padre della scienza occidentale e assai caro al suo cuore di naturalista, ma non riuscì a scuotere le convinzioni dell'alto sinedrio. Dopo il torneo filosofico visitammo il palazzo dell'Emiro e affrontammo di buon animo alcuni tavoli dov'erano preparati parecchi capretti e tacchini farciti di riso, di pinoli e di zibibbo.

1948

Sulla strada di Damasco

Quando le grosse macchine americane che ci portavano cominciarono ad arroccarsi sulle prime falde del Libano un senso di disagio si diffuse nell'eteroclita compagnia che affrontava quel viaggio. Lasciavamo un bel paesaggio intonacato di blu, una riviera degna del perenne ricordo di una Mignon dei nostri tempi; una sfilata di palme e d'aranceti e di banani quale non avevo più visto dai giorni del ballo *Excelsior*, il ballo progressista e *liberty* del primissimo Novecento; e ci attendeva la nebbia, la neve, il freddo e forse, non si sa mai, anche il pericolo... I *tourniquets* si facevano sempre più stretti e le grandi macchine da pista parevano inadatte agli anelli ghiacciati di quelle vedute. Lo scenario marino scomparve presto, d'attorno non vedevamo che petraie, rocce e capanne; qua e là anche qualche albergo chiuso. Su tutto uno spolvero di brina, e quando sorpassammo la cresta degli ultimi rifugi uno strato di neve alto mezzo metro. *Jalla, jalla* urlavano gli autisti strombettando e cercando di sorpassarsi a vicenda; ma le macchine slittavano e ne superammo più d'una che fumava a motore aperto e sembrava incapace di proseguire. I petali della neve si facevano sempre più fitti, le ruote potevano passare solo dov'erano rimasti i solchi neri e fangosi delle macchine precedenti. Tuttavia pareva che lo scoraggiamento penetrasse anche tra coloro che ci facevano da battistrada; e da una Chevrolet tinta di giallo limone che tornava indietro un uomo si affacciò agitando le mani e urlando: — C'est impossible! Come back! No se puede!

— Se puede muy bien — affermò Gustavo D., un animoso giovinotto che ha combattuto a Guadalajara contro le truppe fasciste, e che ha pensato sempre col suo cervello, senza identificare mai nessun paese con nessuna fazione, vittoriosa o vinta.

E incoraggiato da lui l'autista tripolino percorse ancora qualche chilometro per poi arrestarsi sotto una pioggia violenta ai piedi di un'oscura e ruscellante salita. C'era un guasto ma non grave, qualcosa che non funzionava nelle candele. Scendemmo sotto il diluvio perché da una casa vicina una mano ci aveva fatto cenno di entrare. Ci trovammo in una saletta ben riscaldata, dove un uomo in pigiama, esprimendosi per metà in francese e per metà in inglese, ci pregò di prender posto accanto alla stufa. Quando seppe ch'ero italiano il suo volto si illuminò e disse: — Italie, jolie pays... Brusadelli —; e fece un gesto reverenziale che io ripetei alla meglio esclamando: — Oh oui, Brusadelli, c'est bien, c'est très bien...

Doveva essere un grosso mercante di tessuti, nativo di Aleppo. Spiegò che ogni domenica si radunava da lui o presso altri amici un gruppo di *gourmets*, di buongustai non quantitativi, ma qualitativi. Ognuno offriva a turno, di settimana in settimana, una pietanza cucinata con le proprie mani; poi, alla fine della tornata, il maggiore intenditore – il *cadì* del vicino villaggio druso – designava il vincitore, che per un pezzo mangiava gratis nelle case dei concorrenti sconfitti. Il signor Matoufli (il nostro ospite) era impegnato in una dura partita perché la domenica precedente un gallo cedrone in salmì, stracotto e convenientemente imputridito, non troppo asciutto, anzi annegato in una certa bagnetta densa e pure *coulante*, fatta d'olio di girasole e di olive pestate, era riuscito a distanziare di gran lunga tutti gli altri concorrenti. Il *cadì* non aveva fatto mistero del suo compiacimento. Bisognava battere il rivale sul piano della semplicità; occorreva una trovata; e il mercante aleppino pensava che una polpessa (non un polpo maschio, intendiamoci) dalle lunghe gambe, cotta nella stufa a lento fuoco, aspersa di aceto rosso e aceto bianco e da ultimo scottata violentemente nel latte di capra, potesse persuadere l'uomo della legge che la grande cucina classica sapeva infischiarsi dei volatili rari e degl'intingoli indigesti. Scoperchiò il tegame e ci mostrò il meraviglioso mostro millepiedi, corallino, che si crogiolava nel fondo; e già stava mettendo mano a una forchetta per offrircene una spirale quando l'autista venne a informarci che la macchina era in ordine e che non nevicava più.

Ripartimmo dopo aver accettato un caffè turco. Molte macchine erano tornate indietro, altre ci avevano distanziato. Le ultime rampe gelate furono percorse ad andatura ridotta, poi cominciò la discesa in una grande vallata deserta dove le strade erano molto più praticabili. Il terreno era nudo, solo verso il fondo della valle, prima che cominciasse la catena dell'Antilibano, cominciò ad apparire qualche ciuffo di vegetazione, qualche branco di maiali neri e magri guidati da cani e da ragazzi altrettanto neri e risecchiti.

La Beqa', il fertile corridoio fondovalle che porta verso Homs ed è rinchiuso fra Libano e Antilibano, è anche tagliata dalla frontiera dove attendono al varco certi gabellotti che non vorrei incontrare se fossi un contrabbandiere o un fuori legge siriano. E, percorso un tratto di quel paradiso terrestre, superati certi canaloni che rompono l'Antilibano per immettere nel deserto, la pista si fa nuda e solenne e gl'incontri diventano rari. Si entra in un mare ondulato di crete color muffa e di scogli calcarei: i contadini vivono in capanne fangose, l'acqua trapela scarsa in qualche *uadi*, piccole carovane di dromedari appaiono e spaiono tra le dune. S'intravedono a centinaia baracche di rifugiati (e forse di confinati politici) e cubi di case più abitabili sormontate da qualche minareto di moschea; poi è di nuovo lo squallore, il deserto roccioso della Siria. Una macchina ci raggiunse in un villaggio, due o tre Cinesi scesero con noi per bere un altro caffè turco.

— Italy? — disse un dottor Fu presentandosi. — Nice country, Dante Alighieri, Machiavelli... — Brusadelli — aggiunse Gustavo D. al quale avevo dovuto dare qualche schiarimento intorno agli entusiasmi del signor Matoufli. Ma il cinese non conosceva questo nome. Conosceva invece il console Speranza, oggi a Beirut, e aveva assistito a uno sbarco di Vittorio Emanuele III a Porto Said, molti anni fa, quando il leggendario console, ricevuto un telegramma che diceva: « Preparate elementi coloniali di mezza grandezza » aveva fatto schierare per gli onori una pattuglia di pigmei, impedendo in tutti i modi al « federale » di Porto Said (un uomo di altissima statura) di prender parte alla cerimonia. Si seppe poi che invece di elementi doveva leggersi, nel telegramma, la parola « elmetti »...

Il dottor Fu rise per sé e anche per noi (già troppo informati della storiella) poi le due macchine si rimisero in viaggio tenendosi a breve distanza. Il cielo era sereno ma faceva freddo. Damasco sorge infatti a settecento metri d'altezza e tuffata com'è in un'oasi di eucalipti che dura per mezza Siria, non si scopre alla vista che dall'alto della circonvallazione. Solo di lassù la città dei sette fiumi si rivela: goccia di miele che sembra scorrere nella vallata, capitale di uno splendore naturale incomparabile, veramente regina di un mondo che poco ha perduto dell'antica maestà del tempo dei grandi califfi.

Addio Libano! Il tuo lucore rivierasco, la febbre dei tuoi traffici, la dolcezza un poco esangue e febbricosa del tuo clima, non reggono al confronto della tetra, severa, solenne opulenza siriana. Qui, solo qui, si entra veramente in un regno, anche se questo regno è una repubblica e se l'uomo che ne regge il timone – quel degno patriota alto e corpulento che porta con tanta dignità il suo *tarbouche* – non riesca a mascherare una certa indifferenza per gli ospiti che deve ricevere. Finite le note dell'inno nazionale che ci attende al nostro ingresso all'Hôtel Orient e che ascoltiamo stando sull'attenti, i membri del Governo vengono a stringerci la mano; sono pochi perché in Siria, diversamente da noi, tutti rifiutano le cariche pubbliche. Poi siamo pregati di passare a certi tavoli dove sono pronti diecine di tacchini farciti, mezzi montoni arrosto e un'infinità di antipasti e di dolciumi, tutta roba che sparisce con estrema rapidità sotto gli assalti degl'invitati. Poco dopo non restano intatti che i tondi reggicoda, i cosiddetti bocconi del prete, in fondo al nudo carcame dei tacchini spolpati; finché due ometti armati di grosse forbici – un francese, teorico dell'angoscia esistenziale, e il ministro siriano della Pubblica Istruzione – non riescono a staccare anche questi, di cui si cibano con gesti velocissimi.

Giunge molta gente nell'atrio dell'albergo; alcuni sono studenti universitari, due dei quali sembrano desiderosi di conoscere gli Italiani presenti. Sono due studenti cristiani, appartengono cioè a quella non piccola minoranza (il venti per cento circa) che qui non è vista di malocchio come in Egitto e in Turchia, ma che si sente, in ogni modo, assai isolata. Con i due studenti, con Gustavo e col dottor Fu, che non vuol più staccarsi da noi, ci indirizziamo verso la Grande Moschea del periodo degli Ommiadi, sorta sui resti di un tempio pagano del periodo in cui Ba'albek era il massimo centro religioso di queste regioni. All'ingresso calziamo pantofole di velluto, che si dànno solo a ospiti eccezionali, e possiamo fare una lunga siesta sdraiati sui bellissimi tappeti dell'insigne fabbrica. I mosaici del settimo secolo, di vivo colore smeraldino ma purtroppo conservati solo in minima parte, ci tengono col naso in aria, pieni di ammirazione. Rapiti in un altro mondo restiamo a lungo a contemplare i tre minareti, su uno dei quali (quello a oriente) la tradizione afferma che verrà a posarsi Gesù in persona, per combattere l'Anticristo, poco prima del Giudizio Finale.

Non dovette esser facile ai cristiani dell'età d'oro del Califfato resistere alle tentazioni di una religione alla quale si poteva accedere con una semplice formula. « Attesto che non v'è altro Dio che Dio, e che Maometto è il suo inviato ». E neppur oggi è facile, per chi giunga dall'Europa, sottrarsi all'impressione che qui, nell'Oriente di mezzo, la fucina di

Dio è più bollente e operosa che in altri luoghi; e che qui, meglio che altrove, l'uomo sente che la sua proporzione, il suo aspetto, la sua misura, sono in qualche modo conformi alla Misura di chi lo ha espresso da sé...

Stavo per comunicare questo mio sentimento ad Antonio, il più giovane dei due studenti, quand'ecco, all'uscita della Grande Moschea, un uomo tondo e occhialuto ci venne incontro e si abbandonò a manifestazioni di simpatia per il nostro gruppo. Era il padre di Antonio, un ricco mercante, il quale saputo ch'ero italiano mi rivolse alcune parole ormai quasi prevedibili (« L'Italie... très beau pays... le Vésuve... Brusadelli »), e ci invitò tutti a prendere il caffè nel patio moresco della sua casa; una di quelle case damascene che di fuori sembrano catapecchie e nell'interno celano ricchezze e fasto inaspettati. Verso sera, quando giungemmo all'Hôtel Orient dopo un lungo giro nel quartiere cristiano, trovammo che la maggior parte degli altri invitati era ripartita per Beirut tra grandi grida di: *Jalla, jalla* (presto, presto!) e che a noi era riservata la possibilità di pernottare nella città dalle duecento moschee. La mattina successiva, di buon'ora, i due studenti vennero a prenderci e ci dissero che durante la notte a Damasco era scoppiata la rivoluzione e che il Governo era in fuga.

— Non è una cosa importante — commentò Antonio. — Usciamo e facciamo un piccolo giro nei *souks*; ne vale la pena. — E infatti aveva ragione lui.

1949

IV

Da Saint-Moritz

È difficile far comprendere a un giovane dell'ultima generazione che cosa sia stata St. Moritz, e in genere l'Engadina, per gli uomini di cultura che li hanno preceduti di venti, di trent'anni. Siamo qui in una delle capitali di un regno che sta tramontando: un regno che ha avuto i suoi dignitari in alto e in basso, in Nietzsche e in Segantini non meno che nei personaggi cari alla Serao e a Luciano Zuccoli. Una cultura completa, e quasi si direbbe una *Kultur* se non si riflettesse a quanto hanno fatto gli anglosassoni per mettere all'onore del mondo e della moda paesi come St. Moritz e Zermatt. St. Moritz era in origine un piccolo borgo ladino e ancora oggi il romancio è la lingua che s'impara per prima nelle scuole elementari engadinesi. Ora è una cittadina di circa duemilacinquecento abitanti, nell'ultimo decennio piuttosto diminuiti che aumentati. Una splendida cittadina che può contenere venti, trentamila persone e che offre ogni svago, ogni sport, nella doppia stagione estiva e invernale. Il guaio è che dietro il mondo che frequentava St. Moritz c'era appunto una concezione della vita, una *Weltanschauung* (riflesso senza dubbio d'una situazione economica), che oggi sta scomparendo; e ormai questo impareggiabile borgo engadinese, se non manca di clienti occasionali, viene a mancare dei suoi clienti più tipici e più naturali: coloro per i quali l'Engadina era soprattutto un fatto spirituale. Erano clienti ricchi, naturalmente; ma ricchi non soltanto di quattrini. Gli uomini, tanto per intenderci, e le donne che incontriamo nel diario di Maria Baškirceva e nei romanzi di Henry James e del suo seguace Maurice Baring. Mondo prebellico che ha fatto un ultimo tentativo di ricomparsa negli anni che vanno dal '27 al '30 e che poi si è dissolto dopo i *cracks* di Wall Street e dopo l'avvento dei vari totalitarismi. Nietzsche e, a modo suo, Segantini rappresentano due punte estreme di quel mondo e si può prevedere che per uomini di cultura prevalentemente nordica, tedesca, l'Engadina continuerà a essere ancora a lungo un miracolo di natura difficilmente sostituibile; ma al di qua di tali punte estreme l'Engadina era anche l'asilo naturale di quanti, ben provvisti di censo, volevano difendersi dalla vita conoscendosi, incontrandosi, formando un vasto *clan* internazionale che sarebbe ingiusto definire semplicemente mondano.

Chi faccia in una di queste mattine il giro del lago di St. Moritz incontra un po' dovunque camerieri e *maîtres d'hôtel* in marsina che passeggiano malinconicamente evocando i tempi eroici dei grandi clienti (Morgan junior, i Rothschild) e dei grandi cuochi (Escoffier, Mazzetti); i tempi in cui il semplice « coperto » in uno dei grandi alberghi (i *big five* di qui) costava varie decine di franchi e si sturavano in quantità bottiglie di sciampagna a settanta franchi l'una. Tempi tramontati forse per sempre.

Chi sono, oggi, gli ospiti di St. Moritz? Il cinquanta per cento della clientela è svizzera, ma è una clientela di passaggio che non porta grande lustro e molti quattrini agli alberghi più costosi. In Svizzera le scuole cominciano presto e finiscono tardi e le famiglie, anche le famiglie ricche, non hanno molto tempo per i loro ozi. Inoltre gli Svizzeri villeggiano volentieri in Austria e sulla Costa Azzurra, dove la vita costa meno. Resta fedele una parte della clientela inglese, nei limiti valutari assai ristretti imposti oggi dal Governo laborista a chi vuol viaggiare per semplice scopo di piacere. Ma è dubbio che si formi una clientela nuova. Chi viene in Engadina ci è venuto col padre, ha contratto in famiglia la malattia della Svizzera come molti altri contraevano, una volta, la malattia dell'Italia; chi viene qui appartiene ancora in qualche modo al vecchio mondo. Ci sono, in inverno, imbattibili campioni di *skeleton* che si buttano a tuffo, ventre a terra, alla velocità di oltre cento chilometri all'ora; ma finita la prova si rivelano per quel che sono: uomini di cinquanta, di sessanta anni, che passano il resto della giornata tra un *cocktail* e un altro, stringendo mani, ripetendo meccanicamente *how do you do*, uomini incartapecoriti che manderanno qui i loro figli se ne hanno (ma è molto dubbio) e tuttavia non bastano da soli a salvare dal progressivo isolamento, dalla rarefazione gli splendidi *palaces* che vanno dal Maloia a Pontresina. Ci sono qui alberghi che abbisognano, per mantenersi al livello della loro fama, di cento e persino centocinquanta persone di servizio. Qualcuno è ancora chiuso, altri aprono i battenti con due o tre clienti appena. Non manca e non mancherà in piena estate la gente di passaggio, ma a quanto si può prevedere solo una distensione nelle condizioni della vita internazionale, solo un ritorno abbastanza lungo e durevole al mito e alla realtà della *prosperity* potrebbero permettere la formazione di una società in cui « l'aria dell'Engadina » entri come una componente necessaria.

L'aria dell'Engadina: quest'aria secca, elettrica, eccitante, sottile, che favorisce la pazzia (molti sono i suicidi e i casi di pazzia fra gli abitanti dell'alta Engadina); quest'aria che è la vera e grande realtà engadinese e che nessuna crisi del turismo, nessuna contingenza economica e sociale potrà per un pezzo distruggere. Se il mondo dei grandi snob è destinato a una progressiva liquidazione, quello dei pazzi, meno controllabile, meno riducibile a una classe sociale, resterà pur sempre un mondo di fedeli all'Engadina. Non è un mondo di ricchi o non sempre è tale: è piuttosto uno stato, una condizione provvisoria che chiunque può attraversare. Anche senza essere tubercolotici come Giovanni Castorp o come altri eroi della *Montagna incantata* si può ben sentire, una volta nella propria vita, il desiderio di bruciare non a Davos ma qui, in questo lacustre altopiano a duemila metri dal livello del mare, in questo Eden protetto da ogni lato, accessibile a pochi, sorvegliato da grandi picchi, favorevole alle grandi arrampicate e insieme propizio alle lunghe stasi indolenti. Non potrete andare in un altro luogo dimenticandovi della sua storia, del suo folclore, della sua vita fisica e naturale; ma al Maloia, a Sils, a St. Moritz, l'evasione dai limiti più fastidiosi della fisicità umana, terrena, può essere completa; qui si può veramente respirare la vita lasciando cadere ogni altro legame e dimenticando persino la propria maschera storica, concreta, determinata. Resta solo una condizione di sensualità rarefatta, esaurita la quale si può piombare in uno stato di abulia e d'inconsistenza molto prossimo alla stupidaggine integrale.

Chi non ha sentito dire e chi non ha detto che questi sono paesi stupidi? Finita la carica dell'eccitazione, è fin troppo facile ripeterlo. Ci si guarda d'attorno e si vedono pizzicherie che espongono prosciutti e mortadelle di legno, strade troppo pulite, un lago senza gabbiani, dove è proibita la pesca e dove nessuno fa il bagno, prati lussureggianti ma troppo grassi, uomini e donne di una bruttezza rara, costruzioni di pessimo gusto, ville chiuse che oggi si vendono a metà prezzo in confronto a due anni fa e che tuttavia non trovano compratori perché nessuno potrebbe pagare i servi necessari a mantenerle in buono stato; ci si guarda d'attorno e si conclude troppo facilmente che questo paradiso asettico ha in sé la sua condanna ed è destinato a sparire. Ha in sé molte vipere pericolose e silenziose, come i prati ventosi del Maloia; e la più grave, quella che riassume tutto, è che qui pesa veramente la maledizione del denaro. Ma dov'è il paese in cui questa maledizione non incomba sempre più? In quale punto dell'orizzonte vediamo profilarsi ragioni di vita che siano veramente sottratte a questa condanna? Passeranno certo molti anni prima che la Svizzera sia svuotata delle ragioni che ne fanno un paese inimitabile ma prezioso; passeranno molti anni prima che certe forme della cultura di qui, pur lontane da noi, finiscano di insegnarci qualcosa.

Oggi basterebbe la mostra segantiniana di St. Moritz Bad a farci riflettere lungamente. Vi sono raccolti tutti o quasi tutti i quadri segantiniani di proprietà svizzera; una parte sola, dunque, dell'opera del Maestro. Fra le lacune più vistose quel monumentale *Alla stanga* che si trova a Roma e che pur non appartenendo al periodo divisionista del Segantini è una delle opere che meglio raccomandano il suo nome. Segantini è il *genius loci* di queste montagne. Si può non amare la sua pittura letteraria e filamentosa, troppo tesa verso il sublime e troppo carica di significati estranei alla pura rappresentazione pittorica. Segantini è stato un divisionista, non un impressionista e il divisionismo fu sempre, fin dalle origini, ossessionato da problemi spirituali che il mondo latino per lo più ignora. Il divisionismo è stato wagneriano e spiritualista piuttosto che musicale e spirituale; ha *aggiunto* lo spirito alla pittura come si aggiunge una frangia a un vestito; ha creduto che la pittura potesse o dovesse emulare altre arti – la musica, la poesia – sconfinando dai suoi limiti naturali. Solo Seurat è stato, in qualche grande opera, un'eccezione. Ma Seurat partecipava ancora dello spirito di gioiosa scoperta del mondo ch'è proprio del grande periodo impressionista.

In Segantini non c'è gioia ma gravità: dipinge le sue vacche come Burne-Jones o Watts o Rossetti dipingevano i loro angeli, le loro Beatrici, le loro Meduse. Tenta di renderle metafisiche, trascendentali. Spesso le sue mucche restano mucche, e la pesante macchina dei suoi quadri appare inerte. Tuttavia sarebbe ingiusto ridurlo ai suoi quadri predivisionisti. Quando il suo colore vibra, i suoi ghiacci si disciolgono e le sue pietre aprono i loro pori, quando le sue vaste composizioni reggono, tengono insieme, Segantini resta uno dei pochi pittori italiani moderni degni della fama universale da lui raggiunta: uno spirito alto che lavorando controcorrente ha finito per esprimere tutto un lato *fin de siècle* dell'anima europea che senza di lui non avrebbe trovato, in pittura, la sua voce. Pensate alla miseria di Hodler; pensate quale modesto significato avrebbe una mostra di

Fattori a Pietramala o a Piancastagnaio (ammettendo che questi borghi avessero importanza turistica) e che cosa può essere invece una mostra segantiniana a St. Moritz. Un'arte che lega a tal segno con la cultura di un tempo mostra già più di un indizio della sua vitalità, anche se nessuna considerazione ambientale e culturale possa giustificare appieno una pittura sbagliata.

1949

Sportivo inglese

Si può venire in Svizzera per molte ragioni. Nell'alta stagione invernale c'è chi ama imbacuccarsi di pelo, porre sotto gli scarponi lunghe spatole di legno, farsi condurre ai piedi di uno *ski-lift*, adagiare le proprie natiche su un bastone arcuato che rimorchia in alto, e poi, giunti lassù, lasciarsi scivolare lungo un pendio o buttarsi col ventre su una slitta che sfreccia su impervi canaloni per condurvi dritta dritta in perfetti ospedali ortopedici di dove si esce immancabilmente avvolti da camici di gesso, pronti a recitare la parte di statua del Commendatore nel *Don Giovanni*. Personalmente non appartengo a questa categoria di scomodi turisti polari, armati di bastoni, di thermos e di cestini da viaggio; a questa rispettabile ed elegante classe di noiosi annoiati che sbadigliano pretendendo di divertirsi e attendono con ansia l'ora della canasta serale.

Un pingue e ricco signore che incontro spesso in trattoria, qui a Milano, passa invece gran parte dell'anno in Svizzera per ragioni che non ho ben potuto appurare: ragioni di efficienza sociale, di disciplina, di igiene mentale. Egli non mi conosce personalmente ed io ignoro il suo nome.

Ciò non gli ha impedito di identificare in me l'autore di un criminoso articolo: nel quale io affermavo che la stagione estiva a Saint-Moritz non è più così lunga e così redditizia come in altri tempi; e che non tutti i quadri di Segantini esposti a Saint-Moritz Bad due o tre anni or sono erano tali da destare entusiasmo. Da allora, quando mi vede entrare al ristorante, il pingue signore si rivolge ai suoi compagni di tavola e ad alta voce, guardandomi di sottecchi, porta il discorso sull'argomento che gli duole:

— Eh se i giornali mandassero in giro gente meglio qualificata... Abbiamo molto da imparare dalla Svizzera anche se certi scriteriati...

Questo panciuto individuo che della libera Elvezia ignora probabilmente tutto (da Rousseau a Jung, da Calvino a Karl Barth) è convinto che io abbia voluto assassinare la nobile nazione ch'egli considera (con inconsapevole ingiuria) come una sua seconda patria.

Conosco invece un altro signore – pure italiano – che passa spesso le sue ferie in Svizzera per praticare uno sport da lui inventato: quello del « falso inglese ». Ho indovinato le ragioni che lo spingono a recitare questa parte fuori dell'Inghilterra. Infatti nelle isole britanniche gli Inglesi sono merce comune, non amano né se stessi né gli stranieri di passaggio e non riescono a « far gli inglesi » decentemente in casa propria. Per far l'inglese occorre un altro ambiente, un mondo educato, neutro, sostanzialmente scomodo ma in apparenza confortevolissimo. La ferina (nel suo ultimo fondo), indaffaratissima e troppo travagliata Albione è proprio l'ultimo paese del mondo in cui si possa far l'inglese con qualche vantaggio.

Probabilmente il falso inglese che conosco io, e che da anni cerco invano di emulare, non ha potuto nascondere la sua vera identità alla direzione dell'albergo che lo ospita e al suo occhiuto *concierge*; ma non importa: esaurita la consegna dei « documenti » il gioco è cominciato dopo. E il gioco consiste nel rinunziare a qualsiasi manifestazione sportiva, nel restarsene tutto il giorno nella *hall* consumando alle ore debite *tea and cakes* e nell'accettare senza batter ciglio il *menu* dell'albergo, anche se questo offra quelle deprecabili pietanze che i clienti italiani, dopo aver lanciato pittoresche imprecazioni in romanesco, sostituiscono con sanguigni filetti ai ferri o con zebrate *paillards* di vitello.

Se la lista porta, per esempio, *Irish stew*, dolciastra miscela di montone bollito e di carote e di piselli in scatola, il falso inglese infilerà con la forchetta ogni lacerto di caprone, ogni pezzetto di carota, ogni pisello, e li inghiottirà con religiosa cura come fingerà di aver ingerito, a casa sua, ad ogni far del giorno, una serie infinita di aringhe affumicate e di zuppe d'avena.

Il falso inglese fuma sigari olandesi e beve il caffè che gli portano, senza chiedere il caffè filtro; sprofondato in una poltrona egli passa il pomeriggio leggendo articoli sull'oligarchia bernese del Settecento e sulle opinioni che ne riportò il grande Gibbon: scruta diligentemente le notizie della « Gazette di Lausanne » senza dimenticare gli annunzi funebri, e finisce magari la sua giornata scorrendo un libro della biblioteca dell'albergo, scelto tra i più inoffensivi, da Wilkie Collins a Ouida. Il falso inglese è gentile con tutti e non parla con nessuno; dalle labbra non gli esce che qualche « chiù » di ringraziamento se qualche attenzione gli viene rivolta da altri stranieri o da tavoleggianti. Il falso inglese indossa, la sera, quell'abito nero che gli Italiani – non gli Inglesi – chiamano *smoking* e lo porta con disinvoltura come se avesse anni di allenamento. La notte di San Silvestro il falso inglese assiste al *réveillon* danzato ma non balla perché non sa ballare o perché non conosce nessuno.

Si fa portare un secchio con una bottiglia di *champagne brut*, si lascia mettere in testa un berrettino di carta colorata, imbocca una trombetta e suona con gli altri, avvolto di stelle filanti, beato e istupidito. Quando la mezzanotte suona e l'orchestra tace e la sala piomba per un attimo nel buio e tutti i presenti si alzano e levano i calici e i turaccioli sparano e cominciano gli abbracci e i brindisi e gli auguri, il falso inglese si alza anche lui, leva lo stelo del bicchiere e beve alla salute di se stesso o di qualche persona lontana. Poi, se i balli riprendono, egli si alza dignitosamente, mormora un « chiù » di ringraziamento a chi gli cede il passo, soffia un secondo « chiù » al ragazzo del *lift* che gli apre la porta e si lascia dignitosamente risucchiare verso la sua camera.

Il giorno dopo, correttamente vestito di grigio, egli è fra

i primi a scendere per il *breakfast*. Ha l'aria di essersi rassegnato al piccolo pasto « continentale » senza *porridge* e senza salsicce di Stato e si accontenta di tè e di fettine di pane imburrato. L'albergo è deserto: gli altri dormono ancora o sono partiti, truccati da orsi, verso le loro funicolari. Il falso inglese si allunga su una poltrona e toglie il segnalibro da un vecchio romanzo illeggibile. Guarda i fiocchi di neve che sfarfallano sui vetri, tenta invano d'accendere il suo sigaro con un *lighter* inevitabilmente guasto, strofina uno svedese sulla scatola, dà fuoco al sigaro, una spirale di fumo dolcissimo si svolge. Il falso inglese reclina la testa, legge, nuota nel fumo, dorme, sogna. Domani partirà. Per dove? Io solo lo so.

Non conosco il nome di questo signore, che incontro talvolta per le vie di Milano, trasformato in un loquace e infastidito cittadino ambrosiano. Non so s'egli abbia notato me come io ho notato lui. Non so s'egli sappia che da anni cerco invano, ostinatamente, di imitarlo. Non so s'egli sia stato mai in Inghilterra e se vi abbia provato la stessa ammirante noia che ho provato io. So solamente che in una immaginaria associazione di Amici della Svizzera la presidenza dovrebbe toccare a lui e a me la vicepresidenza; restando confinato al posto di bidello il pingue signore che quando mi vede entrare in trattoria si rivolge agli amici e ripete ad alta voce:

— Eh questi giornalisti viaggianti... Un po' di prudenza, un po' di tatto non guasterebbe...

1953

Risvegliato da dieci angeli

Alle sette e mezzo del mattino (era ancora buio fitto ma la riviera di Montreux appariva punteggiata di luci) mi ha destato un battere leggero di nocche alla porta.

— Entrez — ho detto ancora addormentato; e subito mi son meravigliato di pensare in francese nell'attimo stesso del risveglio.

Ho toccato il commutatore della lampada e dieci angeli sono entrati nella mia stanza; nove angeli biondi e uno bruno. Erano ragazze vestite di lunghi pepli bianchi, tutte reggevano in mano un candelotto acceso, color rosa e la più giovane aveva in testa, fra i riccioli, altri quattro o cinque candelotti anch'essi accesi, a raggera. I suoi occhi, azzurri, ardevano più delle candele. In lunga fila i dieci angeli sfilarono e si disposero in cerchio attorno al mio letto. Cantavano in coro *Santa Lucia*, in italiano e sulla nota musica *Sul mare luccica...* ma pronunciavano Lüsìa con l'*u* alla francese.

— Siamo svedesi — mi disse la ragazza che stava nel centro. — Santa Lucia è per noi la festa della luce, la nostra festa nazionale. Vede questa ragazza: — e additò la più giovane, quella dai candelotti sui riccioli, mezzo Medusa mezzo arcangelo Gabriele — è la migliore di noi, *elle a le Christ dans son coeur*. In Italia ha salvato la vita a un uomo. Festeggiamo anche lei. — Parlava in un italiano stentato, misto di francese.

Poi la caposquadra depose sul mio comodino una tazza di caffè nero e alcuni biscotti; salutò con un cenno del capo e la teoria degli angeli uscì dalla mia camera sempre intonando: Santa Lucia, Santa Lucia.

Mezz'ora dopo bussò alla porta P. V. che portava su un vassoio un *breakfast* di tipo quasi inglese. Dico quasi perché il *bacon and eggs* (raro ormai anche in Inghilterra) era sostituito da una scodellina di *corn flakes* nuotanti nel latte.

P. V. è il nuovo amico che mi ha portato al falansterio di Caux, al « Riarmo Morale ». A Caux dà lezioni di italiano a un folto gruppo di giovani. È lui che ha insegnato la nostra lingua alle dieci Svedesi che mi hanno svegliato. Ed è per colpa sua che ieri, appena giunto, ho dovuto leggere il canto del conte Ugolino dinanzi a una piccola folla che non capiva nulla ma sembrava dilettarsi straordinariamente al suono delle parole. Dante, la poesia, le canzonette, il bel canto, il dolce far niente... sono questi i capitali maggiori dell'Italiano che viaggia. Il resto conta molto meno; a Caux, poi, il resto non conta quasi nulla. I quattrini ci vogliono e sono offerti da ricchi ospiti di passaggio. Ci sono qui industriali americani che dopo aver lavorato alcuni giorni a pulire i W. C. o a sbucciare patate in cucina, partono lasciando al « Riarmo » qualche migliaio di dollari. Del resto, il « Riarmo » non paga tasse, essendo considerato come un ente morale. I socialisti del Vaud (laboristi di facciata, ma in realtà comunisti) non la intendono però così e stanno portando la cosa in discussione, credo al Consiglio di Stato. Per essi il « Riarmo » è una centrale di spionaggio americano e le casse del Cantone non sono così ricche da permettere comode evasioni fiscali.

— P. V.? — mi avevano detto due giorni prima a Losanna. — È un funzionario del « Riarmo ». Vede De Gasperi, viaggia, ha la macchina. Avrà certo uno stipendio in dollari.

Dapprima l'ho creduto anch'io ma ventiquattr'ore sono bastate a farmi ricredere. P. V. non è pagato né in lire né in dollari. Vive a Caux, lavora nella sua *équipe* quando la sede di Caux è chiusa; ed essendo cattolico è convinto che i pochi cattolici che arrivano fin quassù abbiano, nel Centro stesso, un buon lavoro da compiere. Dà lui stesso l'esempio; incoraggiato da monsignor Charrière, il vescovo di Losanna e Friburgo che non ha affatto paura di questo nido di vipere – il « Riarmo » – sorto nella sua diocesi.

La stanza in cui ho dormito ha mobili di palissandro ed è considerata una camera eccezionale. I miei immediati predecessori qui dentro sono stati un maragià orientale e il famoso capo nazionalista nigerino Azikiwe detto comunemente Zik. È la più recente gloria di Caux questo Zik: un negro che ha studiato all'Università di Filadelfia, conseguendo non so quanti gradi accademici. In America vide per la prima volta la neve, ne stupì, ne mise una manciatella in una busta che spedì, bene affrancata, in Nigeria. E può darsi che la busta, non certo il contenuto, sia giunta a destinazione. Zik capitò qui reduce da Londra dove aveva pronunciato parole di fuoco al Colonial Office denunciando il malgoverno inglese in Nigeria e nel Camerum. Doveva recarsi in visita a Praga e a Mosca. Venne vide... e vinse; vinse se stesso perché lo spirito di Caux entrò in lui. Rinunciò alla Russia e tornò a Londra dove trovò un telegramma che lo invitava a rientrare in Nigeria per combattere gl'Inglesi. Ma Zik si affrettò a informare i suoi compagni nigerini che era pronto a combattere e a morire, senza però ricorrere alla violenza. Dopo qualche giorno il comunista « Daily Worker » sotto il titolo *Zik changes his mind* (Zik ha cambiato parere) scriveva che Zik era stato corrotto dalla « luxurious rest home » (dalla lussuosa casa di riposo) del dott. Buchman, il fondatore e capo dei gruppi di Oxford e da qualche anno del M.R.A. (« Moral Re-Armament »).

Pastore luterano, il Buchman non ha dato un carattere confessionale al suo movimento. Chiunque riconosca nel « Discorso della Montagna » i princìpi di ogni possibile vita morale può essere ammesso a parità di condizioni nei quattro grandi edifici di quest'altra montagna (Mountain House, a Caux sopra Montreux). A parte gli ospiti occasionali, che in estate sono più di mille, i riarmisti « residenti » (che hanno offerto la loro fortuna personale, quand'essa c'è, al falansterio) sono divisi in squadre e compiono tutti i servizi dai più umili ai più alti. A Mountain House bisogna servirsi da sé. All'ora del pasto ognuno si mette in coda, prende un vassoio di stagno e sfila dinanzi alle marmitte dei banchi della cucina. Il *menu* non è ricco: una polpetta, a mezzogiorno, qualche patata al forno, carote e cavoli, una meluccia del Valais, di seconda scelta. Alla sera la polpetta è sostituita da un uovo affrittellato. Si beve acqua e non è proibito il fumo benché io solo abbia acceso una sigaretta. Annacquato è anche il caffè, distribuito senza risparmio.

Nel pomeriggio P. V. mi ha accompagnato al teatro dei riarmisti; una vasta sala dall'acustica perfetta. Vi si rappresentava *The good Road* (La buona strada) una rivista data centinaia di volte qui e in America: scritta, eseguita e cantata da riarmisti giovani e vecchi. Sono scene della vita di Anyman (l'uomo qualunque), si svolgono su una strada (la buona strada) e portano Anyman, attraverso evocazioni fantomatiche alla scoperta della verità che « il mondo intero è il mio vicino ». Sullo schermo appaiono Washington, Jefferson, Mosè(!), Giovanna d'Arco, Bach, Giovanni Senzaterra che concede la *Magna Charta*, san Francesco e Lincoln. In una scena si vedono sei ministri del Materialismo (Odio, Invidia, Paura, Orgoglio, Lussuria e Confusione) sbarrare la via, ma senza successo, ad Anyman.

La rivista è recitata e cantata in inglese ma pochi degli attori sono britannici. A cose fatte ho chiesto di essere presentato alla Lussuria: una donnetta di circa quarant'anni, dall'aria assai pudica, che gira col suo vassoio di mele economiche e di carote lesse. Sembra felice, come tutti a Caux.

Spionaggio? A mille e duecento metri d'altezza, lontani da ogni segreto politico e militare? L'ipotesi fa semplicemente ridere. Una setta protestante come tante altre? Non direi; perché non impone alcun dogma, alcuna pratica rituale. Anche la pubblica confessione, di cui si è tanto parlato, pare che non esista. I gruppi si radunano, prendono ispirazione e consiglio in comune ma scene di autoaccusa e morbose rivelazioni non avvengono. D'altronde, per le confessioni e i riti di carattere religioso non mancano qui cappelle, preti cattolici e pastori.

Mountain House è anche uno dei centri permanenti del College of the good Road, che intende essere il Sandhurst, il Saint-Cyr e il West Point della nuova guerra ideologica. Una scuola di guerra ma di una guerra combattuta senz'armi materiali. Qui a Caux i corsi sono estivi e durano sei settimane. I professori non sono pagati, gli studenti sono mantenuti da borse di studio che vanno dalle cinquanta alle seicento sterline offerte da privati e da istituti. L'insegnamento è fondato sul principio che la natura umana può (e deve) essere cambiata.

Spionaggio? Forse no, ammettono i più prudenti fra i socialisti del Vaud; ma una delle tante trappole create dalla borghesia per ritardare l'inarrestabile marcia del proletariato. Un buon riscaldamento, due polpette, un po' di musica, qualche conferenza: ed ecco che anche i leoni tipo Zik si lasciano tagliare le unghie, si ammansiscono e tornano a casa a predicare la non resistenza al male. Che pacchia per la classe dominante!

È un'interpretazione più ragionevole, ma non molto consistente. In verità, se la borghesia occidentale dovesse attendere la sua salvezza dalle conferenze culturali e dai centri di riarmo (che armano poi di sole parole poche centinaia di persone inermi per natura) il suo fato sarebbe deciso da un pezzo. Movimenti come questo del M.R.A. – che potrà avere seguito e propaggini anche da noi, come ne ha già in Francia e in Germania – sono molto più spontanei e sinceri di quanto si creda; e indicano che fra le due opposte correnti ideologiche che tengono il campo (l'uomo economico libero, ma schiavo del denaro, e l'uomo economico sedicente libero ma schiavo dello Stato e dell'oligarchia che si identifica con lo Stato) l'Europa – ciò che resta dell'Europa – lotta per una terza verità che intravvede e non conosce ancora. Non basterà un nuovo francescanesimo a condurre l'uomo europeo sulla buona strada; ma è certo che nessuna riforma economica e strutturale potrebbe reggersi senza una trasformazione che cominci dall'interno, dallo spirito.

Se così dicono a se stessi – e par certo che sia così – le migliaia di uomini e di donne d'ogni razza e colore che ogni anno lasciano Caux sulla ferrovia a cremagliera per scendere a Montreux in una cornice di paradiso, è certo che il M.R.A. compie una funzione che nessun altro gruppo o falansterio organizzato su basi più ristrette e semplicemente nazionali potrebbe mai assolvere. Ed è per questo che da oggi io mi sento – indegnamente e molto alla larga – già membro vitalizio del Collegio della buona Strada; pronto a recitare ancora mille volte il canto di Ugolino davanti a una policroma assemblea di gente stupefatta e incapace d'intenderne una parola.

1949

La contessa di Sarre

Non sono un collezionista di sovrani, com'era il mio compianto amico Placci che li conosceva tutti e di tutti poteva dirsi l'amico o il confidente o l'ospite di turno, devoto e disinteressato. Il messicano-fiorentino-oxoniano Carlo Placci non avrebbe potuto vivere senza sentirsi parte della *haute* internazionale e chi lo chiamò il ministro italiano degli affari inutili fece gran torto a una vocazione sincera e tutt'altro che infruttuosa. Anche la potestà delle chiavi ha la sua importanza, in questo mondo, ed è bene che le chiavi siano in buone mani. È un fatto però che in quella maratona interminabile ch'è la vita d'alto bordo, la vita socialmente d'eccezione, molti sono i partenti e pochi gli arrivati. Conscio di possedere scarse riserve di fiato non mi sono mai messo per quella via, e solo una volta, a Ginevra, ebbi l'onore di essere presentato a un futuro sovrano: il principe ereditario del Marocco, che aveva allora sei anni e si divertiva a giocare a *punch-ball* coi cappelli a melone degli ufficiali in borghese del suo seguito. Ufficiali francesi, pochissimo lusingati dello sport preferito da quel moccioso color cacao che li minacciava con un ditino sporco, sul quale brillava un diamante grosso come una noce.

Ginevra deve portarmi fortuna perché stavolta ho fatto un bis. Non un futuro sultano ho avvicinato ma un'ex-sovrana. Il mio è come un tiro a forcella, procede per approssimazioni. Prima colpivo troppo in qua, ora troppo in là; quando farò centro sarò presentato al re dei re: forse a Giorgio VI, forse a Stalin.

In attesa la sorte non poteva essermi più benigna. Sono nella villa di Merlinge, presso Meunier, ospite per un paio d'ore della contessa di Sarre. Per due stagioni successive, nella serie di manifestazioni promosse dalle Riunioni Internazionali di Ginevra, l'avevo notata con sorpresa, presente ai concerti di Ansermet, immancabile alle conferenze degli Italiani: una signora alta, ancora giovane, straordinariamente composta e raccolta nell'atteggiamento, maestra nell'arte di entrare o di evadere dalla grande aula dell'Università senza farsi notare. Era lei, non era lei? — La penserosa — mi disse miltonianamente uno scrittore inglese rivolgendole uno sguardo discreto. E confermò il mio dubbio con una semplice parola: — Her Majesty.

Di colpo mi feci anch'io « penseroso ». Come appariva mutata! Quando portava titoli più grossi di quello che oggi preferisce, di contessa di Sarre, mi ero sempre contentato di guardarla da lontano, per lo più a spettacoli del Maggio fiorentino, a Boboli o alla Sala Bianca di Pitti. Sapevo che amava Firenze, dove aveva passato un anno e mezzo al collegio di Poggio Imperiale, e mi dicevano che l'arte e la musica l'attraessero molto; e tuttavia avevo la vaga sensazione che il suo contatto col mondo fosse impedito da un sottile involucro di cellofan, ossia dall'ambiente cortigiano – e magari cortigianesco – che forzatamente doveva essere il suo. Vistosa, bionda, un po' troppo bionda e scarruffata malgrado un evidente sforzo di auto-controllo, si poteva indovinare in lei qualcosa d'impacciato che destava piuttosto curiosità e rispetto che istintiva simpatia. Dimenticavo forse le reazioni a cui è sempre soggetta una natura timida. Si diceva che Maria José portasse in sé un vivo desiderio di conoscere la sua patria d'elezione; ma la conoscevano meglio di lei i gentiluomini in cilindro che le facevano coda? Si può dubitarne: l'Italia è un paese difficile anche per chi ha dovuto conquistarne frusto a frusto, col lavoro delle mani e del cervello, il senso e l'intelligenza. Ed è infinitamente probabile che lei, straniera fra quasi stranieri, lottasse contro difficoltà pressoché insormontabili.

Oggi il sottile dissidio è finito, o almeno è diventato un fatto privato, degno di tutto il rispetto. La contessa di Sarre può studiare l'Italia come la studiano gli Italiani migliori: con una passione non scevra di qualche distacco. Sanno, questi Italiani, che la loro penisola esiste e che ha contato molto e conterà ancora per qualcosa nell'Occidente civile; ma sanno altresì che in Italia (e ben più che in Francia) è possibile, anzi doverosa, una distinzione fra *pays réel* e paese da etichetta, da esportazione. Nell'interesse che universalmente si desta oggi per noi, l'attenzione si porta ancora su un'Italia di mandolinisti cenciosi, di pittoreschi mendicanti, di prestigiosi ma un po' furfanteschi cerretani. Di nuovo c'è però un fatto: che i nostri veri o presunti difetti nazionali sono oggi guardati con maggiore simpatia. Visto che la civiltà dei frigoriferi e degli altiforni ha dato frutti che tutti conosciamo, trapela qua e là il sospetto che la civiltà dei Cafoni contenga in sé qualche segreto niente affatto disprezzabile, qualche pagliuzza d'oro. In ogni modo l'artista italiano che voglia esser preso sul serio all'estero deve sempre partire da questo *cliché*, dal mito di un'Italia rusticana, irriducibile alle buone maniere. — Silone, Rossellini — dice la contessa di Sarre annuendo. E aggiunge poi il nome di Carlo Levi, un autore di cui ha sentito parlare molto bene.

La nuova feudataria di Merlinge lascia discorrere volentieri i suoi invitati, se essi provengono dall'Italia. S'informa, continua a informarsi di noi come prima, meglio di prima. E la sua curiosità è così spontanea e aperta che noi la sentiamo come cosa nostra, parte della nostra stessa perplessità e inquietudine. A Merlinge, in questa villa che nasconde sotto un rifacimento settecentesco la solida struttura di una vecchia casa colonica savoiarda, in questo parco ricco di ippocastani e largo di praterie, a due passi dal confine francese, a pochi minuti dal centro della città, la vita scorre tranquilla ma non monotona. La casa fu abitata un tempo da quattro vecchie « libertine » che intendevano sottrarsi al rigore di Calvino, poi mutò più volte padrone; oggi, coi suoi quarantotto ettari di terreno, è stabile dimora e proprietà della contessa di Sarre.

— Quarantotto ettari non sono poi un latifondo inesauribile — mi dice la « penserosa ». — Pare che anche in Polonia, fin che dura, si possa arrivare fino ai cinquanta.

E sorride. Non ha gli occhi di miope che mi attendevo di vedere, e legge senza occhiali o senza *loupe*. Ha occhi azzurri che vedono benissimo ma purtroppo vedono solo in una striscia di spazio orizzontale, assai ristretta, non più su non più giù di qualche centimetro. Vede soltanto gli occhi dell'interlocutore che le siede di fronte; il resto è immerso nel buio. Una striscia di luce la circonda, la guida; entro questa striscia può far entrare a spiccioli, a spicchi, a bocconi, tutto il mondo che la circonda. Vive in una prigione con una piccola feritoia luminosa. Ma la prigione può muoverla, può portarla con sé.

Nell'interno del salotto, sobriamente arredato, si scorgono molti libri e alcune fotografie, fra le quali una del principe di Montenevoso, in uniforme da ufficiale, con una dedica che occupa molto spazio.

— Se ne parla ancora? — chiede la contessa.

Non nasconde una prudente incertezza di fronte a quella corona fatta di pietre vere e pietre false. Ma ai poeti in formato grande, *in quarto*, lei è abituata fin da bimba e non osa giudicare. Anche il Belgio ha avuto un poeta che ha fatto baccano, ma non volava e là si sono limitati a dargli un titolo comitale. È Maurice Maeterlinck che oggi assiste, sulla Costa Azzurra, ottantenne e iracondo, al crepuscolo della sua fama.

Dal Belgio il discorso svia sulla Spagna una terra che lei trova bella ma triste, troppo aperta al mare e all'Africa, troppo *flamboyante* nelle architetture. Sorvoliamo ad alta quota il Portogallo. Poi, tornati al punto di partenza, ai colloqui, alle discussioni svoltesi qui, salta fuori il nome di Apollinaire, il nome che in un'amichevole zuffa delle *Rencontres* fu il pomo della discordia fra il quasi esistenzialista cattolico Gabriel Marcel e il semi-esistenzialista ateo Jean Lescure. Guillaume Apollinaire, Carneade, chi era costui? Ha provato ad assaggiare i *Calligrammi* ma quelle filze, quei zig-zag, quelle ciambelle di parole in libertà mettono a dura prova la sua pazienza prima che i suoi occhi. Meglio cominciare dagli *Alcools*, le spiego, e anche in questi cercare dapprima le poesie più ortodosse, le « Renane », per esempio, dove Heine sembra confluire in Verlaine. Apollinaire era polacco, come Conrad. La Francia e l'Inghilterra riescono spesso ad assimilare i temperamenti più lontani.

Parliamo ancora a lungo. Sembra che questo campo – quello dell'arte e della cultura – sia il solo in cui lei respiri veramente, affrancata da un incubo. Non sa tutto, ignora molte cose ma si sente che la sua finestra sul mondo, il dominio, il regno a cui ella aspira è ormai questo, inesauribile da una sola vita, infinito. Nel parco dei *marronniers* (è il suo modo di chiamarli; ma raramente esita nel trovare la giusta parola italiana) il giorno si affievolisce. Un picchio verde (il più rumoroso dei picchi, se non il più raro) lacera con una frustata sonora le prime ombre del crepuscolo. Poco lontano alcuni bambini giocano con un grosso *chow-chow* fulvo e ringhioso. Sono i suoi figli, dice, che si divertono coi ragazzi dei vicini. Non si annoiano affatto, hanno amici anche in città. Il parco e Merlinge sono l'ultima punta del territorio che fu dei duchi di Savoia, e oggi fanno parte della repubblica di Ginevra; fino al capoluogo gli antenati del ragazzo biondo che fa abbaiare il *chow-chow* non riuscirono a spingersi stabilmente. Non che non lo volessero, s'intende...

— Erano un po' aggressivi — aggiungo io pensando alla *escalade* del 1602; ma non trovo risposta.

Quando rientriamo, la sala d'ingresso è buia e triste. Ma la contessa di Sarre dice che l'inverno di Merlinge è intimo e raccolto e passa presto. Nei mesi freddi lei si ritira in due o tre stanze della *dépendance*, con la sua radio, coi suoi dischi, coi libri prediletti. Là, in poco spazio, anche una striscia di luce le basta a concentrare in un solo fuoco, in un solo punto, il mondo per cui vive, il mondo al quale ha approdato con un sospiro di liberazione.

1953

V

Andati e tornati in novanta ore

Quando le cose mirabili sono portate alla loro ultima perfezione cessano di essere meravigliose. Quarant'anni fa la saltellante cavalletta di Delagrange, che riusciva sì e no a spiccarsi da terra per qualche metro, rendeva ridicola l'invocazione di Vincenzo Monti al signore di Montgolfier (mirabil mostro, « ond'alzasi / di Sthallio e Black la fama, / pèra lo stolto Cinico / che frenesia ti chiama »: brutti versi ma tra i più mnemonici che mai si siano scritti); ed ora chi s'è imbarcato sulla classica linea ortodromica Roma-Shannon-Gander-Nuova York, chi ha tradotto in realtà la *boutade* « vado a prender l'aperitivo a Nuova York e torno subito » neppure riesce, nonché a meravigliarsi, a ottenere che altri si meravigli per lui. De Amicis scrisse un intero libro sul tranvai elettrico; ma la letteratura aviatoria è tuttora tanto legata a un concetto eroico e guerresco del volo che l'aeroplano non può essere sentito come la carrozza di tutti. Il miracolo è stato troppo grande e troppo rapido per poter diventare familiare; dallo stupore dei primi voli si è passati alla cauta e rispettosa e sospettosa indifferenza che destano le nuove scoperte scientifiche. La grande aviazione da turismo, l'aviazione civile, si è così sviluppata senza destare l'interesse dei poeti, degli artisti e oggi coloro che se ne servono fanno ancora parte di una *élite* di iniziati. Il grosso pubblico sa che si vola ma diffida e preferisce tenersi a terra.

Quattro o cinquecento sono negli Stati Uniti le persone che ad ogni *weekend* muoiono in seguito ad accidenti automobilistici, ed è supponibile che in Europa la proporzione sia la stessa, in rapporto al numero delle macchine; ma basta che un aereo, uno su centomila, cada perché la notizia assuma l'aspetto di un tragico rimbrotto (« vedete che cosa succede? Bisogna esser pazzi... ») e per far considerare come degno di un suicida il gusto di una passeggiata « ortodromica » (con o senza aperitivo) sulla più bella linea del mondo.

Certo non si tratta, per ora, di una passeggiata di piacere; diciannove ore di volo non sono alla portata di tutte le borse e non si compiono senza una certa stanchezza. Passerà del tempo prima che i voli transcontinentali diventino una cosa semplice; e forse non lo saranno mai. Se fosse possibile saltare da un tram-aereo a un altro e continuare a girare con poca spesa intorno al mondo le complicazioni psicologiche sarebbero infinite. Quando l'orologio non serve più perché l'ora è sempre diversa; quando il ritmo dei giorni e delle notti (e dei pasti e del sonno e di tutte le funzioni organiche dell'uomo) è profondamente sconvolto e alterato; quando lo scenario del mondo si sposta e il paesaggio non è più natura ma carta geografica e gli uomini non sono più uomini ma semplici addetti ai servizi di un universo aviatorio, allora si sente davvero che la rivoluzione contenuta nella modernissima parola « velocità » dovrà porsi dei limiti o attender l'avvento di uomini nuovi, meno classici e meno antropocentrici di noi, meno legati ai concetti di tempo e di spazio che sono propri del vecchio uomo umanistico.

In attesa di quel tempo (che noi personalmente non vedremo e che non sappiamo neppur prevedere o augurare) i progressi dell'aviazione non fanno che ridurre a proporzioni tascabili l'universo classico, non fanno che adattare alla misura dell'uomo il pianeta, relativamente piccolo, nel quale la sorte ci ha fatto nascere.

Mio padre impiegò tre mesi per recarsi in America, ma credo che anche allora (1880 circa) egli battesse il record della lentezza; vent'anni fa considerai come viaggiatori fulminei quegli amici che andavano da Genova a Nuova York in una dozzina di giorni; poi siamo discesi ai sei-sette giorni dei grandi transatlantici; ed oggi si può partire da Ciampino a mezzanotte, su un moderno *liner*, e sbarcare all'aeroporto di Idlewilde (Nuova York) dopo diciannove ore di volo. È il volo che ho fatto anch'io sul Douglas DC 6 I Lady inaugurando il primo servizio regolare Roma-Nuova York da parte di una società italiana, la L.A.I. In novanta ore, di cui quaranta di volo, una brigata di circa trenta persone è stata condotta da Roma in Irlanda, dall'Irlanda a Terranova, da Terranova a Nuova York, ha preso parte a una serie infinita di *cocktail-parties* nella città dei grattacieli, ed è stata infine ricondotta a Roma dopo quarant'otto ore di festeggiamenti americani. L'allegra brigata era guidata dal principe Marcantonio Pacelli e dal generale Luigi Gallo, rispettivamente presidente e direttore generale della Società « Linee Aeree Italiane », e composta di uomini politici, uomini d'affari, diplomatici, signore e giornalisti. Una compagnia eteroclita che dopo essersi guardata sospettosamente per la prima mezz'ora ha finito poi per far lega, per affiatarsi. È difficile essere un grand'uomo per il proprio cameriere e non è neppur facile restar tali nella cabina stagna di un Douglas DC 6, per quanto questi velocissimi apparecchi siano i più confortevoli oggi esistenti. Mangiare e dormire insieme per venti ore vuol dire scoprire inevitabilmente il proprio tallone d'Achille. Quanti crolli, quante delusioni; ma anche quante felici scoperte! Dapprincipio, al buio, temevo di essere spacciato. Sedato il fastidio dei primi chiacchiericci (« Lei s'incanasta, Eccellenza? Darling, sei carinissima. Jammo, professo' »), vinto il complesso d'inferiorità di chi abita a nord della linea gotica e non riesce subito ad ambientarsi nella nuova società romana, ho lasciato che i più si addormentassero e ho cominciato le mie esplorazioni. I Douglas DC 6 sono così spaziosi che in essi si può compiere un viaggio dentro l'altro viaggio, un viaggio nella propria camera, alla maniera di Xavier de Maistre. Dopo due ore si sa già quali sono i veri compagni di viaggio e quali le comparse che bisogna sopportare. Vincono subito la prova gli aviatori, com'è naturale; coloro per i quali volare è vivere. Ecco il generale Luigi Gallo, due volte atlantico con Balbo, una splendida figura di soldato che non porta sul bavero nessuna delle sue molte decorazioni; ecco il valoroso generale Briganti, altro uomo col quale si farebbe volentieri il giro del mondo. Vengono subito dopo, *ex aequo*, i diplomatici: l'ambasciatore americano James Dunn, semplice come un fanciullo, arguto come un *clown* e modesto come un'educanda; e l'ambasciatore Francesco Taliani, *rara avis* a palazzo Chigi perché scrive meglio di troppi scrittori ed ha per gli uomini di lettere quel rispetto ch'essi (qualche volta) meritano. Ecco poi il senatore Malintoppi, sottosegretario di Stato, uomo di breve statura ma di molta autorità. Scivolerà nel bagno, al Waldorf Astoria, sbucciandosi seriamente la fronte ma terrà lo stesso, avvolto in un turbante, un applaudito discorso al pranzo offerto ai trasvolatori dal Municipio di Nuova York. Ed ecco poi il « ragazzino » Carlo Diani (oggi ce ne vuole uno in tutti i film) che è sindaco del Villaggio del Fanciullo a Civitavecchia e rimarrà qualche tempo in America, ospite dei ragazzi americani.

Lascio buon ultimo – per non essere accusato di piaggeria – il *boss* della Società che ci ospita, Marcantonio Pacelli, magro, ascetico, sottile nei discorsi ma di una affabilità naturale che fa di lui un eccellente tipo di italiano da esportazione; e la sua giovane principessa, una romagnola che se salisse su una barricata rossa desterebbe l'entusiasmo di tutti i *pistoleros* del mondo.

Un volo come questo resta nella memoria come un film. Permettetemi di aggiungervi i personaggi della seconda parte: coloro che ci attendevano all'arrivo e che ci hanno reso onori appena degni di un Blériot o di un Wright. Alberto Tarchiani, naturalmente, il nostro ambasciatore a Washington, il sindaco di Nuova York, William O' Dwyer, che si compiace di vedere nella sua città la più grande delle città italiane (è un frase fatta ma giusta e sempre di effetto), il vice-sindaco, on. Vincent Impelletteri, l'on. Generoso Pope junior che ha presieduto il solenne ricevimento a City Hall, il giudice Juvenal Marchisio, il console Fazio e un'infinità di altri cortesi ospiti. Né posso dimenticare il « conduttore » della Sanitation Band, signor John Celebre (sic), che ha intonato con energia il nostro inno (« Italian National Anthem ») e il suo (« The Star Spangled Banner ») e il sergente di polizia Edward Dillon, capo del corteo di motociclisti che ci ha scortati ululando e fischiando attraverso la città. « Bella vita! » disse uno di questi motociclisti avvicinandosi alla macchina dell'ambasciatore Dunn: era un italiano di Campobasso.

Nella sala Sert del Waldorf Astoria (cinquanta piani, duemilaseicento camere, tutti i servizi possibili dalla levatrice al *mortician*, al beccamorto) si contarono quattrocentocinquanta invitati a un *cocktail* offerto agli ospiti italiani. Trecento invitati e centocinquanta autoinvitati; queste le risultanze che mi furono offerte da un uomo pronto a far scattare un piccolo contatore a mano (una specie di bomba Sipe) all'ingresso di ogni nuova persona. L'America, che è il paese più libero del mondo, è piena di controlli statistici e di veti; anche negli aeroporti le parole *fine*, *punishment*, *arrest* si leggono un po' dappertutto. Nello stesso atrio della sala Sert un cartello informa che un assembramento di oltre centoquaranta persone sarebbe considerato *dangerous and unlawful*. Tuttavia chi osa sfidare il cartello e l'uomo del contatore è poi ripagato a usura perché i dodici pannelli di José Maria Sert, abilmente sospesi fra Tiepolo e Goya, sono quanto di meglio si possa vedere, in fatto di pittura decorativa, in una sala del nostro tempo. Non sono « moderni » però; e questo spiega perché quasi nessuno degli intervenuti mostrasse di accorgersene.

Non è possibile dire quanto gli ospiti d'onore siano stati intervistati, registrati e « televisionati », dall'arrivo alla partenza. Solo pochi di essi, i meno ufficiali o i più pronti a squagliarsi, hanno potuto permettersi una visita a Harlem, un giro di macchina intorno a Washington Bridge, una sosta sul grattacielo del Rockefeller Center o un'immersione nella sterminata cavea di Radio City. Poi è giunta l'ora del ritorno. Un corteo d'onore ha riaccompagnato i nuovi atlantici sino a Idlewilde; e di lì, a mezzanotte, il Douglas DC 6 ha ripreso il volo per i due scali obbligati: Gander nell'isola di Terranova, e Shannon nell'Irlanda meridionale. In tutto, andata e ritorno, settemila chilometri di volo, compiuti a una media oraria di duecentocinquanta miglia, a una altezza di ventunmila piedi, settemila metri che si riducono a duemila per i viaggiatori, in virtù di un dispositivo che permette di respirare aria di collina e non aria d'altissima montagna. In settembre i Douglas della L.A.I. saranno sostituiti da altri Douglas ancora più veloci e dotati di maggiore autonomia di volo; sarà soppresso uno scalo e il viaggio si accorcerà forse di un paio d'ore. Cosa ottima per gli uomini d'affari, non però per i viaggiatori sentimentali. Penso a me stesso, che quando sarò interrogato: « Conosci l'Irlanda? Sei giunto fino a Terranova? », potrò rispondere con finta indifferenza: « Non troppo bene; ci sono stato un paio di volte solo... Già, le colline di Limerick hanno un verde delizioso... ».

E potrò mentire tranquillamente dicendo la verità.

1950

Dove le donne sono importanti

Esiste in Inghilterra una grande corporazione aviatoria (una delle tre maggiori) che trasporta tremila passeggeri al giorno e conta trentatremila impiegati. Visitando giorni fa l'aeroporto di Gander (Terranova) – una vera e propria città di gente che non vola ma « attende » al volo – mi sono reso conto che questo rapporto da uno a undici (uno che vola e undici che gli preparano la strada) è oggi perfettamente giustificato da ragioni non solo tecniche ma psicologiche. Il volo conserva caratteri mitici e siccome volare in molti oggi non è possibile, il mito si ramifica e attecchisce a terra. È pensabile un mondo futuro in cui voli una sola persona (possibilmente una donna) mentre tutti gli altri esseri umani attendano a funzioni impiegatizie, nell'ordine e nell'orbita di quel volo. S'intende che la volante ape-regina dovrebbe essere sostituita di tempo in tempo e che i progressi tecnici del volo dovrebbero essere continui. L'umanità avrebbe finalmente un centro e una religione e gli svantaggi della meccanizzazione universale sarebbero ridotti, dato che il lavoro risulterebbe suddiviso e la vita umana avrebbe carattere assai più sedentario. Un mondo di laboratori e di *hangars*, con una dea specializzata prodotta da falansteri femminili *ad hoc*. Non più politica, non più partiti, non più altre religioni, non più arte, se non forse l'arte di « poeti e pittori della domenica », materiata di volo, inneggiante al volo.

Prevedo un'obiezione, una delle tante: « Perché la Volante dovrà essere una donna? ». Semplicemente perché nei paesi dove la vita meccanica è più forte l'importanza sociale della donna aumenta. Lo avevo constatato in Inghilterra e la stessa impressione ho avuto in America, sebbene pochi giorni passati a Nuova York non facciano di me un competente di cose americane. Come a Londra, a Nuova York le donne sono importanti, certo più importanti degli uomini. Il fenomeno si avverte, si respira nell'aria appena sbarcati – dal cielo o dal mare – e fin che si rimane là neppur si riesce a trovarlo ingiusto o innaturale. Le spiegazioni che possono darsene (protestantesimo, puritanesimo, tradizionale femminismo, forza delle organizzazioni femminili, poca disoccupazione, scarsa aggressività maschile) non persuadono; o meglio solo l'ultima persuade, ma quando sia portata fuori della sfera sessuale. In realtà qui è maggiore l'aggressività femminile non verso l'uomo ma verso la vita. In un mondo meccanico la donna sembra più adattabile, più idonea alla lotta, meno logorabile dalle reazioni nervose.

A Nuova York ho incontrato due amici italiani sposati a donne americane; ho provato a trattenerli a pranzo con me, ma la risposta è stata identica: « Grazie, non è possibile, sono sposato ». (Nei loro occhi brillava un'involontaria preoccupazione). Credo che siano due mariti felici; lavorano, tornano a casa, lavano i piatti e vanno a letto alle dieci. Al cinema sì e no una volta alla settimana. (Gli incassi dei cinema americani sono calati sensibilmente in questi anni). Le loro mogli lavorano e sono « indipendenti »; certo non era semplice telefonar loro « mettetevi in treno e raggiungeteci al ristorante X ». Sarebbero venute? Con quale umore? I mariti americani (o meglio i mariti di donne americane) hanno spesso qualcosa di femminile; sono felici, ma anche impauriti.

Un divorzio pronunciato contro di loro (e a Nuova York il divorzio si pronuncia *contro* una delle parti) li metterebbe sicuramente a disagio. È seccante accusarsi di « crudeltà », ma d'altra parte come negare a una moglie americana il diritto a un'ulteriore « indipendenza »?

Completiamo il *pendant*. A Nuova York ho incontrato anche due donne italiane che hanno sposato due Americani. In Italia non avevo mai notato in esse alcun carattere particolarmente interessante: due donne di mezza età, di mezza cultura, di mezza tacca, di media avvenenza fisica... A Nuova York mi sono trovato dinanzi a due fulmini di guerra. Guidano le loro grosse macchine sfrecciando in modo indiavolato, pronte a mettersi a un regolare passo di marcia quando un *policeman* motociclista le segua per accertare la contravvenzione: lasciano cadere monosillabi nasali e spiccioli d'argento quando giungono all'ingresso di quei misteriosi tunnel o imbarcaderi o sottopassaggi ai quali non si può accedere senza pagare un balzello; mangiano ostriche al buio, sui *roofgardens*, cospargendole di veleni piccanti, senza accorgersi dell'impaccio dei loro amici italiani che vorrebbero vedere quel che mangiano; parlano dell'Italia con simpatia, magari con nostalgia, con l'aria di chi pensa « non ci ricasco »; ma si animano veramente quando parlano dei loro amici americani, dei loro affari, dei loro *business*. Rimpiangono solo di dover portare le calze; a Nuova York, che è la più grande villeggiatura del mondo (gli Americani che villeggiano a Nuova York sono circa un milione al giorno, in estate) si vedono poche donne senza calze.

Non dico che le donne americane siano tutte eguali; quelle che ho conosciuto in Italia non erano di tipo unico. In ogni modo a Nuova York si sente che le donne resistono a certa temperie (e a certe intemperie) molto meglio dell'uomo. Godono i vantaggi della vita standardizzata e ne sentono meno gli svantaggi. Si adattano facilmente all'inferno come si adattano alla vita pacifica, che comincia a due passi da Nuova York, nel Nuovo Jersey. Ma quelle che sprofondano, diciamo così, nella pace sembrano meno invidiabili delle altre. Anche perché in America la provincia è molto più provinciale della nostra. Dal mondo di Dos Passos a quello di Hawthorne c'è un abisso; e in America questo abisso è superato con soli dieci minuti di treno. Nessun progresso meccanico, nessuna televisione può far sì che chi è relegato in una regione ancora primitiva diventi cosmopolita e metropolitano. A breve distanza da Washington Bridge, dove comincia il *bush* (un civilissimo *bush*), abita un'italiana di Firenze che è andata in America a diciannove anni ed ha sposato un americano. Ha quasi dimenticato la nostra lingua e sembra perfettamente felice; ma parlando con lei ho avuto l'impressione che il suo orizzonte si sia impoverito. Ha perduto le sue radici senza acquistarne veramente delle nuove. Le altre, invece, quelle che nuotano nella « vita intensa » come un pesce nuota nell'acqua, dànno l'impressione di aver veramente conquistato il Nuovo Mondo. Per il momento, l'avvenire della Velocità è nelle loro mani.

1950

VI

Storie naturali

Nel giardino zoologico di Strasburgo ogni cicogna porta un cartellino che spiega le ragioni della sua detenzione: *trop faible pour partir*, *tombée du nid*, *blessée par un insensé*, *tombée malade* ecc. La cicogna è sacra in Alsazia, e credo in tutti i paesi renani. Quelle di Strasburgo vivono in gabbie senza tetto dalle quali potrebbero benissimo evadere, ammesso che siano guarite dalle loro infermità; ma non ci pensano neppure. Evidentemente si sono abituate alla vita sedentaria ed hanno perduto l'istinto migratorio della loro società. Le altre, quelle in attività di servizio, abitano la Renania soltanto nei mesi caldi; poi, al sopraggiungere dell'autunno, si riuniscono in grandi *meetings* locali, in vasti prati, dove leggono l'ordine del giorno, procedono all'esecuzione sommaria dei deboli o inetti al volo, e, dopo, in grandi sciami triangolari, iniziano il loro grande *raid* aereo per il Sud-Africa. Al ritorno, in primavera, ritrovano i loro nidi, esattamente gli stessi. Ogni diritto di proprietà, o almeno di prelazione, è rispettato. Raramente la cicogna trova il suo nido occupato; quando ciò avviene uccide l'usurpatore a colpi di becco oppure viene uccisa dal più forte occupante.

Ignoro se si debba a tali lotte la progressiva rarefazione della sacra cicogna dagli infiniti corsi d'acqua, torrenti, botri, paludi che si ammatassano e si sgomitolano dal tronco ribelle del Reno. Le cicogne diventano sempre più rare, dicono i contadini. Per averne qualcuna, essi, i villici, offrono ai pennuti dagli alti trespoli condizioni d'alloggio più che gratuite, collocando in cima alle cuspidi dei loro tetti e granai delle ruote di carro sulle quali le cicogne sono invitate a deporre i primi fastelli di stecchi che formeranno poi il loro nido. Quando il nido è fatto i passerotti vi nidificano a loro volta, e la coabitazione non dà luogo a incidenti. La cicogna è carnivora, ma si nutre di ranocchi e di serpenti d'acqua, non d'altri volatili. Ha superato insomma, come l'uomo civile, lo stadio del puro cannibalismo e cerca, come l'uomo civile, di contemperare i diritti della vita individuale con i doveri della vita sociale, collettiva. Pare che la natura non favorisca affatto questo nobile tentativo e che esso si risolva in un danno per la totalità della stirpe. Certo, se un giorno le cicogne non esisteranno più e se del loro transito terrestre non rimarranno che poche gabbie di rami profilate contro il cielo grigio di Obernai e di Sélestat, l'Alsazia non potrà compensare la perdita coi cervi e con le lepri della selva di Haguenau.

Ciac ciac ciac: un ciabattare di becchi sui tetti aguzzi, un'ombra grottesca sul muro, un volo rapido e forte dal tetto allo stagno, dallo stagno al tetto; e poi, un bel giorno, altro rumore di ciabatte, adunata generale, squilli di tromba e partenza...

Forse il Reno è diventato troppo navigabile per offrire un soggiorno tranquillo alle scontrose cicogne; è troppo canalizzato, ha messo la museruola ai mille rivi che gli corrono accanto come cani trafelati. Probabilmente ai tempi di Goethe la Renania era meglio adatta ad accogliere le periodiche migrazioni di questi grandi braccianti dell'aria. In ogni modo un *pool* delle cicogne fra i paesi che le ospitano non potrebbe, oggi come oggi, interessare le nazioni che hanno scelto Strasburgo quale loro supercapitale (provvisoria). Purtroppo! Se fosse così l'Europa non avrebbe bisogno di cercarsi una supercapitale.

Non tutte le ostriche che vedono la luce del giorno (se così può chiamarsi la diafana luce delle profondità subacquee) hanno il privilegio di finire la loro esistenza sulla tavola dei loro « consumatori ». Queste di Saint-Malo, per esempio, le prelibate *huîtres de Cancale*, nel periodo in cui sono immesse e mantenute nei vivai subiscono una falcidia ch'è calcolata intorno al novanta per cento. I loro nemici principali sono quei grandi granchi di Bretagna, pinzuti, che somigliano alle granseole dell'Istria ma hanno un colore più scuro; granchi che, peraltro, finiscono essi stessi sulle tavole dei buongustai. Saint-Malo è semidistrutta dalle bombe, ma la cerchia delle mura e il banco dei crostacei della *Duchesse Anne* parlano ancora delle tradizioni della città: tradizioni guerriere e gastronomiche. Intatto è il monumento a Surcouf, il grande corsaro, barone dell'Impero, che su questa spiaggia uccise undici uomini in duello.

Non so se i granchi sorprendano le ostriche aperte o se riescano ad aprirle con le loro tenaglie; certo ne sono ghiotti e, prima di comparire come accusati sul banco della *Duchesse*, riescono a mangiarsene intere legioni. L'ostrica che viene posta in commercio ha da tre a cinque anni di vita e può dirsi fortunata se è riuscita a sfuggire dalle pinze del nemico. Ecco ventiquattro di queste ostriche superstiti, ventiquattro per tre persone di debole appetito: io, Marthe e Glauco. Sono e non sono le stesse che si mangiano nei ristoranti di Parigi: o meglio, sono forse le stesse, ma colte e succhiate così, a due passi dal fondo nativo, mantengono una vitalità animale che altrove non hanno più, e l'iride della loro perla sembra più viva.

Ventiquattro ostriche, tre zuppe di *moules* (muscoli), una terrina colma di *langoustines* (crostacei molto affini alle nostre cicale di mare), una bottiglia di *muscadet* è il minimo che la *Duchessa Anna* possa offrire a tre ospiti disappetenti. Riusciremo a sparecchiare questa vasta natura morta di crostacei?

— Proviamo — dice Marthe accarezzandosi le trecce che ha bellissime e accercinate intorno alle tempie.

— Proviamo — dice Glauco spremendo uno spicchio di limone in un guscio lampeggiante.

L'aria tempestosa che grava sui *quais* di Saint-Malo sembra rendere aggressivi anche i clienti della *Duchessa Anna*. Tutti i tavoli luccicano di crostacei. Siamo tutti granchi grossi che si accaniscono sui vivai delle ostriche. Sul mare di Bretagna, sferzante come l'aria alpina, vale anche per l'uomo la legge che il pesce grande divora il pesce piccolo.

— Andiamo a visitare la tomba di Chateaubriand? — dice Glauco, guardando sorpreso la montagna di valve che ha sul piatto. È riuscito a finire in un batter d'occhio la sua sterminata porzione.

Crostacei e Chateaubriand (non lo Chateaubriand che predica ma quello che descrive e rappresenta) vanno benissimo insieme. La tomba non porta iscrizioni: una croce di pietra indica il loculo dove sono rinchiusi i resti del grande bretone. E il cormorano, quando giunge la sera, è l'unica sentinella che rimanga a guardia di quella tomba.

Non conosco ancora la bassa Bretagna, ma direi che anche qui, in questa Bretagna più confortevole dove sono giunto (Dinard e dintorni) lo scricciolo e il cormorano siano i geni del luogo. Il modesto reattino parla di ruggine e di *moisi*, porta con sé quel colore e odore di muffa che sono inseparabili da tutta la provincia francese; il cormorano parla di solitudine, di lotte e di burrasche. In Bretagna Maurice de Guérin udì certo cantare (tintinnare) lo scricciolo; mentre Chateaubriand e Tristan Corbière seguirono con l'occhio anche i viaggi dei grandi uccelli di mare.

E Lamennais? E Renan? Al ritorno dovrò rileggerne qualche pagina, ma temo che in essi non troverò troppe indicazioni naturalistiche. Per altre vie, con altri mezzi, essi hanno assorbito ed espresso le lunghe bufere della terra armoricana.

A mezz'ora di volo da qui, sulle spiagge di Eastbourne e di Brighton, certo passeggiano, condotti al guinzaglio, cani di lusso, cani da esposizione. In Bretagna solo il cane bastardo – quello che ulula sulla tolda dei battelli *langoustiers* – sembra a suo posto.

1950

Il giorno del gran salvataggio

Nella baia dominata dall'abbazia di Saint-Michel, in Bretagna, alta e bassa marea significano una ritirata o un'avanzata del mare per uno spazio di ben tredici chilometri. Giungete a Saint-Michel e lo sguardo si allarga su un'arida pianura sulla quale pascolano i *prés-salés*, i montoni dal sapore salmastro di cui i Francesi sono ghiottissimi. Non sembra possibile che quella distesa sia stata, e sia per essere ancora, il fondo del mare. Neppure vi mettono in sospetto i pescatori a secco che frugano nella sabbia per fare scattare dai loro buchi i gustosi *couteaux* (bivalvi somiglianti ai nostri datteri di mare) o la rastrellano metodicamente per portare alla luce quei guizzanti pesciolini a forma d'ago che qui si chiamano *lançons*.

Visti da lontano i pescatori a secco sembrano innocui villeggianti che percorrano un vasto, sterminato prato. Perplessi e un po' delusi lasciate la cinta delle mura per rifugiarvi nell'interno di un ristorante dove vi attendono una dozzina di ostriche di Cancale e una mezza bottiglia di *muscadet*; ed ecco che un rombo vi raggiunge, tornate ad affacciarvi e vedete il mare irrompere da tutte le parti con la velocità di un cavallo in corsa. Precedono le onde grandi stormi (o piuttosto branchi) di gabbiani che mandano strida acutissime. In pochi minuti Saint-Michel è circondata dalle acque e diventa una nuova Capri, con tante strade e tante botteghe acchiocciolate intorno alla mole massiccia dell'abbazia. Il paesaggio è grandioso, e anche sinistro, se ricordate che qui la caccia o meglio la pesca del gabbiano si pratica con l'amo, sul quale si innesca un pezzetto di carne cruda. (Non è una mia invenzione, persino la guida Hachette dà particolari in proposito). Il vecchio marinaio di Coleridge perdette l'anima per aver colpito un *goëland*, una grossa procellaria: e in Francia tale delitto può restare impunito?

In ogni modo, non c'è tempo per attardarsi in pensieri umanitari: all'irrompere della marea il problema unico dei visitatori è quello di raggiungere la terraferma, la lunga fila dei torpedoni in attesa su un istmo sopraelevato sul quale le onde si frangono senza scavalcarlo. Il traghetto è garantito da un paio di barche verso le quali convergono migliaia di turisti. Tutti vogliono avere la precedenza, sorgono discussioni, persino litigi violenti. Da lontano i torpedoni strombettano, l'ora della partenza si avvicina. Come faranno due barche a portare a salvamento tanta gente? I turisti più audaci si tolgono le scarpe, rimboccano i pantaloni e si avventano sulle barche. Fra questi ci sono anche donne altrettanto scalze e spaventate; donne che i pescatori del luogo acchiappano (in senso etimologico), sollevandole tra le braccia e pestandole nelle barche come sardine. L'operazione avviene al buio e dopo un quarto d'ora ci si accorge che solo il dieci per cento dei viaggiatori hanno potuto avviarsi verso la salvezza. Allora lo strombettamento, il grido « signori si parte! » raggiunge il diapason, anche i più restii si buttano sulle barche che si colmano sempre più e non partono mai. Ci si avvia con le scarpe in mano e il cuore palpitante, chi ha una moglie l'affida alle braccia di un pescatore, si affrontano baruffe, si scambiano invettive con sconosciuti (invettive in tutte le lingue); e poi quando si giunge a metter piede in una barca si scopre il trucco. La prima barca può contenere infinite persone perché non è una barca ma un semplice ponte che immette in un'altra barca, la quale confina con un'altra barca, e così via; finché, traballanti, bagnati e infuriati si riesce a raggiungere l'istmo, non prima però di aver deposto un lauto *pourboire* nelle mani dei Caronti di servizio. Ci si accorge allora che lo spazio percorso è di pochi metri e che il livello del mare è bassissimo. Basterebbe una passerella, un modesto ponticello di legno a far sì che Saint-Michel, anche nel giorno della più alta marea dell'anno, restasse legata all'istmo e alla terraferma. Ma in tal caso, dove finirebbe la messa in scena, dove il color locale e dove (soprattutto) i *pourboires*? L'organizzazione del salvataggio, almeno due volte all'anno, è una vera risorsa per i pescatori del luogo e la passerella non verrà costruita mai. Saint-Michel resterà isolata, resterà un'isola inattingibile, e a cose fatte ben pochi viaggiatori rimpiangeranno il brivido di quell'avventura.

Bisogna però avvertire che i visitatori di Saint-Michel sono in gran maggioranza Inglesi. Da Southampton alle spiagge bretoni il viaggio è breve, poche ore di vaporetto sono sufficienti e il viaggiatore britannico può, con la modesta spesa di una sterlina al giorno, trovar vitto e alloggio in qualche buon albergo di second'ordine. (Quelli di prim'ordine smobilitano e si vendono ad appartamenti perché una stagione di un mese non è sufficiente a tenerli in vita). Gli alloggi sono buoni e i britannici sono lieti di potersi assidere, con poca spesa, dinanzi a una *suprême* di *barbue bonnefemme*, in faccia a uno dei più sconvolgenti scenari del mondo. È vero che la « suprema » è una semplice polpetta di baccalà, ma gli Inglesi sono abituati a ben altro.

Anche questo mare gelido e tempestoso non li spaventa: sono forse i soli che possano bagnarvisi senza rabbrividire, i soli che abbiano mantenuto un vero contatto con la natura. Turisti poveri, con cinquanta sterline in tasca, vengono volentieri in una terra sulla quale i loro padri lasciarono più di una traccia del loro celtico linguaggio. Tre, anzi quattro dialetti celtici sopravvivono nella bassa Bretagna, nel Finistère, nel paese di Léon, nella terra di Vannes, nella zona di Goële e in mezzo Morbihan; ma credo che sia ormai quasi impossibile trovare un contadino che non parli anche il francese. Circoli di intellettuali « celtizzanti » o *bréton-*

nants esistono a Parigi e a Nuova York, e probabilmente a Rennes dove da almeno dieci secoli nessuno parla più il bretone. Durante l'ultima guerra i Tedeschi cercarono di varare la candidatura di un superstite duca di Rohan al trono, nientedimeno, della Bretagna. Ma quando il pretendente giunse sul luogo non raccolse che fischi. Non vorrei sbagliare se esprimo l'impressione che ormai il sogno di una Bretagna ricostituita, etnicamente e politicamente, e autonoma, appartenga più che altro alla storia del folclorismo romantico e sentimentale. Si dice che qualche venditore di cipolle arrischiatosi dal Léon fin sulle prode del Galles abbia potuto intendersi coi pescatori di là; ma credo che sia una leggenda, se è vero, com'è vero, che oggi è difficile ai « Goëlardi » o ai Leonesi di intendere i Vannesi. Più il mondo si accentra e si rende uniforme, tanto più sorgono i conati di resistenza dei vari separatismi culturali. Con quale successo? Uno dei più grandi separatisti del mondo, il Presidente De Valera, porta all'occhiello una ruota rossa il cui significato è « Io parlo la lingua irlandese e sarei lieto se qualcuno volesse parlarla con me ». Con un certo sconforto il Presidente mi dichiarò, il mese scorso, che ben raramente quell'amabile offerta era stata coronata dal successo. Purtroppo (o forse è meglio così) le lingue sorgono dal basso, non dall'alto; e il bretone, lingua importante in Francia, da parecchi secoli non fa che restringere la propria area. Quel tanto che ne resta – nella toponomastica – è una grazia, una civetteria, niente di più, che piace molto agl'Inglesi. Solo gli scriccioli delle Cornouailles e del Cornwall parlano veramente la stessa lingua, fanno stridere nello stesso modo la loro piccola pepaiola. È la corona, aerea e sonora, che meglio lega queste due terre; ed è un vero peccato che Riccardo Wagner, nel *Tristano*, non abbia fatto posto a quell'umile voce: l'unica delle molte voci silvane che manchi veramente nell'opera sua.

1950

Cucina e pittura

Di tutte le arti praticate in Francia quella della cucina è la meno mescolata alla vita, la sola, si direbbe, che ha bisogno di professionisti. Nulla è più triste di un invito a pranzo in una famiglia che non disponga né di mezzi né di persone di servizio. Se in casi simili gli invitanti si limitassero a dividere con voi un pezzo di pane e una fetta di prosciutto non ci sarebbe gran male. Ma il fatto è che più spesso le improvvisate *ménagères* ci tengono a farvi onore e vi offrono limacciose terrine di crema, fondute sparse di funghi di grotta, vuote reliquie di frutti di mare, pezzi di montone incrostati di dubbi legumi; il tutto annaffiato da quei vini d'*appellation contrôlée*, bianchi o rossi o rosati, che di « controllato » non hanno più che il nome.

Queste volonterose donne, che spesso hanno lasciato l'ufficio da un'ora, trovano che la cucina italiana è estremamente modesta e insipida, e si dànno un gran daffare per tener alta una tradizione superiore alle loro forze. Ma Monsieur Colombin, il padrone della mia trattoria, mi spiega che tutto questo è la parodia della cucina francese classica e che il classicismo non s'improvvisa. Occorrono carte in regola, studi, diplomi. Monsieur Colombin dispone di tre camionette con le quali invia pranzi bell'e pronti, dagli antipasti fino allo *champagne*, servitori compresi, a chi gli telefona; grazie alle sue fatiche, e a quelle degli innumerevoli Colombin che gli fanno concorrenza, la donna spettinata che vi ha ricevuto su una scala buia (ma con la coda dell'occhio non v'è sfuggito un bambino che brandiva una lunga salsiccia affumicata) può farvi aprire, il giorno dopo, da un cameriere in giacca bianca e offrirvi un pranzo perfettamente classico.

Di solito, però, quando marito e moglie lavorano fuori casa, l'*entrecôte aux frites* rappresenta il *menu* di tutti i giorni, il pasto più spiccio. Se dovessi giudicare dalla carenza dei mestieri servili direi che l'industria conserviera, in Francia, non sia in crisi come da noi. Scatole di trippa, di gamberi, di pernice farcita, di lepre in salmì sono affastellate nelle vetrine dei pizzicagnoli e le loro etichette sembrano esser rimaste invariate dai tempi di Courbet; un futuro museo d'arti decorative non dovrà trascurarle. Ma la ghiottoneria più triste, in quelle vetrine, è la *coquille Saint-Jacques* pronta per esser messa al forno. È la veneziana « cappa santa », un crostaceo bivalve il cui sabbioso contenuto, ridotto in piccoli pezzi, è stato cosparso di una gelatina ammuffita che lo difende dagli sguardi più indiscreti. Quanti giorni resta in vetrina una *coquille Saint-Jacques* prima di trovare un cliente?

In ogni modo, ripeto che in un paese in cui natura ed arte si confondono come in nessun altro, in un paese in cui anche i grandi cartelloni *réclame* (*Byrrh, Dubonnet...*) sembrano piantati al loro posto da un Utrillo, l'arte culinaria non tiene il passo con la vita, è sopraffatta e vive ormai di ricordi. Non così avviene per la pittura, l'arte di cui oggi la Francia è più gelosa. Si può diffidare del cubismo, del *fauvisme* e di tutti i movimenti degli ultimi quarant'anni ma si deve ammettere che visti di qui i loro prodotti diventano perfettamente naturali, si inseriscono in un clima.

Verso la fine del secolo scorso un olandese, certo Bywanck, venne a Parigi, restò stupefatto delle stravaganze che osservò nei cenacoli dei simbolisti e ne fece la parodia in un libriccino che forse nessun antiquario potrebbe oggi offrirvi a un prezzo ragionevole: *Un olandese a Parigi.* Non credo che oggi un olandese, o un italiano, frequentando le mostre, gli studi, gli *ateliers* di Parigi potrebbe più scrivere nulla di simile. Allorché i grandi impressionisti scopersero il *plein air* e la gioia di vivere in una natura che non fosse quella dei quadri da museo, la rivoluzione industriale non era ancora che all'inizio. Quei pittori partivano per Moret o per Nemours in trenini a scartamento ridotto o in diligenza e restavano per mesi alla caccia del « motivo ». Moret è ancora oggi un villaggio e quando Sisley vi si allogò, e vi rimase per anni, doveva essere un soggiorno ben poco confortevole. In condizioni di vita non molto diverse lavorarono i macchiaioli toscani, seppure con una *joie de vivre* considerevolmente ridotta. (È il loro limite, anche artistico, di fronte agli impressionisti francesi). Ma da allora è proprio la gioia che è scomparsa dal mondo; e data da allora, dalla disintegrazione impressionista, quella totale sfiducia nella mimesi, nell'arte come imitazione del vero, quel neoarcaismo che resterà il segno distintivo del nostro tempo. Un telegramma come quello che si attribuisce non so se a Zola o a Paul Adam: « Naturalisme pas mort. Lettre suit », oggi non potrebbe essere inviato da Parigi né forse da alcuna altra città. Il naturalismo, per ora, sembra morto davvero.

La punta estrema di questa fuga dalla natura è rappresentata, com'è noto, dall'astrattismo che conta numerosi cultori, fra i quali il pittore Alberto Magnelli e lo scultore Berto Lardera, ma che non mi sembra possa dare molto di più di quanto ha dato dopo certi vecchi pezzi di Mondrian e di Klee. Gli altri pittori, esclusi i *pompiers,* i surrealisti tipo Salvador Dalí (o Leonor Fini) o i neorealisti di marca sovietica (Fougeron), non respingono la realtà ma la filtrano. Vivendo lontani da quella che una volta era considerata la Natura essi tendono a creare un oggetto (il quadro) in cui un'ombra del mondo esteriore resti imprigionata. In ciò continuano in qualche modo la lezione del cubismo: si potrebbero considerare come dei post-cubisti-neo-impressionisti. (Non invidio il futuro storico dell'arte che dovrà classificarli). Ho citato l'anno scorso, parlando di una mia visita a Malraux, alcuni di questi pittori: il Dubuffet che deve aver guardato la pittura cavernicola, il Fautrier inventore del « monotipo multiplo » (duecento copie dello stesso quadro, che è spesso un altorilievo di gesso cosparso di chiazze verdastre di muffa).

Colui, però, che mostra maggior ingegno, fra i « giovani », ossia fra i *moins de cinquante ans,* è secondo alcuni Jean Bazaine, che ha già esposto anche in Italia. È un uomo alto, magro, dai capelli brizzolati e dagli occhi chiari scintillanti d'intelligenza. È nato nel 1904, ha una licenza in lettere, conosce l'Italia e l'America. Non è dominato da alcuna infatuazione nazionalistica e rappresenta, insomma, un tipo di francese abbastanza raro. Quando gli ho chiesto di espormi le sue intenzioni di artista egli mi ha letto alcuni paragrafi di certe sue *Note sulla pittura d'oggi,* stampate nel '48. Contro gli astrattisti che dicono: il nostro frutto non deve somigliare ad alcun frutto di natura, egli osserva: « L'arte non ha mai dato nulla che somigli alla natura, se non alla natura dell'uomo e a ciò che vi è in lui di meno figurativo: impulsi, desideri, sensazioni... Rifiutare sistematicamente il mondo esterno è rifiutare se stessi: non ci si libera tanto facilmente della propria carne: è un modo di suicidarsi. "Abbiamo perduto il sole" diceva Lawrence. Badiamo a non perdere anche la terra, per soprammercato ».

Con un uomo simile, convinto che Vermeer sia più astratto di Kandinskij, è un piacere visitare la mostra retrospettiva del cubismo (1907-1914) organizzata al Museo nazionale di arte moderna in Avenue Wilson. È la grande mostra del giorno e durerà sino al 9 aprile. Contiene duecentotrentun pezzi, fra pitture, sculture e documenti che non sarà poi facile ritrovare insieme. Nella prefazione e nelle note al catalogo Jean Cassou riesce a esprimere in poche pagine tutto ciò ch'è possibile dire del cubismo da parte di uno studioso che teme di non essere abbastanza moderno: strutturalismo, senso del discontinuo, antilinearismo, pittura sculturale, discendenza da quel Cézanne che raccomandava, nel 1904, lo studio del cilindro, della sfera, del cono. Per il Cassou siamo di fronte ad uno dei periodi più gloriosi e monumentali che la storia dell'arte ricordi.

Per chi guardi, invece, « a caso vergine », come l'olandese Bywanck guardava settant'anni fa, il cubismo rappresenta le ricerche di un gruppo di amici che, guidati da una formula comune, si illusero di sostituire la formula all'ispirazione. Quando la formula (natura ridotta in spicchi, appiattimento del cubo – o del « tubo » –, colore intellettuale non mai naturalistico-sensoriale, compenetrazione di forme in un unico arabesco-tappeto) è vinta dall'ispirazione si hanno allora le belle pitture monocrome di Picasso e di Braque, in quegli anni così vicini da essere quasi indistinguibili. Juan Gris non è lontano da loro, altri pittori hanno detto una loro parola come Marcoussis e quel Jacques Villon (uno dei tre fratelli Duchamp che aderirono al cubismo) il quale è sempre stato un puro impressionista che vede le cose attraverso a un reticolato, a un prisma di luce.

Marie Laurencin non ha nulla a che fare col cubismo, lo scultore Brancusi guarda all'Africa, altri aderenti al gruppo fanno pittura tradizionale limitandosi a strappare un orecchio o un occhio ai loro soggetti per dare il senso di una rottura. La scuola, in quanto ebbe un'etichetta in comune e un'unione di intenti, durò sette anni e ha realizzato quella tipica pittura senza gioia che sola era forse possibile in quel tempo. Sola, dico, in quanto pittura di scuola; perché la via della disperazione, l'espressionismo non fu mai una scuola unitaria e non ebbe mai a Parigi una stabile sede. Dopo il '14 il gruppo cubista è sciolto, Picasso accende i colori e scopre ciò che Cassou chiama il suo « italianismo sarcastico » (?), Braque pure abbandona la monocromia e crea deliziosi incastri di volumi piatti; fra i non cubisti il vecchio *fauve* Matisse continua sempre più a esaltare la sua tavolozza, il Bonnard, che mai aveva abbandonato l'impressionismo, ci dà le più luminose e serene pitture del nostro tempo, ma a parte questa mezza eccezione la

gioia non tornerà ad apparire nel mondo della pittura.
Se in queste sale della mostra cubista potessero apparire un nudo di Modigliani, un ritratto di Soutine, un paesaggio di Munch o di Permeke forse vedremmo meglio ciò che mancò ai pittori dell'*équipe* cubista: una scoperta poetica veramente individuale. Parlarono in gruppo e sragionarono ragionando troppo, come più tardi i surrealisti, portando le scoperte di Cézanne in un clima decorativo che il Maestro avrebbe detestato. All'avvento dei cubisti Claude Monet pensò di aver sbagliato strada per sessant'anni; ma oggi il più vero pittore del gruppo, Georges Braque, dipinge vasetti di fiori e piccole marine che alla libreria La Hune si possono ammirare in fotografia. Torna il mondo reale, visto attraverso una luce d'acquario. Se non v'è gioia (la moderata gioia di Bonnard) v'è almeno pacificazione, accettazione del reale, disgusto della pittura da paravento; ed è notevole che, almeno in questo, tanto il vecchio Braque quanto il più giovane Bazaine appaiano pienamente coetanei.

1953

Scrittori con « situazione »

La Francia è, com'è noto, il solo paese dove l'uomo di lettere abbia quel che si dice « una situazione ». Si deve a questo fatto il potere di calamita che essa esercita su migliaia di scrittori e di artisti non francesi, di meticci culturali venuti a vivere qui con la speranza che nella loro terra nativa un invidioso dica: « X sta a Parigi dove ottiene un grande successo. È lanciatissimo nei *milieux*. Eh sì, a Parigi è un'altra cosa... ». Vista da vicino la situazione di questi innumerevoli X è tutt'altro che brillante. I loro nomi sono spesso ignoti non solo all'uomo della strada, ma agli stessi *confrères*; di qualcuno, se è un pittore, si dice: « Ah sì; mi pare di averlo sentito nominare; ha un critico e un mercante, ma nessuno si occupa di lui »; e di qualche altro, se è scrittore: « Devono aver tradotto un suo libro, ma non ne so nulla; mi pare di averlo incontrato una volta *chez...* ». Se si pensa che il libro di un buon scrittore francese ha *plafonné*, cioè ha toccato le vette (il soffitto) del successo quando ha venduto quindicimila copie; se si riflette che le riviste pagano poco o nulla, che nei giornali quotidiani non esiste la terza pagina e che far montare un'opera teatrale è impresa costosa e difficilissima anche per autori francesi di qualche nome, si avrà un'idea di quel che può essere la condizione pratica di uno scrittore, diciamo così, di importazione.

Non molto più rassicuranti sembrano le sorti degli scrittori e degli intellettuali nati qui, anche se per essi non esista il problema di vincere gli ostacoli della lingua e le diffidenze dell'ambiente. Messi da parte quei venti o trenta autori il cui bagaglio letterario (ritornerò su questa espressione) dà un reddito modesto ma sicuro, è un mistero come vivano gli altri. Non molti sembrano essere coloro che hanno un secondo mestiere. Esistono, naturalmente, fra i letterati parecchi direttori o conservatori di Museo, vari funzionari della Radio e non pochi professori; ma la grande maggioranza degli uomini di lettere lascia l'impressione di vivere di espedienti, senza cespiti prevedibili o sicuri. Molti viaggiano e riescono a fare il giro del mondo con una conferenza in tasca; altri, i più, vivono qui per non farsi dimenticare, in attesa di occasioni o di fortune che non si presentano mai. Al tempo della sua ascendente fortuna il generale De Gaulle diceva ai giovani scrittori che gli erano presentati: « Vi interesserebbe un piccolo museo? » destando così speranze che non furono mai appagate. In tali condizioni, vivere nei *milieux,* avere una situazione letteraria significa soltanto galleggiare in attesa di un colpo di fortuna; il che sembra più facile che altrove in una città in cui il commercio intellettuale rappresenta un grosso ingranaggio, una somma di interessi tutt'altro che piccola.

Gli uomini che hanno « una situazione » sono spesso convocati da un *coup de fil* o da un biglietto con la sigla R.S.V.P. presso un signore o una signora che offre un *cocktail* a qualche ospite di passaggio. Un invito del genere è quasi sempre uno spettacolo e non a torto T.S. Eliot scelse la scena di un moderno *cocktail* quale ambiente per una sua tragedia. Il primo problema che si presenta all'invitato che non sia addirittura l'ospite d'onore è il dubbio: partecipare o non partecipare? Solo un grande personaggio può risolverlo decidendo di non farsi mai vivo in alcuna occasione. Gli altri, i minori, sanno che gli assenti hanno sempre torto e non possono lasciarsi ignorare a lungo. Scrivono allora la data e l'ora su un loro libriccino e si presentano, col dovuto ritardo, all'appuntamento. Il letterato ha sempre in tasca un taccuino per i suoi *engagements*, una specie di *carnet de bal* per vecchi signori che non ballano. Da noi può accadere di essere invitati a pranzo da una signora che poi si dimentica bellamente dell'invito (a me è capitato due o tre volte). Sono gli svantaggi delle comunicazioni facili e della vita comoda. A Parigi, dove la vita è scomoda, e l'intera giornata può andar perduta in viaggi e trasbordi, questo fatto è inverosimile.

Se una voce di tomba vi dice dall'altra parte del filo telefonico: « Oggi a otto, rue Payenne, non lontano da Saint-Paul, il tassista non ne saprà nulla, andate in Place des Vosges e chiedete a qualcuno, vi attendo alle cinque e mezzo », il dubbio, lo sconforto che vi assalgono non hanno qui nessuna giustificazione. Voi andrete, troverete senza troppi sforzi la strada indicata, una porta si aprirà, una inverosimile padrona di casa vi verrà incontro in un salottino affollato dove qualcuno andrà trascinando un carretto di tartine all'acciuga e di aperitivi. Mi hanno detto che in una di queste ospitali case il padrone, il marito, attende fuori, passeggiando sul ponte Mirabeau, che gli invitati di sua moglie se ne siano andati; e quando vede sul ponte qualche volto di conoscenza domanda ansioso: « È finito tutto? Credete che io possa rientrare? ». In altre case può accadervi di scoprire che il cartoncino d'invito portava scritto « per incontrare M... », e di leggere a quel posto il vostro nome leggermente storpiato. Nientemeno che un ricevimento in vostro onore!

Incontrerete là, inevitabilmente, gli uomini di maggior apertura mentale, gente che conosce l'Italia e che ha persino una vaga idea della vostra esistenza. Di solito, avere un amico in comune, aver appartenuto per un istante allo stesso gruppo, allo stesso *clan*, l'essersi sfiorati in un precedente raduno o congresso o *rencontre* (Pontigny, Ginevra, Rougemont) accende un fulmineo scoppio di simpatia e d'interesse. Badate, non è una farsa. Il canuto e gioviale Francis Ponge, Madame e M. Jean Wahl, sempre presenti dove si tenta di pensare, il paffuto Jacques Madaule, biografo di Claudel e sindaco di un paese presso Parigi, il poeta Franz Hellens, occhialuto, scarno e leggermente spettrale hanno davvero scritto il vostro nome sul libretto dei loro appuntamenti, il giorno fissato si sono imbucati nel *métro* senza affatto maledire la sorte, e dopo una mezz'ora di viaggio, un po' stanchi, *navrés* di non potersi trattenere a lungo, si sono veramente presentati a voi per scambiare qualche idea.

Il fatto imprevedibile è, però, che al momento dell'incontro, invitato e invitanti scoprono di non avere né tempo né voglia né modo di dirsi nulla di interessante. Di solito tutto si limita a una stretta di mano e all'affannosa ricerca di qualche comune conoscente. « Come sta il nostro caro Guglielmo Alberti? ». « Credo che si sia ritirato nel suo palazzo di Biella, *tout près de Turin* ». « *Tiens, c'est drôle!* », e tutto resta lì perché bisogna dire una parola ad altri che sopraggiungono. « E il signor Giovanni Verga lavora ancora? *Est-il bien?* ». « No, signore, non lavora; tace... da qualche tempo ». (Se dicessi ch'è morto da molti anni potrei sembrare scortese). In genere, in ogni incontro, è facile trovare chi conosca qualche autore italiano. I nostri migliori scrittori (esclusi naturalmente i poeti) hanno avuto traduzioni, hanno conosciuto un piccolo quarto d'ora di attualità; qualcuno mi ha detto che a Parigi c'è addirittura la mania di tutto ciò ch'è italiano e che si sono rappresentate su queste scene persino cinque commedie italiane nella stessa stagione.

Facile vi sarà accorgervi che l'arte della conversazione tiene ancora, qui, il primo posto. È un'arte su cui dovremo tornare per spiegare alcuni problemi per noi insolubili, ma perfettamente risolti dal teatro francese. Presa, tuttavia, nei suoi esempi spiccioli (e senza escludere che in questo momento in qualche provincia francese una nuova Deffand o una nuova Sévigné stiano conversando in meravigliose lettere) si può credere che quest'arte abbia perduto l'*esprit de suite* ch'essa doveva possedere ai tempi dell'Enciclopedia. Su qualsiasi punto voi vi dichiarate in disaccordo, tutti vi diranno che avete perfettamente ragione e si affretteranno ad aderire alla tesi che un istante prima stavano combattendo. Si direbbe che le idee non interessino più nessuno, che esse abbiano assunto un carattere meramente decorativo. Unico presupposto che lega tutte le conversazioni, è che Parigi resti una città unica, la sola città in cui, malgrado gl'inconvenienti, si può vivere, uno scrigno che deve essere difeso in tutti i modi. (Come? Da chi? E con quali mezzi?)

Il poeta Franz Hellens, onore della letteratura belga, nato in una provincia in cui la lingua fiamminga era proibita, vive ora qui da quattro anni perché non se la sentiva di abitare in un paese insufficientemente francese. Belgi e Svizzeri romandi vengono a Parigi come a una Mecca, senza tuttavia trovarvi un'aperta comprensione. Ho sentito qualcuno ridere sentendo nominare Edouard Rod, il ginevrino che tradusse in francese i romanzi di Verga, l'uomo al quale Ginevra (che non lo legge più) deve aver dedicato una strada o un monumento. Altre risate hanno commentato l'apparizione del belga Emile Verhaeren nella collezione di poesia del Seghers. Poeta celebre, amatissimo ai suoi tempi da Stefan Zweig e da altri Tedeschi da lui forse odiati, tutto proteso verso l'adorata Francia, egli sembra destinato a un futuro oblio.

Che cosa gli mancava? Che cosa manca, in genere, ai Francesi d'adozione o di periferia? Probabilmente quel senso che dà una continuità ai prodotti del sottosuolo francese, dal mercato *aux puces* fino al surrealismo; quel senso particolaristico per cui ogni rivoluzione, in Francia, prende subito un aspetto risaputo, accademico. Dicono che in Francia il surrealismo fosse necessario, ed è forse vero. Esso però ha ucciso le idee senza toccare gli oggetti che agli occhi del mondo rappresentano la vecchia Francia: quei vecchi oggetti, quei vecchi costumi che la Francia vorrebbe difendere senza l'America, contro l'America, contro i comunisti, o magari mantenendo il « dialogo » coi comunisti; ospitale e chiusa in se stessa, xenofoba e insieme condannata alla corsa alla « modernità »; sostanzialmente refrattaria ad ogni intesa, ad ogni accordo per cui essa debba rinunciare a qualche parte di sé.

1953

Una potente consorteria

Beati i tempi in cui la letteratura francese era rappresentata, all'estero, soprattutto da scrittori facili o apparentemente tali, come France, Loti, Bourget, accostabili anche da lettori che il francese l'avevano mediocremente imparato nelle scuole commerciali. Beati s'intende, per la Francia, che disponeva d'un incomparabile strumento di penetrazione, di una insegna che manteneva alto nel mondo il prestigio della sua cultura.

Quegli anni, non tanto lontani, sono trascorsi, e nulla fa pensare ch'essi possano tornare. La civiltà della *clarté* si esprime ancora per la bocca degli *chansonniers*, brilla meravigliosamente in quelle figlie di portinaie che a vent'anni escono dal Conservatorio e sono già mature per i grandi teatri, lascia ancora i suoi segni là dove Parigi vive la vita provinciale del quartiere, e non quella della metropoli cosmopolita; ma si direbbe morta nei così detti ambienti letterari e nei prodotti che in essi sono manipolati. Questo grave pericolo che incombe sulla cultura francese non pare tuttavia che sia oggetto di discussione; esso sembra anzi escluso dalle discussioni che la « guerra delle riviste » sta alimentando in questi giorni. È una guerra, o polemica, intorno alla quale lo straniero di passaggio viene oggi interrogato.

Siete per la nuova « N.R.F. » di Paulhan e Arland o per la « Table ronde » di Mauriac e soci? Ovvero preferite « Les lettres nouvelles » di Saillet e Nadeau? O addirittura siete così superficiale da scegliere la « Parisienne » di Jacques Laurent? (L'elenco potrebbe continuare perché non comprende i « Temps modernes » di Sartre e la rivista che fu di Emmanuel Mounier – « Esprit » – oggi affidata ad Albert Béguin).

Non crediate che le polemiche in corso siano puramente accademiche e ch'esse non involgano grossi interessi. Del primo fascicolo della risorta « N.R.F. » sono andate esaurite venticinquemila copie in pochi giorni e la tiratura dei numeri successivi si è mantenuta alta. Dall'altra parte della barricata abbiamo Mauriac, molto illustre e particolarmente aggressivo, ma non troppo letto né in Francia né all'estero; e troviamo, naturalmente, gli interessi di un editore come il Plon. Ne consegue una battaglia che non si sa fino a che punto sia una lotta di idee; e che avviene, stranamente, fra scrittori senza lettori.

Poiché se Mauriac non tocca le grandi tirature, nemmeno gli scrittori della *nouvelle* « Nouvelle Revue Française » si sognano più di avere i lettori che ancora ieri ebbero Gide e Valéry. I gloriosi settantenni della pittura francese tengono ancora il campo; mentre i grandi vecchi della letteratura (escluso Claudel che pochi amano ma che quasi tutti venerano, senza leggerlo) sono da tempo usciti di scena. Fra i cinquantenni un nome sembra rispettato anche dai suoi avversari: André Malraux, che da romanziere si è improvvisato critico d'arte ottenendo successi (di cassetta) considerevoli. Molti altri autori fra i cinquanta e i sessant'anni godono di un certo credito e alcuni sono entrati all'Accademia, ma si ammette generalmente che la loro lettura non sia « d'obbligo ».

Vengono poi i giovani, fra i venti e i quarant'anni, non letti né facilmente leggibili a motivo del loro *tarabiscotage* stilistico; ed è fra questi che le nuove riviste debbono cercare i loro alfieri, i loro piazzisti, i loro furieri d'alloggio. Siamo in un clima di lotteria o di *turf*. Che cavallo vincerà?

Su chi si deve puntare? Scelta di pupilli e scelta di maestri, s'intende; e generale disorientamento.

Su un punto solo tutti sembrano d'accordo: nell'ignorare che la loro letteratura ha quasi cessato di esistere per l'uomo della strada di Milano o di Londra o di Nuova York; ed anche (ch'è peggio) per l'uomo della strada dei *boulevards*. Altro punto d'accordo è che si debba mantenere il generale disinteresse di tutto quanto si fa all'estero. Non Maometto deve andare alla montagna ma la montagna a Maometto. Non si tratta di una ostilità preconcetta. Il letterato francese non fatica a credere che in altri paesi esistano oggi scrittori considerevoli; l'editore francese sa che in virtù di certi accordi e scambi deve pubblicarne qualcuno; ma tutto si ferma qui. Manca totalmente la molla della curiosità.

Mi diceva il domenicano Pierre de Menasce reduce da un corso di lezioni a Princeton che negli Stati Uniti è facile trovare studenti che apprendono l'italiano per leggere la *Divina Commedia*; fatto tutt'altro che frequente in Francia dove si apprendono solo le lingue che aprono una carriera (e dunque si preferisce lo spagnolo all'italiano).

Neppure l'attualità offre un'esca quando si tratti di autori stranieri: le poesie di un Eliot (premio Nobel) pubblicate in traduzione col testo a fronte non sono esaurite nella prima edizione, dopo anni; un po' meglio sono andate le cose per García Lorca perché c'entravano di mezzo la guerra di Spagna, la tauromachia e soprattutto il teatro (a Parigi si dà tuttora un mediocre dramma di Lorca); ma su tutto il resto grava un silenzio assoluto. Non pochi sono i libri tradotti; rarissimi quelli che hanno trovato un migliaio di lettori.

Si potrà ora comprendere perché la « guerra delle riviste » (poco chiara agli stessi combattenti) debba interessare scarsamente un mondo che queste riviste ignorano. Di chiaro c'è questo: che la nuova « Nouvelle Revue Française », la quale dopo la morte era risorta sotto la direzione del collaborazionista e *vichyssois* Drieu La Rochelle (finito suicida), ha ripreso le pubblicazioni senza far parola di quell'infelice risurrezione e si fregia del nome di scrittori che attivamente vi collaborarono in quel tempo. (Tra essi parrebbero esistere persino tre o quattro condannati a morte). Ha destato poi le ire di Mauriac un infelice accenno editoriale alla giostra dei premi letterari, che come tutti sanno toccano, tre volte su quattro, ai libri del Gallimard, editore della rivista. Troppo facile era evidentemente la reazione da parte di chi scrive per un'altra « cappella letteraria ». La disputa, nel suo lato più interessante, sembra esaurirsi qui.

Essa sembra del resto ignorata dagli scrittori che ogni mercoledì – giorno di ricevimento – si affollano nell'ufficio di redazione della rivista, in via Sébastien-Bottin. Vi s'incontrano giovani barbuti non troppo diversi da quelli che conoscemmo nella *Vie de bohème*, ognuno dei quali lascia un manoscritto. Il direttore, Jean Paulhan, ama vestirsi di velluto e in casa sua lascia il completo marrone per una giacca verde non molto più scura del succo di *pamplemousse* che versa nel vostro bicchierino (aggiungendovi poi alcune gocce di un dolciastro liquore olandese). È alto, grigio di capelli, piuttosto emaciato, infinitamente cortese. La sua voce è insinuante, i suoi occhi azzurri emanano una viva simpatia umana. Se il visitatore gli riesce gradito egli si alza, smette di carezzare un gatto rosso (che sta per compiere i diciotto anni), toglie dallo scaffale una sua sottile *plaquette* e ne fa dono al caro collega, dopo avervi apposto una dedica lusinghiera. È stato per anni la guida, altri dicono l'incantatore, di tutta una generazione letteraria. Si susurra che ai suoi giovani collaboratori egli abbia chiesto di essere, nelle loro noterelle critiche, estremamente brevi e « oscuri ». Ma sarà vero? In ogni modo l'impressione corrente è che gli manchino, in questo momento, i « grossi cannoni ». La sua rivista dava già segni di stanchezza prima della guerra; come potrà ora reggersi in un clima decisamente *au-dessus de la mêlée*, anacronistico?

Il grande poeta del falansterio sembra essere, in questo momento, Saint-John Perse, che fu un alto papavero del Quai d'Orsay e vive da anni a Washington. Mi dicono che per apprezzare degnamente questo poeta (al secolo Alexis Saint-Léger) bisogna comprendere il suo « senso dei plurali »... e scoraggiato non ho chiesto di più.

Lasciando Paulhan, da Gallimard, pochi scalini vi dividono dallo studio del più giovane fra i letterati francesi di qualche grido: Albert Camus, bell'uomo niente affatto camuso come indicherebbe il suo nome. Ex-operaio, ex-attore, uomo di umili origini, ha appena trentanove anni ed è uno dei pochi che si saprebbero immaginare viventi e operanti anche fuori di Parigi. La sua recente polemica col Sartre non gli ha giovato e parecchi manifestano l'opinione, o la speranza, ch'egli ne sia uscito *écrasé*. Gli si rimprovera di avere scritto poco, di godere di un'esagerata fama all'estero, di non essere sufficientemente a destra o a sinistra; si teme ch'egli finisca, magari fra vent'anni, all'Accademia; si trova, insomma, in lui qualcosa d'imprecisabile che non fa piacere ai suoi colleghi. Sartre, coi suoi scatti e i suoi eccessi, entra pienamente nel gioco di Parigi, è un elemento del colore locale di qui. Camus, silenzioso, appartato (ora viene a Parigi solo due volte alla settimana) ha qualcosa di fuor di squadra, non ama l'omertà letteraria e non è complice di nessuno. Perciò non può avere molti amici nei *milieux* del '53.

È, in cambio, l'uomo col quale lo scrittore straniero di passaggio può intendersi meglio, un cervello chiaro, senza illusioni, che considera la maldicenza letteraria come una delle disgrazie nazionali della Francia e sa probabilmente di esserne vittima. Legato a Gallimard non può permettersi giudizi all'acido prussico su quanto si fa a due passi da lui, ma non esita a condividere il mio giudizio sulla nuova fatica di Jean Paulhan.

— Sartre ha esagerato in un senso — dice — fondando una rivista tutta documento, attualità ed *engagement*;

ma i miei amici esagerano parecchio nel verso contrario.

Albert Camus mi dice che verrà presto in Italia, tornando dall'Algeria; ma non visiterà che la Sicilia e le regioni meridionali. Sta ora scrivendo un nuovo libro di saggi meno polemici dei precedenti (*L'homme révolté*), pieni di sole, di mare e di paesaggi e si ha l'impressione che il suo isolamento potrà giovargli. Uscendo mi fa passare attraverso sale semibuie, stipate di mobili a cassetti che arrivano fino al soffitto. — Sono le sale dei contratti — mi dice. L'editore Gallimard non ha americanizzato i suoi uffici come tanti editori italiani e chi passa di qui non ha l'impressione che da lui possano dipendere le speranze e la vita di tanti giovani più o meno barbuti. Pure son molti gli autori che mi hanno parlato del loro *bureau chez Gallimard*. È sulle loro labbra che ho raccolto l'espressione *mon bagage littéraire* che tanto mi ha colpito. I sette od otto libri di Camus sono considerati un *bagage* molto leggero da giovani che a vent'anni hanno già pubblicato tre o quattro romanzi. Di autori che non pubblicano nulla da qualche anno si parla come di morti. È facile sentir dire: il Tale era importante nel '49.

Non è uno stato d'incoscienza quello in cui vivono tanti scrittori francesi: è piuttosto un modo di vivere coi paraocchi, un modo di difendersi. Un anziano – Emmanuel Berl – mi ha detto che considera Proust come l'ultimo autore francese; un giovane più spregiudicato gli ha dato ragione, aggiungendo però ch'egli preferisce a Proust Henry James; ch'egli del resto legge in traduzione. Si tratta però di privatissime confidenze; e sono certo che questi due pessimisti, parlando coi loro *confrères* più autorevoli, non si sarebbero espressi così. Là dove si tratta di difendere la grande Macchina Nazionale delle Lettere nessuno, a Parigi, potrebbe disertare senza essere scomunicato.

1953

L'arte di vivere a Parigi

Nei tempi più gloriosi dell'arte, gli artisti non possedevano (per quanto possiamo saperne) un'approfondita coscienza dell'Estetica e delle sue leggi. Essi si esprimevano imitando i grandi artisti del passato, e imitando trovavano se stessi. Un capolavoro era un'imitazione mal riuscita. Su un punto era poi assoluto l'accordo: che fine dell'arte fosse la creazione di un *oggetto* artistico. Oggi gli uomini hanno scoperto che ciascuno di noi è fornito di un senso estetico attivo, di una facoltà che può benissimo esplicarsi senza creare nessuna opera. Comprendere, interpretare, dare un significato al mormorio di un ruscello, al rumore di una strada, al colore di una macchia di salnitro su un muro, è già fare un'opera d'arte che di per sé non ha una vera esistenza.

Manca, in questi casi, il consenso, la comunicazione; manca il cosiddetto pubblico, che non è affatto una condizione *sine qua non* dell'esperienza estetica, potendo essere l'autore, per un singolare sdoppiamento, il pubblico di se stesso. Da questa osservazione è nata (e l'ha anzi formulata un filosofo italiano, Ugo Spirito) la teoria della vita come arte, teoria non molto famosa ma assai utile a comprendere la vita che a Parigi conducono centinaia di migliaia di persone. Infatti, benché a me la Parigi del '53 sia apparsa come una metropoli priva di amenità, anzi piuttosto triste nel suo fondo, è fuor di dubbio che essa passa, in tutto il mondo, per essere una *ville de joie*, e che tutta la sua attrezzatura, tutti i suoi sforzi tendono a mantener vivo questo *cliché*. Non solo ai Francesi ma a tutti i latini, e dunque anche agli Italiani, si riconosce una consumata esperienza dell'arte di vivere; ma gli Italiani sono i classici, i conservatori, di quest'arte, i Francesi ne sono i romantici, i rivoluzionari. L'Italiano può vivere *en artiste* ma non dimentica che la grande arte crea oggetti e finisce al museo; il Francese, e in genere ogni spirito infranciosato, tende a rimescolare, a confondere sino all'estremo l'arte e la vita, a scambiare l'emozione estetica col *frisson* sensoriale. Per questo, o anche per questo, è opinione universalmente accettata dire che a Parigi ci si diverte. E poiché Parigi è la metropoli d'un grande paese accentrato ne consegue che l'industria del *frisson* è l'attività mancando la quale l'intera Francia dovrebbe mutar volto, forse con vantaggi a lunga scadenza ma certo con incalcolabili danni immediati.

Ho cercato di dare uno sfondo teorico al confuso appello che chiama a Parigi legioni di stranieri e di francesi di provincia ma non vorrei lasciar credere che chi viene a insabbiarsi qui per anni o per l'intera vita sia perfettamente conscio dei motivi che lo guidano. Quasi un anno fa vidi nella *hall* del mio albergo un vecchio signore ottantenne, paralizzato alle gambe. Si faceva condurre là di buon'ora e vi restava tutta la giornata ricevendo molte visite. Sua moglie, di poco meno vecchia, era con lui. Ora sua moglie è morta e il vecchio signore è sempre fermo al suo posto. Attende il suo turno di morire ma vuol morire a Parigi, nello stesso albergo, anzi nella stessa camera in cui è morta la sua fedele consorte. Il vecchio signore è occupatissimo: segue gli spettacoli attraverso le riviste e i giornali e se ne fa dare ampie notizie dai suoi visitatori. È un sudamericano che ha svolto attività consolare per molti anni a Firenze, città a lui molto cara. A Firenze tornerebbe volentieri perché la vita vi è più tranquilla, familiare, e il *señor* Enrique del Pardo non ama la civiltà progressiva in cui è venuto a vivere (anzi a morire) e rimpiange i tempi in cui la *lucha por los garbanzos* (cioè per i ceci: versione castigliana della « lotta per la vita ») era più temperata. Il fatto è che a Firenze non ci si diverte molto e che *là bas* Don Enrique non potrebbe seguire, tenendo la « Semaine de Paris » aperta sulle ginocchia, le ultime novità della *Tomate* o della *Fontaine des Quatre Saisons.* E nemmeno potrebbe ricevere le visite dei nipoti, dei bisnipoti, degli amici che sessant'anni di carriera all'estero gli hanno permesso di accumulare qui a Parigi. Non crediate che nei *cabarets*, nelle *boîtes*, nei *théâtres de poche* gli spettacoli siano sempre divertenti o accessibili a tutti: in uno di quei locali alcuni attori hanno messo in scena persino la *Saison en enfer* di Rimbaud, vendendo poi a uno del pubblico un falso inedito (autografo) dello stesso poeta, una *Chasse spirituelle* di cui si erano identificati i possessori sino al '42 senza che del testo si conoscesse altro che il titolo; e il falso fu poi stampato da una importante rivista e mise a rumore mezzo mondo! È troppo evidente, da un esempio del genere, che a Parigi il divertimento è soprattutto volontà di divertirsi, ferma e quasi masochistica determinazione di affrontare ogni noia, ogni disagio, ogni scomodità per poter poi dire a se stessi: « Mi sono divertito pazzamente, *c'est la vie, c'est Paris!* ».

Conosco un certo Paul de Z., letterato francese di mezza età (sui quarant'anni), impiegato in un Ministero, che conduce una vita assai sobria, tutta casa e ufficio. Ha moglie e figli e sebbene gli ottantamila franchi del suo stipendio siano considerati una cifra assai alta, il carovita di Parigi non gli lascia molti margini per i suoi *loisirs.* Tuttavia, una sera alla settimana, anche lui si diverte e una sera venne a prendermi all'albergo per farmi dividere le sue gioie. Mi condusse infatti dopo un giro lungo e tortuoso intorno a Saint-Paul, in un piccolo ristorante ebraico in rue des Ecouffes, strada tutta abitata da ebrei poveri. Mangiammo palle di riso nuotanti in un brodo rossocupo, del fegato tritato misto a cipolle e a spicchi d'aglio e non tardai ad accorgermi che al mio disgusto corrispondeva l'entusiasmo del mio amico e di sua moglie. Ma il vero divertimento cominciò dopo. Bisogna avvertire che il mio amico Paul de Z. fu vent'anni fa lettore di francese a Cracovia, dove non conoscendo altra lingua che la sua stette malissimo. Ora accadde che il cameriere polacco che ci serviva cominciò a disegnare sul bancone una sommaria pianta topografica di quella città; nella quale Paul si immerse con grida di giubilo (metà in francese metà in *yiddish*), identificando, nel ricordo, case, strade, giardini di un luogo che gli fu odioso e ora gli sembra paradisiaco. Quella sera la passeggiata durò sino a mezzanotte; poi Paul de Z. e la signora mi accompagnarono, tra il vento e la pioggia, fino all'imboccatura del *métro* susurrandomi: — Sì la vita è diventata dura, ma qui ci si diverte, oh come ci si diverte!

Non meno gradevole sembra essere la vita di un pittore italiano che per la necessaria circospezione chiamerò Monsieur Lajoie. In Italia era povero e sconosciuto, non perché ai suoi meriti si lesinassero i dovuti riconoscimenti ma semplicemente perché egli si era dimenticato di dimostrarli. Lo incontrai più volte, sempre in Italia, fermo nella convinzione che da noi mancasse un ambiente propizio, una rispondenza fra l'artista e la società. Ora Lajoie sta qui, ha sposato una francese, possiede un pezzo di terra in Provenza, ed espone, non so che cosa né dove. Dipinge quadri a strisce multicolori, nessuno sa nulla di lui ma egli afferma di avere una clientela e una critica. È « lanciato ». Veste con eleganza, guida una bella macchina, conosce molta gente. Visitai il suo studio, una tetra e oscura baracca dov'egli si reca assai raramente. Poi mi caricò nella sua macchina e mi condusse a cena a casa sua, spiegandomi i suoi rapporti col suprematismo e con altri movimenti a me poco noti. — Siamo un po' ristretti per la crisi degli alloggi — mi disse — ma spero che la mia casa non le dispiacerà. E lei quando si decide a venire definitivamente qui? Non si sente asfissiare in provincia?

Giungemmo in una viuzza deserta, una porta si aperse e cominciammo ad ascendere lungo una strettissima scala a chiocciola, di legno, illuminata da una lampadina che a tratti si spegneva. Allora — Yvonne, premi il bottone — gridava Lajoie e un'invisibile donna dall'alto gli ubbidiva e la lampada tornava a brillare per pochi istanti. Ripetuta più volte la manovra, dopo un'affannosa ascensione sbucammo in una saletta piuttosto buia nella quale la nominata Yvonne ci attendeva. Era Madame Lajoie, una provinciale assai orgogliosa di avere sposato un artista, che ci pregò di « passare ». Passare voleva dire arrampicarsi ancora su una scala di legno ben più ripida dell'altra, sostenendosi a una corda, per aver poi accesso su un soppalco di legno ch'era anche il tetto di una camera nuziale chiusa da una tenda. Pranzammo lassù piacevolmente e la signora Lajoie servì le ghiottonerie da lei preparate. *Soufflé* di formaggio, scaloppine al formaggio e al prosciutto affumicato, tre triangolini di *camembert* di cui mi fu raccomandato di mangiare la crosta, un bicchiere di *beaujolais*; una cena sobria, « senza bisogno di riempirsi di spaghetti, come fanno i vostri connazionali ».

La luce era piuttosto fioca e non si poteva alzar la voce per paura di disturbare i figlioletti – Mirabelle e Denis – che dormivano sotto il nostro scricchiolante impiantito. Sfogliammo alcune riviste d'arte. Apparve la fotografia di una vuota gabbia di fil di ferro, opera del celebre scultore Pevsner, premiata o segnalata a Londra al concorso per una scultura celebrante il « Prigioniero politico ignoto ». Lajoie scosse la testa e disse che non poteva approvare quel ritorno alla figuratività. Poi parlò a lungo della vita di Parigi, vita dura, difficile, alla quale però non si saprebbe più rinunciare dopo averla provata. — Le amicizie non esistono, — diceva — è una lotta terribile per arraffare lo stesso osso, se venissero qui X. o Y. o Z. — nominò alcuni artisti italiani fra i migliori — non potrebbero attaccare, eh no, lo giuro!; ed è una bella soddisfazione sapere che a Parigi i *bluffs* sono presto sgonfiati. Qui bisogna essere attuali, molto attuali, *c'est ça qui compte, mon ami, c'est ça!*

Yvonne Lajoie approvava con cenni del capo; poi si addormentò. — Quando ci sono invitati lavora troppo — spiegò il marito. — Abbiamo una *femme de ménage* pagata a ore ma serve a poco ed è anche difficile trovarne. *Mon cher,* siamo in un paese ricco, molto ricco, conservatore, ma rivoluzionario in quello che conta: l'arte. Dopo tutto qui ci si diverte, creda a me: se penso che X. Y. Z. sono rimasti *là bas* a dipingere bottiglie storte e marine all'anilina mi vien proprio da ridere. Provino ad attaccare qui quei cialtroni, si provino se hanno coraggio!

Un'ora dopo ero all'albergo. A mezzanotte suonata il signor Del Pardo era ancora nella *hall* addormentato, sorridente.

— Attende la morte — mi disse il portiere. — *C'est amusant!*

1953

Visita a Brancusi

Non vorrei aver fatto credere, con i miei precedenti articoli, che i Francesi stiano attraversando una crisi di nazionalismo letterario, di xenofobia artistica. Niente è più lontano dalle mie intenzioni. L'intellettuale francese di tipo medio è invece largamente disposto ad ammettere che fuori di Francia vivano scrittori, musicisti, creatori di prim'ordine, pur non mostrando alcuna curiosità di farne la conoscenza. Si tratterà di un'ammissione a fior di labbra, ma essa esiste, anche se avant'ieri uno scrittore tutt'altro che medio come Jules Renard poteva trovare « ridicoli » Dante e Shakespeare e dire che il nome di Nietzsche gli faceva pensare solo a un refuso tipografico.

Dove, invece, la suscettibilità, l'intransigenza dei Francesi si rivela veramente unanime e concorde è nella difesa della pittura che si fa a Parigi. Potete, se credete, dire che Proust vi annoia, che Claudel è un « borghese », che dopo Valéry non sono sorti poeti di valore assoluto: nessuno protesterà, qualcuno vi darà ragione nel momento stesso in cui pensate di aver torto. Ma se metterete in dubbio la vitalità, anzi la grandezza dell'*Ecole de Paris* in fatto di arti « visive » vi farete immediatamente la fama di un *rustre* e di un incompetente. Parlo naturalmente dell'*Ecole* post-impressionista perché nel lungo tratto che va da Courbet fino a Vuillard e a Bonnard (escluso forse l'intermezzo dei *nabis*) nessuno nega, in tutto il mondo, che la Francia abbia tenuto il primato della pittura. Dopo il cubismo le cose si sono complicate e oggi Parigi non tanto è gelosa dei suoi artisti « visivi » quanto del *gusto* ch'essa continua a imporre dovunque.

Nessun francese ammette che fuori di questo gusto possa esistere salvezza. Un artista straniero che lo accetti, che riconosca la propria appartenenza ideale all'*Ecole*, potrà trovare qui intelligenza e comprensione, forse successo; ma tutte le porte sarebbero chiuse all'artista visivo che rivendicasse una propria autonomia di gusto. Quanto potrà durare ancora questo gusto? Tenendo conto che per alimentarlo non occorrono opere e personalità ma solo talenti duttili e accomodanti, la sua durata futura si rivela incalcolabile. « Ne avremo ancora per almeno due secoli » mi diceva André Malraux « poi la successione sarà aperta; ma prima si dovrà mutare il volto dell'uomo ».

Se ho ben compreso, secondo lui, l'uomo d'oggi, avendo orrore del proprio volto, ha deciso di farlo sparire, di sopprimerne i connotati. Per questo io parlo di arti visive, e non più di arti figurative o plastiche. Scomparsa la figuratività in pittura, scomparsa la plastica nella scultura, le arti che si gustano con l'occhio non possono avere altra denominazione. Da questo punto di vista si appianano tutte le differenze fra i vari *ismi* che sono succeduti all'impressionismo, e tutte le sottoscuole che fanno capo all'*Ecole*, a chi le guardi dal di fuori, confluiscono in un'unica ricerca, in un solo intento, in un solo *cliché.*

Non c'è critico o intellettuale francese che metta in dubbio l'importanza di un simile fenomeno. L'astrattismo (se vogliamo usare arbitrariamente questa etichetta per tutte le ricerche di pittura o scultura non figurative, o meglio non imitative) è oggi tabù a Parigi, è cosa sacra e indiscussa.

Ciò vale per i giudizi *coram populo,* stampati o no. In privato le perplessità dei critici e degli specialisti sono molte. Un conservatore di museo ha due verità, una per sé e una per gli amici. Dissi tempo addietro a Jean Cassou che consideravo l'impressionismo come l'ultimo grande periodo della pittura francese. Mi dette ragione con entusiasmo ma sei mesi dopo scrisse tutto il contrario in un apologetico saggio sul cubismo. In genere questi conservatori di musei moderni sono dei letterati, non dei tecnici, anche se Chamson, al quale è affidato il Petit Palais, provenga dall'*Ecole des Chartes*. I loro musei debbono rinnovarsi continuamente, offrire mostre a rotazione e questo non potrebbe avvenire se fossero affidati a misoneisti, a uomini di gusto sorpassato.

Essere *à la page*, anche in fatto d'arti visive, è qui una precisa necessità di vita. Il problema non è di aver torto o ragione, ma di vivere nell'attualità. Non mancano poi, accanto ai critici dubbiosi che hanno due verità, una pubblica e una privata, gli entusiasti, convinti che l'astrattismo sia l'inizio di una scoperta di incalcolabile importanza. Un uomo come Marcel Brion, lettore onnivoro, dotato di una cultura enciclopedica, può riunire in sé strane (per me) contraddizioni: condannare, per esempio, la musica dodecafonica come cerebrale ed esaltare poi nella pittura e nella scultura non figurative l'evasione che porta – a suo parere – l'intera umanità « di là dal muro ».

Il muro sarebbero poi le dimensioni, le categorie secondo le quali l'*homo sapiens* ha costruito tutta la sua multimillenaria esperienza. « Non si tratta più di comprendere ma di sentire » si afferma. Ma l'intelligibilità razionale implica il giudizio, mancando il quale il concetto stesso di opera d'arte viene a cadere. Lo strido di un gabbiano, il ghirigoro di un fulmine, lo sfrecciare di un salmone contro la corrente, possono procurare un'emozione nettamente « artistica ». In un mondo di uomini veloci e sensibili, di uomini che non hanno il tempo di leggere un libro e non hanno spazio per raccogliere quadri o statue, non si vede quale posto possa occupare l'opera d'arte in quanto oggetto. L'uomo provvisto di antenne raffinate può creare da sé, nel *métro* o nella cabina telefonica, le opere che meglio gli piacciono.

Finora non siamo ancora a questo punto: le opere esistono e gli specialisti ve le possono indicare. Ed esistono anche gli autori, rinchiusi in una fama enorme e nello stesso tempo clandestina. Lasciamo da parte i geni del luogo, Picasso, fuggito dopo l'esito del suo ritratto di Stalin, e Braque praticamente quasi invisibile: non sono, questi, due artisti astratti, benché di tendenze deformatrici molto vicine all'astrazione; ma un uomo come Brancusi, a parole nemico dell'astrattismo e tuttavia ben poco figurativo, è qui considerato come un dio. Quando dissi ad alcuni amici ch'ero riuscito ad avvicinarlo non volevano credere ai loro orecchi. Lo stesso Brion, che lo adora, mi confessò di non averlo mai incontrato.

Mio salvacondotto fu la vecchia amicizia che mi legò, un tempo, a Ezra Pound, primo scopritore e critico e biografo di Brancusi. Mia guida, mio Virgilio, lo scultore astrattista Berto Lardera, autore di sculture in lamiera di ferro o di bronzo che sembrano enormi agavi e che confuse tra gli alberi di un parco possono avere un grande effetto di suggestione.

L'Impasse Ronsin (strano nome, tuttavia, per un artista moderno!) è un vicolo cieco, lungo il quale si apre uno squallido cortile che contiene due baracche, su una delle quali è scritto in gesso un nome in stampatello: Brancusi. Bussai e ribussai più volte e stavo per andarmene quando la porta si aprì. Avevo dinanzi un vecchio in tuta, un ometto fornito di una lunghissima barba incolta, arricciolata, di color giallo sudicio. I baffi, egualmente prolissi, avevano lo stesso colore. In capo portava un cappelluccio da bagnante. Notai l'acutezza sospettosa degli occhi, di un bel color marrone. Il cinico Apemantus del *Timone d'Atene* di Shakespeare, lo scaltro vecchiardo, idolatra e sgozzatore di capretti che W. H. Hudson introdusse nel suo romanzo *Green Mansions*, non me li sono immaginati diversi da Brancusi. Ostilità, sarcasmo, diffidenza, noia, insofferenza sembrano essere i suoi caratteri. In quella baracca, stipata di opere coperte da grandi stracci, Brancusi vive, mangia, dorme. Vive solo, va da solo a farsi la spesa, non riceve nessuno. Chi voglia vederlo non ha che da appostarsi all'uscita dell'Impasse e attender l'ora in cui egli, armato di uno di quei pani francesi che hanno la lunghezza di un metro, rientra dai negozi vicini.

Aperta la porta egli mi squadrò con profonda antipatia.
— Sono malato — dichiarò senza dirmi di entrare. Balbettando gli ricordai l'appuntamento, evocai il nome di Pound. Mi fece cenno di entrare, si accostò alle « opere » e cominciò a scoprirle e a ricoprirle fulmineamente coi loro cappucci. Vidi in un bagliore di lampo forme a siluro, lucidissime, ciambelle a spirale, colonne di legno sulle quali erano vagamente segnati un occhio o un orecchio, due cubi accostati (*Les pigeons*), alcune impalcature di metallo ramificate, un paio di portaombrelli a imbuto; ma su tutto scesero gli inesorabili cappucci e dopo un istante mi trovai di fronte a una barba ostile, a uno sguardo privo di ogni simpatia umana. Che dire, che fare? Smarrito mi ricordai di una teoria attribuita al Brancusi: che ogni venticinquemila anni il mondo è sommerso dal diluvio e che ormai la nuova catastrofe è più che prossima, è imminente.

In verità, l'impressione che mi avevano lasciato quelle apparizioni larvali era stata potente. Brancusi mi apparve per un attimo come il possente artefice di quella *deshumanización del arte* che trent'anni fa ha trovato il suo retorico in José Ortega y Gasset: lo scultore di un mondo che aspira a rientrare nella preistoria, di una umanità che sa creare solo grandiosi simboli formali, sigle, diagrammi, annunzi di Apocalisse. Ma appena avevo cominciato a borbottare: « oui, le déluge » che già il sinistro vecchio si era allungato su un sofà sfondato, torcendosi, dichiarandosi moribondo e indicandomi l'uscio con la mano. Uscii con un freddo inchino e certo non rivedrò mai più Costantino Brancusi, l'uomo ricchissimo e indigente che scalfendo un pezzo di legno può guadagnare un milione di franchi, il fauno quasi novantenne che fino a pochi anni fa aggrediva ancora le visitatrici del suo studio, lo scultore che viene definito l'ultimo dei classici. « Fidia senza l'aneddoto ».

Già: è proprio questo il problema del momento: arte « con aneddoto » (cioè con qualche cosa che ricordi la vita dell'uomo) o senza aneddoto. Quasi tutti i grandi vecchi di Parigi (compreso quel Jacques Villon che vendeva pochi anni fa a seimila e vende oggi a un milione, e compreso, naturalmente, Brancusi) non hanno tagliato completamente i ponti con l'aneddoto. Molti dei nuovi preferiscono, invece, esprimersi in un linguaggio del tutto irriferibile alla tradizione figurativa europea. Secondo gli apologeti resta però presente in essi il temperamento individuale: Hartung che fa vibrare il colore sarebbe un tedesco, un espressionista, Magnelli, più lineare, « un fiorentino », ecc.

Su tutto questo mondo imperano i mercanti: come quel Carré che disse ad André Lhote: « Se volete che io acquisti la vostra produzione *sparite fisicamente per due anni*, rendetevi irreperibile e comparite poi con una maniera assolutamente nuova ». Il Lhote, che non moriva di fame, rifiutò la proposta; ma quanti giovani non sognano di averne una simile dal Carré?

1953

La complice Marietta

Un « corso accelerato » per insegnare il gusto francese ai turisti che ancora ne avessero bisogno dovrebbe, a mio avviso, cominciare con una visita al *Marché aux puces* e finire con una visita allo studio di Georges Braque. Là le carabattole, le caffettiere, i cenci smessi, la rigatteria, insomma, prodotta da alcuni secoli di civiltà unitaria e accentratrice; qui gli stessi oggetti compenetrati e spianati in composizioni che poco hanno a che fare col genere ben noto della « natura morta » benché dovrebbero averne il nome assai più legittimamente di quelle, per esempio, di Chardin o di Cézanne, tanto più *vive.*

L'opera di Braque si presenta come un conglomerato, un torrone di oggetti vecchi e squisiti. Se l'etichetta del crepuscolarismo fosse stata inventata in Francia anziché in Italia si potrebbe dire che la poesia crepuscolare (il mondo messo sottovetro) ha trovato in Francia per opera di Georges Braque la sua espressione classica.

Fra gli artisti più che settantenni che tengono ancora alto il prestigio della pittura francese la fama di Braque è la più sicura, quella che meno ha da temere dal tempo. Una statistica condotta interrogando, in tutto il mondo, l'uomo della strada rivelerebbe che Picasso è molto più noto di lui; ma se si scendesse all'esame delle opinioni espresse si vedrebbe facilmente che Picasso conta tanti ammiratori quanti detrattori mentre non c'è quasi nessuno che conoscendo l'opera di Braque non dica parole d'ammirazione o di deferenza.

La critica francese, poi, non trova termini di confronto sufficienti quando parla di lui: come già per Corot il nome più spesso invocato è quello di Mozart. Braque sarebbe non solo *il pittore*, il vero pittore, dell'*équipe* cubista, ma anche l'espressione più alta del genio francese dell'ultimo cinquantennio. Al suo cauto e prudente istinto (e anche a quello tanto più incauto di Picasso, di Matisse e di Rouault) si deve, o meglio si dovrebbe, quella moderna pittura francese, quella nuova bellezza « di fronte alla quale impallidisce la stessa pittura del Rinascimento italiano ». (Cito testualmente da Jean Paulhan).

Non sono, queste, opinioni di critici isolati, ma opinioni medie, largamente diffuse e accettate. Piega il ginocchio di fronte a Braque anche chi si ostina a diffidare del guastatore Picasso e degli altri santi padri della sua generazione. E pur chi ammette che gli ultimi lavori del Maestro rappresentino una stasi o un imborghesimento, si affretta a concedere che a Braque tutto è lecito e che un Braque addormentato vale una intera generazione di altri pittori svegli.

Vedere Braque, parlargli o almeno sentirlo parlare? A Parigi tutti furono concordi nel dirmi ch'era impresa impossibile. Solo vecchi amici, qualche grande mercante che trascinasse a rimorchio un multimilionario in dollari potevano varcare le soglie del suo studio. Ogni altra persona sarebbe stata respinta dall'immortale Marietta, una *femme de chambre* che resterà nella storia come la Celeste di Proust. Nelle ultime settimane, poi, Braque era particolarmente occupato a dipingere certi *plafonds*, certi cartoni destinati al soffitto di una sala del Louvre, che per questo fatto diventerà una sede di pellegrinaggio non meno visitata di quella che accoglie, all'Orangerie, le Ninfee di Claude Monet.

Avevo ormai rinunziato all'audace piano di una visita a Braque quando un giorno Stanislas Fumet, critico cattolico nonché agiografo del Maestro, venne al mio albergo e con voce rotta mi disse: — Una buona notizia. Ho vinto le resistenze di Marietta. Possiamo andare. — Quando? — *Dépê-*

chez-vous. Subito. Un tassì, non perdiamo tempo, dopo sarebbe troppo tardi.

Rue du Douanier che fiancheggia il Parc Montsouris è una strada moderna, una delle poche di Parigi dove gli abitanti possano diguazzare in un bel bagno a piastrelle e salire su ascensori che non presentino mortali pericoli. Le case, dell'architetto Perret, sono in mattoni, di giuste proporzioni e si fondono bene con la luce madreperlacea dell'Ile-de-France. Stanislas Fumet (barba rotonda, frangetta, una via di mezzo tra Giorgio Morandi e fra Melitone) era commosso. Scese per primo, suonò alla porta di un villino, s'inchinò di fronte alla vecchietta arcigna che venne ad aprirci, le prese le mani che tenne lungamente tra le sue, mi presentò come un personaggio decente che non avrebbe dato troppe noie al *Patron* e mi spinse lungo una scala a spirale, straordinariamente lucida, che portava dritta nel grande studio a vetrate dove il Maestro ci attendeva.

Braque! Un bel vecchio alto, canuto, che indossa una giacca di tela azzurra e un paio di pantaloni di velluto color oliva. Ai piedi due babbucce felpate. Gli occhi sono azzurri e penetranti, il volto è massiccio ma anche affilato. Ha una sciarpa di seta al collo e gli occhiali gli stanno sospesi sul petto, attaccati a una funicella.

La prima impressione è che porti meravigliosamente i suoi novant'anni ma le date smentiscono quest'idea errata. Georges Braque, infatti, ha appena settantun anni, essendo nato ad Argenteuil, borgo di calafati e di pittori, il 13 maggio del 1882. Là egli, ragazzo, vide al lavoro Claude Monet e il suo destino fu segnato: abbandonati gli studi liceali si dedicò prestissimo alla pittura. « Poco male » pensò suo padre. « Potrà così decorare case, appartamenti ».

Senonché quando Braque ebbe compiuto i vent'anni il cubismo era già alle porte, i primi tentativi di copiare Raffaello (al Louvre) o di imitare Renoir avevano scoraggiato il giovane, che si trovò presto imbrancato nella più curiosa *équipe* pittorica che il nostro tempo ricordi.

L'avventura non fu mai tempestosa per quest'uomo sedentario che ha viaggiato pochissimo e di cui i biografi ricordano una sola data importante: la grave ferita ch'egli, sottotenente d'artiglieria, riportò in combattimento, a Neuville-Saint-Vaast nel maggio del '15. Miracolosamente guarito egli tornò poi alla vita civile e alla pittura, incontrando i primi successi. Il 1919 segna il trionfo del cubismo ma in quell'epoca il *Patron* se n'era già stancato, aveva, com'egli dice, *foutu le camp*.

Si presenta infatti (almeno a parole) come un tipico anticonformista e nella conversazione non ha nulla di stravagante. Braque in francese vuol dire (oltreché cane bracco) « picchiatello », « toccato », ma pochi uomini meritano questo nome meno di lui. Prudenza, economia, buona amministrazione, orrore del rischio emanano da tutti i pori della sua faccia quadrata; parla un borghese, non c'è dubbio, un grande borghese di Francia, non un meteco o un *parvenu*; parla un uomo con cui i conti torneranno sempre. I critici dicono che nella coppia (ideale) Picasso-Braque sia stato Braque la femmina, l'essere ricettivo, il plasmatore, la forza stabilizzatrice e conservatrice. Si tratta però di una metafora per dire velatamente che Braque è meno audace ma miglior pittore: opinione, tuttavia, susurrata in sordina ma non mai chiaramente espressa dalla critica francese.

Braque ha parlato a lungo: di sé, della Normandia in cui vive sei mesi all'anno, dell'Italia che conosce fino a Napoli. Si ricorda di Modigliani, al tempo in cui il giovane livornese riceveva dal suo protettore cinque franchi al giorno e una bottiglia di rum. Ha memoria anche di Soffici che si lamentava di una sua vecchia zia avara. Marinetti gli è sempre sembrato pazzo; dei futuristi gli pareva interessante Balla. Medardo Rosso? Bell'ingegno ma *sale caractère*. A Parigi nessuno se ne ricorda più.

— De Chirico? Molto curiosi i primi quadri, ma più letterari che pittorici. — Degli altri italiani non sa nulla. (Meglio informato si mostra Stanislas Fumet che come exebreo e cattolico rivela una curiosità intellettuale che manca agli altri letterati francesi).

Ora Braque ci mostra, in fotografia, gli affreschi da lui fatti per il Louvre: grandi uccelli neri svolazzanti su un fondo azzurro cupo. Sono cartoni dipinti a olio, di proporzioni colossali. — Non si può più fare del Raffaello — borbotta accendendo la cicca di una Gauloise piuttosto puzzolenta. — Ma già — aggiunge — era impossibile rifare Renoir; ogni tempo ha la sua ricetta. — Poi parla ancora del suo *atelier* normanno di Varengeville, di Dieppe in cui mi consiglia di andare fuori stagione, quando vi si radunano i pescatori di tutto il mondo, di sua moglie (che non si fa vedere), di Marietta (che appare minacciosa dietro un paravento).

Braque parla splendidamente, da gran signore contadino. Da noi solo il conte Sforza, con una sfumatura più aristocratica, parlava altrettanto bene. Parla e forse si ascolta con qualche compiacimento, e rivolge un'occhiata alle opere che lo circondano: manichini con aragoste, caraffe con chitarre, altorilievi su medaglie, un vasetto di fiori, una piccola marina che si direbbe di un « chiarista » italiano. È carico di anni e di gloria, sa di essere diventato un monumento nazionale e se ne dimostra contento ma anche un po' seccato. Ed io ascolto e guardo quelle sue grandi crostate pittoriche, quel suo universo che per i critici è il poema del discontinuo ma che qui appare invece stranamente caramellato, fuso in una unica colata che sia stata poi tagliata a fette; un mondo servito su un vassoio come un *gâteau*, un mondo tutto mentale e tutto pacifico dove non penetra né la fede né la disperazione.

Guardo... ma Marietta è ricomparsa e ha fatto un cenno. Stanislas si apparta con lei (un *pourboire*?), la stringe fra le braccia poi mi spinge verso l'uscio. Braque riaccende la Gauloise che non tira. La luce del crepuscolo accende gli alberi del Parc Montsouris, li stempera in un unico Braque gigantesco, color di miele. Lo stesso accadeva quando si lasciava, a Firenze, la villa Loeser: tutto, intorno, appariva stranamente cézanniano. E questo sentimento, più d'ogni altro, contribuiva a farmi pensare di aver incontrato davvero, stavolta, un individuo di statura poco comune; di quelli di cui farà piacere, un giorno, poter dire: l'ho conosciuto. Genio o talento ch'egli sia, tale è l'impressione che lascia il ragazzo, oggi settantenne, che vide al lavoro, *en plein air*, i primi maestri dell'impressionismo francese.

1953

Mistral e la Provenza

Con la mantellina al vento, il pizzo levato in alto, un feltro a larghe tese buttato un po' indietro, Federico Mistral assiste, in bronzo o in marmo, alla vita di ogni piccola o grande piazza di mercato, in Provenza. Non credo sia mai esistito un poeta più « monumentato » di lui; né ricordi marmorei o stele o cippi più carichi di corone e di nastri. Così fu nel 1930, centenario della nascita del poeta; e così fu, pochi giorni fa, quando a Châteauneuf-de-Gadagne si festeggiò il centenario della fondazione del felibrismo. Rinunziando a spiegare la parola, che è rimasta controversa e della quale il *primadié* e poi *capoulié* del movimento dette spiegazioni assai vaghe e oscure, converrà ricordare che il 21 maggio del 1854 nel castello di Font-Ségugno presso Châteauneuf il giovane Mistral in compagnia di altri sei *primadié*, i poeti e scrittori Giera, Roumaniho, Aubanèu, Mathieu, Brunet e Tavan, fondò un movimento letterario di restaurazione che fu per molti anni la meraviglia del mondo intero. Il provenzale, che nell'uso dotto era stato una vasta *koiné* formatasi su vari dialetti di Linguadoca, non era mai morto del tutto dopo il XIV secolo e qualche segno di rinascita (sempre nell'uso scritto) si era avuto anche prima del felibrismo. Ma solo al Mistral, a cui si devono tra l'altro i due volumi del *Tresor dóu Felibrige* e ai suoi compagni si devono le tavole e le regole della nuova Legge; e ad essi si deve, soprattutto, una serie di capolavori ufficiali che oggi pochi leggono ma che hanno avuto senza dubbio la loro importanza. La celebrazione di Gadagne, avvenuta alla presenza dell'attuale *capoulié*, Federico Mistral nipote, è stata tutta una serie di libazioni e di discorsi al canto de *La coupo Santo* e di altri inni locali. Il 7 del corrente mese, sempre a Gadagne, seguiranno altri grandiosi festeggiamenti e molte bottiglie di vecchio *astèu-nòu* saranno vuotate.

Mistral, Roumaniho e Aubanèu (in epoca più recente Joseph d'Arbaud) sono nomi noti a tutti; col buttero del Paradou, Charloun Rieu, autentico poeta popolare del quale in seguito vorrei tentare un ritratto, e Félix Gras, uno degli eruditi del movimento, si entra già in territorio quasi sconosciuto; ed oggi, nell'indifferenza pressoché generale, la fiammella continua ad ardere. Vedremo fino a che punto.

Federico Mistral, nato e vissuto a Maiano, a breve distanza di qui, fu ritenuto l'ultimo degli omeridi, e forse sarà tale; ma ai nostri occhi questo tradizionalista idillico, cattolico e conservatore rappresenta non meno del crudo verista Emilio Zola, sebbene in modo opposto, uno dei più tipici aspetti dell'ottimismo positivista « fine Ottocento ». Uomo coltò, laureato in legge, fornito di censo, contadino *sui generis* che sfruttò il proprio campo letterario come un esperto agricoltore coltiva i suoi terreni (così disse Marcel Coulon) egli ha lasciato opere che in Provenza si vedono, e si vendono, persino negli alberghi; in vita ebbe onori trionfali, a partire dal battesimo letterario che gli dette Lamartine (« *Mirèio*: un paese intero in un libro »); ricevette il premio Nobel del quale non toccò un soldo destinando l'importo al Museon Arlaten da lui fondato, la più ricca collezione di cimeli e documenti provenzali che possa immaginarsi; fu insomma il bardo e il presidente ideale di uno Stato nello Stato, di un dominio ch'egli ebbe sempre a portata di mano.

Il *majourau* Jacques Gill (uno dei cinquanta capoccia elettivi dell'attuale movimento) è fra coloro che lo hanno conosciuto. Vive ad Arles in una casa assai modesta; gestisce (credo) la piccola filiale di una compagnia d'assicurazioni.

È un vecchio in *casquette*, semi-paralizzato nei movimenti. Si esprime a fatica e sembra orgoglioso del grado che ha nella sua frateria. Parla, naturalmente, del *capoulié*. Mi dice che quando Mistral fu officiato perché accettasse di sedere all'Accademia francese, il Maestro si rivolse alla sua vecchia donna di servizio e, avutone consiglio, rispose con un cortese rifiuto. « A Parigi? » avrebbe risposto. « Col brutto tempo che fa lassù? » E la proposta cadde nel vuoto.

Monsieur Gill mi ha ripetuto la frase in provenzale, ma non saprei trascriverla. Gli ho chiesto se, come maggiorale, egli ha pubblicato libri in lingua d'Oc. No, ha risposto, solo foglietti volanti e poesie d'occasione. Rari sono questi maggiorali, né sempre amici tra loro. Avendo saputo che potevo trovarne un altro a poca distanza egli mi ha dissuaso dal cercarlo. È troppo *bavard*, mi disse, e male informato. Nella sua città ci sono altre tre o quattro persone che aspirano al titolo di *majourau*, ma a suo avviso *ils n'ont pas de chances*. Intravedo dissidi e rivalità locali. Dov'è andata a finire la solidarietà degl'iniziatori, dei sansepolcristi del movimento?

Gli chiedo se si parla ancora il provenzale. Poco dai giovani, risponde; sempre meno. La lingua è insegnata in qualche scuola ma non è mai obbligatoria. Negli ultimi anni però, ha continuato, c'è stata una certa ripresa. Due rivistine « Fe » e « Marsyas » pubblicano poesie provenzali; esce sempre e ha quasi cent'anni l'almanacco, l'« Armana Prouvençau », del quale Mistral fu assiduo collaboratore. Con orgoglio il signor Gill mi mostra una collezione completa di questo Barbanera; una raccolta, egli dice, unica al mondo. Nelle ultime stagioni parecchi scrittori sono stati insigniti del Prix Mistral che continua a vivere. Fra questi un narratore di Carpentras, Francis Jouve e il sindaco di Saint-Rémy (una cittadina che è il cuore della Provenza romana e in cui è nato Nostradamus). È Charles Mauron, autore di voluminosi *Estùdi Mistralen* e cultore di letteratura inglese. Il più recente laureato è il poeta Emile Bonnel che ha perso la retta via perché vive a Parigi e scrive poesie d'altro genere.

Il signor Gill non lo ama e lo considera una pecora smarrita. Non mancano neppure autori di teatro: il reverendo Grabie Pinet, *Canounge de Nosto-Damo di Dom* (*Avignoun*), ha messo fuori da poco una *pastouralo prouvençalo en quatre ate: Lou Proudigue.* Il buon canonico potrà diventare maggiorale? Non oso chiederlo e mi accomiato.

Parigi... Non dico che Parigi sia una spina nel cuore di questi regionalisti ma è sicuro che quando il felibrismo era ancora in fiore le parole di Jules Ferry: « La centralisation et la liberté sont incompatibles; il faut choisir » (1865) erano nel cuore di molti. Certo, l'idea di un possibile separatismo non passò mai per la testa di Mistral, francese al cento per cento, seppure fautore di un'intesa profonda fra i popoli della *Raço latino.* Eppure se volgiamo l'occhio a una vecchia fotografia del '68 che mostra Mistral, il poeta catalano Víctor Balaguer e il grande romanista Paul Meyer intabarrati, barbuti e con aria da cospiratori dinanzi al santuario di Montserrat, possiamo comprendere come quasi cent'anni fa questi felibri dovessero dare, in alto loco, qualche grattacapo. In realtà le manifestazioni di quell'anno a Barcellona furono poco più di una passeggiata in terra occitanica con relativi discorsi, giochi floreali, letture di poesie e distribuzioni di premi. Mistral e Meyer andarono in diligenza fino a Perpignano poi proseguirono in treno fra ovazioni trionfali; nei suoi discorsi Mistral fu sempre prudentissimo. L'abbraccio latino finì lì. Víctor Balaguer, uomo politico oltreché scrittore, aveva alle spalle una realtà catalana ben diversa; ma Mistral e Meyer erano quel che si dice uomini d'ordine.

È curioso poi notare che il Meyer, pur professandosi per tutta la vita amico e ammiratore del suo *grand et savant ami Mistral*, ponesse in dubbio fin d'allora le possibilità di un rinnovamento vero e non fittizio della lingua scritta provenzale. Infatti, appena tornato dal suo pellegrinaggio, egli ebbe a scrivere: « L'esempio della scuola provenzale ha avuto il suo influsso in Catalogna, ma sinora si può dire che qui l'attività letteraria ha raggiunto proporzioni che difficilmente si potranno avere in Provenza. Non c'è da stupirsene:

mentre nel mezzogiorno della Francia i dialetti non sono parlati che dalle classi inferiori, il catalano è ancora, a Barcellona, la lingua di tutti ». Qui parla lo scienziato e l'uomo del nord per cui l'interesse per il *renouveau* provenzale non poteva diventare fanatismo. I felibri accusarono il colpo ma il Meyer (di dieci anni più giovane) rimase sempre un fervido ammiratore di Mistral.

Tale fu anche Gaston Paris che in un memorabile studio uscito sulla « Revue de Paris » (1884) molto contribuì alla fama universale del poeta di *Mirèio*. Mistral, che doveva possedere una piccola dose di vanità, ne fu commosso e seccato; seccato perché il grande studioso scriveva di aver incontrato il poeta, a Maiano, in un caffè di conservatori, uno dei tre caffè politici del paese. Mistral sosteneva di discendere da una famiglia di *verdets*, di progressisti dalla cravatta verde, e chiese una rettifica su questo e altri punti, senza ottenerla perché il Paris ristampò il saggio immutato. Chi voglia interessarsi a simili fatterelli potrà trovarne molti nel libro di un provenzale che credo, per i suoi interessi, di religione protestante: Emile Léonard: *Mistral amico della scienza.*

Oggi Maiano ha trasformato in museo la « casa della lucertola » in cui Mistral scrisse *Mirèio*; in un'altra vive il nuovo capo, Federico Mistral nipote, che non so se scriva nulla. Queste case sono piene di buone cose di pessimo gusto e nell'insieme rendono bene quell'atmosfera di gloria casalinga che il Mistral volle per sé.

Ai giorni nostri i giovani non possono neppure rendersi conto di quello che Mistral rappresentò per chi ha studiato agli albori del Novecento. La sua poesia, la sua figura hanno i caratteri di un'epoca che sognò e credette possibile il progresso *ad infinitum* e la pace universale. Mistral fu l'aedo degli illusi, degli autodidatti, delle anime belle; per leggerlo non occorreva nemmeno sapere la sua lingua; bastava seguire il testo tenendo d'occhio la versione a fronte. Era un press'a poco che incantava. Oggi suppongo che a una lettura frammentaria *Mirella, Il poema del Rodano, La raccolta del-*

le olive, *La melagrana semiaperta* di Aubanèu, la rapsodia di Félix Gras che ebbe tanto successo negli Stati Uniti quarant'anni fa, alcuni canti di Charloun rivelerebbero bellezze non offuscate; ma difficilmente potranno ritrovare quest'atmosfera coloro che ancora scrivono poesie in provenzale. Eguali saranno, nelle osterie di campagna, i loro banchetti a base di *aiòli* (maionese all'uovo, più lumache, più baccalà, ecc.: una tortura), simili i riti e le cerimonie; ma quanto mutato il tempo, il costume, il significato!

Avignone, del resto, possiede altri interessi per chi vi si ferma; è città che si visita in un giorno, facendoci entrare il palazzo dei Papi coi suoi stupendi affreschi, la gita alle sorgenti della Sorgue, in Valchiusa, tenendo il Petrarca alla mano, e varie chiese e musei; ma è anche città che domanderebbe una vita. Non troppi italiani sanno che vi passò i suoi ultimi anni, morendovi nel 1936, il poeta Louis Le Cardonnel, caro ad Assisi, molto amico dell'Italia e degli Italiani. Benché fosse prete era un *poète maudit* carico di peccati e il suo confessore disse un giorno: « Solo Dio potrà comprenderlo e giudicarlo ». Visse qui ospitato dalla contessa (?) Flandreysy nel Palais du Roure (della Rovere, la famiglia di Giulio II) dopo un'esistenza travagliata e tempestosa. Una lapide lo ricorda ai passanti e ai rari italiani che visitando la città dei Papi francesi conservino il ricordo della sua più bella poesia dedicata a un folle suo pari: Luigi secondo, re di Baviera.

1954

Il singolare caso di Charloun

Non so se i viaggi di nozze romantici esistano ancora. In caso affermativo, se qualcuno volesse, nell'occasione, tentare un'esperienza di *high-life* solitaria potrei consigliare, più che Capri o Mont-Saint-Michel, ormai invasi da un turismo spicciolo, e più che il Priorato di Villeneuve-lès-Avignon, bello ma incuneato in un paese triste, un soggiorno primaverile o autunnale a Les Baux. La fama di questo gioiello della Provenza non ha varcato i confini di una cerchia d'intenditori: i quali però non devono essere pochi perché il paese, che conta forse cento abitanti, possiede oggi due locande e un hôtel di gran lusso. Il paese sorge su una cresta rocciosa delle Alpilles, a sud di Saint-Rémy; ma visto dalla pianura arlesiana è un'isola senza mare, un'isola che sorge dalla pianura e dalla quale si domina un paesaggio che non dovette esser molto diverso ai tempi della regina Giovanna. Ciò che resta è il guscio di una cittadella millenaria, oggetto di feroci contese e definitivamente smantellata nel 1632 per ordine di Luigi XIII che voleva colpire in quelle balze un nido di ribelli orleanisti. Ma già la città, saccheggiata da cattolici e protestanti, aveva subìto devastazioni d'ogni genere. Oggi Les Baux è un paesello arroccato su uno strapiombo che è alto appena duecentodieci metri ma forma un orrido dantesco (cioè di proporzioni ancora umane) del quale non conosco l'eguale.

Les Baux fu sede di una corte principesca e vi cantarono menestrelli di grido; ormai non vi abitano che artigiani e le molte rovine monumentali che vi restano non hanno subìto l'affronto di restauri. Il noto incisore spagnolo Luis Jou vive lassù da più di trent'anni e ha uno studio che si apre sull'interna, e amenissima, Val d'Enfer. André Suarès ha voluto esservi seppellito e qualche viaggiatore non manca di visitare la sua tomba. Ma la grande attrazione del paese è la messa di mezzanotte, a Natale, alla quale assistono turisti in abito da sera e contadini in costume. In quel giorno, nessuna speranza di trovare alloggio in paese. Pare che in questa messa, nel momento dell'adorazione dei pastori, i motivi naturalistici fossero di scandalo, per l'eccessivo spicco del *Bélier*, del montone. Oggi, in ogni modo, essa è stata modificata e si canta su parole del poeta contadino Charloun Rieu: « Pastre baussen / touti d'ome de sèn... », mentre gli « assennati pastori » e guardiani di tori piegano le ginocchia.

Proprio a Charloun volevo arrivare: a Charloun Rieu del Paradou, a due chilometri da qui, unico esempio, a mia conoscenza, di poeta contadino che si sia espresso nella lingua dei contadini, rimanendo nella memoria dei braccianti e dei caprai di un'intera regione. Il suo caso mi pare abbia ben pochi precedenti. Non parlatemi di Beatrice di Pian degli Ontani, ben dimenticata, né del raffinato Burns; e neppure dei felibri più noti, vecchi e nuovi, che furono tutti esperti uomini di lettere. E non arrischiamo confronti coi nostri maggiori dialettali, indotti all'uso del dialetto da una coscienza critica approfondita. Il fenomeno Rieu è dì ben altra natura.

Guardate intanto l'uomo, come si presenta nel ritratto che gli fece Luis Jou, giunto in tempo a conoscerlo (Charloun morì nel '24 all'età di settantott'anni). È un Sileno sdentato e peloso, un uomo capra, un giullare da fiera e da mercato. Figlio di un mezzadro ebbe dieci fratelli e due sorelle, più giovani di lui. In famiglia c'era già il baco della poesia; il nonno, *manescau* (maniscalco), improvvisava versi in provenzale. Charloun lavorò la terra fin da bambino; lo mandarono tuttavia alle elementari ed arrivò a esprimersi anche in francese, ma assai imperfettamente. Pensarono per un momento di avviarlo alla vita ecclesiastica e per sei soli mesi gli fecero dare un'infarinatura di greco e latino da un tale che aveva « jita la raubo sus d'un bouissoun » (gettata la tonaca alle ortiche). Ma il corso d'istruzione di Carlone (forse allora Carlino) si arrestò lì.

Il ragazzo era il maggiore, doveva aiutare il padre. Andò per tempo in giro come « uomo da affittare », come bracciante (« Bravi gènt, bono vesprado / se de pastre n'avès besoun, / lougas me, s'acò vous agrado... », cioè: « Buonasera, brava gente, avete bisogno di un pastore? Affittatemi se vi piace... »); ma ebbe poi una residenza quasi fissa, appartenendo al *mas*, alla fattoria di Escanin, un castello dove la figlia dell'ammiraglio Ratyé, proprietario, suonava per lui e gli insegnava molte canzoni.

Ebbe anche altre residenze e raramente mancava, il sabato sera, di far ritorno alla casa paterna, al Paradou, tenendo annodato nel fazzoletto tutto il guadagno della settimana. Visse lunghe stagioni all'aperto, nella Crau e in Camargue, dormendo *a la bello estello*; e fu, insomma, più che un bracciante vero e proprio, nell'uso odierno della parola, un *criado* nel senso spagnolesco, non proprio un servo ma un uomo di *troupe*. Verso i quarantacinque anni, però, suo padre, che aveva messo qualcosa da parte, gli lasciò un pezzo di *mas*; e alla fine della sua vita un benefattore, Gay-Lussac, gli assicurò *couvert et logement* in un comodo castello d'Auge. Ma da allora Charloun scrisse poco e male. I versi che salveranno il suo nome sono poesie da foglio volante e da almanacco, composte su musica e destinate al canto. Uscivano stampate alla rustica, ornate da vecchie immagini d'Epinal. Si vendevano e si cantavano nelle fiere e nei mercati. Pochi sapevano il nome del loro autore.

Composte di semplici strofette rimate esse, nel loro complesso, rappresentano le Opere e i Giorni di un contadino arlesiano del secondo Ottocento. E giunsero veramente al popolo, sorte che non era toccata né a *Mirèio*, né a *Lis Óuli-*

vado di Mistral, né al *Mióugrano* di Aubanèu. Ancor oggi centinaia di contadini delle Alpilles o della Crau, svegliandosi, intonano: « Quand lou matin lou tèms es clar / lou cant dis aucèu me reviho » (mi sveglia; c'è bisogno di tradurre il resto?). Ancora oggi il *baile* o capoccia di Provenza al primo soffio del vento che giunge dalle bocche del Rodano intona: « Lou vènt d'aut boufo dins la draio: / fai bèu tèms pèr la granesoun! » (« Il mistral soffia nel canalone: / tempo buono per il grano! »). Ai tempi di Charloun la terra si lavorava con la fatica dell'uomo e delle bestie. Ebbene: non c'è lavoro di agricoltore o di cavallo o di mulo o di toro che Charloun non abbia cantato. Aveva un suo estroso mulo, Roubin, che gli ha ispirato più di uno scherzo in versi; ed oggi, in provenzale, ogni mulo si chiama Roubin!

Charloun aveva conosciuto per tempo Mistral: che lette alcune sue rime in cattivo francese lo aveva consigliato di scrivere in provenzale. Due anni di economie furono necessari a Charloun per metter da parte i franchi tre e cinquanta necessari all'acquisto di *Mirella.* Più tardi, quando i canti di Charloun servivano all'autore per impacchettare il tabacco, Mistral scrisse un articolo sul poeta contadino; e l'articolo figurò come prefazione ai *Cant dóu Terraire* di cui il primo volume comparve nel 1897. La fama di Charloun fra gli specialisti era ormai assicurata e i suoi *Provenzalische Lieder*, in Germania, erano studiati all'università. Un bel giorno Charloun (che nel frattempo aveva anche tradotto l'*Odissea* dal greco o quasi) ebbe anche onori ufficiali dal gruppo felibrista che per lui non condivideva l'entusiasmo di Mistral; lo nominarono maestro di gaia scienza, *majourau*, gli conferirono una cicala d'oro e lo invitarono a Perpignano per dargli una medaglia. In quell'occasione il patriarcale padre di Charloun gli negò il denaro per il viaggio; ma il poeta trovò cinquanta franchi per la strada e i suoi vecchi si arresero dinanzi al fatto provvidenziale. Anche a Parigi andò una volta Charloun; per rappresentare Mistral a non so che cerimonia. I giornalisti lo trovarono *goguenard* e lo descrissero con parole quasi offensive; e il poeta non si mosse più da casa. Da ultimo i *Canti della Terra* erano saliti a ben tre volumi, il poeta scriveva un lavoro teatrale *Margarido dóu Destet*, tolto da una sua ballata, e meditava di tradurre la *Divina Commedia* (dal francese, ma dando un'occhiatina al testo italiano per tentare di indovinarlo).

Non vorrei aver dato del celebre e ignoto poeta contadino un'idea troppo georgica. Al centro dell'ispirazione di Rieu non sono soltanto le opere e i giorni ma anche la donna e l'amore. Sembra che per tutta la vita questo Sileno si sia mantenuto casto in attesa di un'Eletta che non giunse mai. Eppure due drammi d'amore rattristarono la vita di Charloun e fecero di lui un poeta. Il primo amore fu per una Vulpian, diciassettenne, bionda e protestante. Mistral disapprovò questa passione. Una provenzale bionda? Che orrore! Charloun era cattolico, assai più vecchio di lei e senza un soldo. Non osò neppure dichiararsi. Sembra, del resto, che Vulpian non si accorgesse della fiamma da lei destata. Sposò un altro e forse non si riconobbe nella Margarido della canzone.

In età avanzata Charloun prese poi una cotta per una ragazza ebrea, Rachel, che amava la poesia e la musica ed ebbe forse il torto di dargli troppo spago. Si illuse seriamente di poterla sposare; ma anche questa volta la sua musa scelse un uomo più giovane e più ricco. E la nuova delusione fruttò versi che qualcuno giudicò verlainiani.

Col senno del poi, che ha sempre ragione, i critici di Charloun dicono ora che il poeta ebbe un'unica musa – la Poesia – e che ad essa egli sacrificò tutta la sua vita. Ho raccolto queste notizie da un libro di Marie Mauron (una colta prosatrice provenzale) e da alcuni vecchi almanacchi; ma il nome del bardo non figura in un grande Larousse che ho consultato. Forse lo si troverà in una edizione più recente. In ogni modo la fama del poeta dei pastori e dei *gardian* mi pare più solida di quella di tanti altri poeti vecchi e nuovi, custodita com'è da una terra dove la poesia può essere respirata nell'aria come un profumo. Gli antichi poeti provenzali (e forse anche i nuovi) erano tutto fuori che *nature*. Charloun ha completato la poesia del suo paese, vi ha portato un suono che è suo e di nessuno. Di lui potrà essere scordato il nome, non la voce. È una sorte invidiabile.

1954

Da Aix-en-Provence

I quadri che gli impressionisti ci hanno lasciato della Provenza somigliano così poco al paesaggio provenzale, anche dov'esso è rimasto immutato, che ci si chiede come mai quella scuola poté fondarsi, almeno all'inizio, su presupposti scientifici e persino naturalistici. Scoperta della luce, di una luce ottica e non da *atelier*? Già, ma gli impressionisti non dipinsero in modo diverso quando affrontarono i grigi della Normandia. Diretta immersione nel vero? Neppure, perché ad Aix e ad Arles si fa qualche fatica a ricordarsi di Cézanne e di Van Gogh, pittori del *midi* che hanno almeno attraversato l'impressionismo. La verità è che gli ultimi grandi pittori di paesaggio che qui si sono espressi erano partiti per il loro viaggio (ed avevano ragione) con una pittura già mentalmente preformata e tutte le spiegazioni scientifiche che di loro si sono date non sono che alibi dei loro seguaci e interpreti.

La Provenza, regione che gli stessi geografi stentano a delimitare, non manca di aspetti aridi, desolati, desertici, e ne vedremo qualcuno; ma più spesso presenta un paesaggio assai dolce, teneramente modellato. La rottura, la frattura dei suoi poeti pittorici fu prima di tutto, come dubitarne?, una rottura interiore, spirituale. Dal punto di vista della nuda « verità » Corot e poi Fattori avrebbero raggiunto ben altri risultati. Posso supporre che quando le comunicazioni erano più lente e complicate « seppellirsi » in Provenza per lavorare *en plein air* fosse un'avventura fruttuosa; ma oggi, a due passi dall'intellettuale, colta città di Aix – sede di una fiorente facoltà di lettere e di un festival musicale che attira legioni di spettatori, stazione termale e turistica d'importanza sempre crescente – a quale recondita, inedita natura potranno attingere gli innumerevoli pittori che nascosti in ville, villette, case coloniche (*mas*) lavorano alla periferia della deliziosa città?

Lo chiedevo a me stesso, e lo chiesi ad altri, passeggiando lungo quel cours Mirabeau che per il doppio colonnato dei suoi alberi fronzuti è stato definito l'*aquarium* vegetale di Aix. E la risposta che mi era data: « Voyez Masson » sembrava carica di promesse. André Masson: per me poco più che un nome. Un quadro, ancora cubista, veduto a Milano: qualche pagina o paragrafo in alcune recenti storie della nuova pittura francese; la notizia di un uomo che in America « fa prezzo » e che ha attraversato con sincerità, passione ed estro tutti gli *ismi* pittorici del suo tempo. Qui finivano le mie informazioni.

Il viaggio per andare a scovarlo fu piuttosto lungo. Dopo una decina di chilometri di strada, fallito il tentativo di veder da vicino la cézanniana *maison du pendu* perché le ruote affondavano nel fango, la mia gentile guida (e autista) puntò decisamente su una casetta bianca nascosta nel verde e mi disse: — Ci siamo. — Bussammo, ma nessuno venne ad aprirci. Battemmo allora a una casa vicina, e una vecchia signora in pantaloni si fece vedere e ci disse: — Monsieur Masson è in giro, ma non può tardare. Vedete intanto i miei quadri, dipingo anch'io. — Era vedova e polacca. Ci fece vedere il suo cane, malato di cataratta, e le sue pitture, cubisteggianti. Dopo mezz'ora riuscimmo a liberarci e ribussammo alla porta di Masson, che non era affatto uscito, ma aveva semplicemente finito il suo sonnellino pomeridiano.

André Masson è un bell'uomo fra i cinquanta e i sessanta, di giusta statura, un affabile e discreto parlatore. Assai elegante, un *foulard* bianco al collo, appena un accenno di ciuffo, di *mèche* alla *grand maître*, azzurri gli occhi, sembra un uomo che viva qui per salvarsi da molte seccature, non per un bisogno dello spirito. Mi ha condotto nel suo studio, un cubo che ha fatto costruire accanto alla casa. Lavora metodicamente per clienti e mercanti. Pochi sono i quadri a disposizione, né io mi presento come un compratore. Un lungo parallelepipedo a tempera raffigura i pini di Roma; un altro dipinto sparso di macchie vorrebbe esprimere lo stato d'animo di una trota che vede il mondo da una vasca di vetro. In altri bozzetti intravvedo galli non troppo somiglianti a quelli di Picasso. Orientamento generale: un moderato, prudente ritorno alla figuratività. L'ideale di Masson (dice lui) era l'affresco, ma gli son mancati sempre i committenti. Ha esposto più volte a Venezia e lo rivedremo là anche questo anno. Abiterà alle Zattere. Il suo ottimismo sulle sorti della pittura contemporanea è moderato. Picasso, sì, va bene, ma che meraviglia l'ultimo Bonnard! Poco favorevole è ai critici francesi; dopo la morte di Focillon a suo parere c'è il deserto. Ha letto qualcosa di Croce, stima Lionello Venturi ed è entusiasta di Roberto Longhi e del suo *Piero della Francesca.*

Ci accomiatiamo dal Maestro. Sul suo prato svolazzano alcune cornacchie, poco dopo vedo uno scoiattolo arrampicarsi su un albero. È la villa di un deputato, là dentro è invitato a pranzo René Clair. Al ritorno in città mi portarono nella sede dell'ex-arcivescovado dove vive e lavora l'altro personaggio importante di Aix: Georges Ladoubée, perfettamente ignoto sotto questo nome, ma notissimo in tutti gli ambienti teatrali francesi sotto lo pseudonimo di Douking. Frangetta abbondante, viso da monaco, qualche ruga, una conversazione scintillante, Douking è un uomo di teatro che ha abbandonato Parigi per guidare qui quel centro drammatico del sud-est che si chiama anche *Comédie de Provence* ed è stato fondato da Gaston Baty, di cui Douking fu discepolo e collaboratore. « Seppellirsi nel *midi*? » gli hanno detto gli amici. Quale pazzia! Eppure la sua pazzia comincia a dare qualche frutto.

L'opera di *décentralisation* intrapresa da tempo dalla direzione francese delle Belle Arti ha portato alla creazione di cinque centri drammatici di cui poco si sa da noi. Esistono oggi, oltre al centro provenzale: il centro dell'est, il più antico, con sede a Strasburgo, diretto da Michel St. Denis, antico collaboratore di Copeau; il centro o *Comédie* di St. Etienne, diretto da Jean Dastié, altra creatura di Copeau; il centro dell'ovest (Rennes) diretto da Hubert Gignou, già collaboratore di Léon Chancerel; il centro del sud-ovest, detto anche il granaio di Toulouse, là diretto da Maurice Sarrazin. Si tratta di cooperative autonome che impiegano per tutto l'anno da quindici a venticinque attori. Le sovvenzioni ministeriali vanno da dodici a quarantacinque milioni all'anno; alle quali si aggiungono quelle dei municipi interessati. Gli attori del centro provenzale guadagnano appena duemila franchi al giorno, più una trasferta di millecinquecento quando recitano fuori sede, il che avviene spesso. Ognuno di essi lavora per il teatro come può: non c'è bisogno di reclutare dal di fuori sarti, parrucchieri, falegnami, disegnatori, tecnici del suono, autisti.

Douking, nato a Parigi nel 1902, è oltreché regista, musicista (direzione d'orchestra, flauto, sassofono, batteria), pittore che ha fatto sette mostre personali a Parigi, danzatore, acrobata, mimo; ha recitato cinque anni con Baty, ha realizzato dal '33 ad oggi importanti scenografie nei principali teatri di Parigi e come regista è stato scelto da Giraudoux per la creazione di *Sodome et Gomorre.* La sua *troupe* è quella che ha un campo d'azione più vasto; quaranta città da Mentone a Perpignano, risalendo i lati del quadrilatero fino a Grenoble e a Lione. Nel corso del 1954 ha dato in centoventicinque giorni centoquindici rappresentazioni di quattro diversi lavori. Ora sono in prova *Saul* di Gide e la *Brocca rotta* di Kleist; da poco rappresentati: *Bajazet, Les plaideurs, Les femmes savantes* e *Flaminéo* di Robert Merle.

Gli attori sono giovanissimi; alcuni sono *grands prix* di Conservatorio. Vedo Marcelle Ranson (la Rossana di *Bajazet*) e Monique Montivier (« Atalide, fille de sang ottoman » nella stessa tragedia), due ragazze in pantaloni che mangiano in ristoranti da duecento franchi e vivono in camere da cinquemila al mese; forse per l'età, non portano traccia di *maquillage*, né al fisico né al morale. Il giovane egiziano Gamil Ratib (Bajazet in persona) è altrettanto semplice e studentesco. Mi dice che a Parigi la crisi degli attori è grave e che i sindacati cercano di scoraggiare i troppo numerosi aspiranti. Il più vecchio, Martial Rèbe ha ben settant'anni; dà lezioni di recitazione e scrive versi lui stesso. Un'altra attrice anziana, ha recitato molti drammi di Pitoëff e con la signora Ludmilla è stata a trovare Guglielmo Ferrero a Firenze.

Douking è contento dei suoi ragazzi e spera di farli applaudire un giorno anche in Italia; sinora si è spinto fino a Ginevra. Vive all'arcivescovado, in una cella, e rivela, a parlargli, quelle qualità di ascetismo che sono necessarie a imbarcarsi in una simile impresa. Tuttavia, conversando con lui si ha l'impressione che il teatro francese, come il nostro, manchi di repertorio. Rare sono le commedie nuove rappresentabili. A Parigi, poi, gli attori si guastano facilmente: quando hanno trovato un *cliché* che piace insistono in quello. Se una *pièce* è poetica, non spettacolare, come il *Cocktail Party* di Eliot si hanno i travisamenti ai quali ho assistito da poco al Vieux Colombier, dove la civettuola Madeleine Mazeroy rovina la bella parte di Celia. Certo una *troupe* provinciale può mortificare ogni aspirazione al divismo: ma ha anche bisogno di un repertorio *ad hoc*. Ve l'immaginate una commedia intimista di Eliot data all'aperto a Tolone? Insomma, anche in Francia, sebbene assai meno che da noi, il teatro di prosa è una macchina che nessuno vorrebbe o potrebbe smontare perché ha dietro di sé infiniti interessi creati; e tali interessi cospirano a mantenere la macchina nelle grandi città e a far del teatro un'attrazione turistica. Sarà un bel miracolo se i centri provinciali francesi riusciranno a tener duro e se i loro migliori attori non rinunceranno alla vita claustrale.

Per il momento, Aix è fiera della sua *Comédie*. Orgogliosa fu anche, ma troppo in ritardo, del suo Cézanne. Quando era vivo, e anche dopo, non volle mai acquistare un quadro del grande pittore. Il quale, del resto, fu un borghese che più volte negò l'elemosina al poeta mendicante Germain Nouveau, seduto sugli scalini del Duomo. S'intende che Cézanne ignorava l'esistenza del poeta Nouveau come Aix il genio di Cézanne. Ma forse la città è mutata e per fortuna del signor Douking non fa più suo il motto che appartenne fino a ieri a tutte le fiorenti città borghesi (francesi o no): *Décourageons les arts!*

1954

Gli snob della Camargue

Terra di riporto, accumulata dai rabbiosi capricci del Rodano, brughiera, palude, sterpaglia, un tempo folta foresta, la Camargue è anche, dicono i geografi, un'isola i cui confini mutarono nei secoli secondo gli umori del suo fluviale creatore. Oggi che il gigante è alquanto imbottigliato, grossi colpi di scena non sono prevedibili; ma il terreno qua e là continua a muoversi e il borgo delle Saintes-Maries, che forse cent'anni fa si trovava a settecento metri dal mare, è ormai lambito dalle onde.

La Camargue occupa nella geografia letteraria francese il posto che da noi tennero certi luoghi della campagna toscana e della Maremma. « Si va in Camargue » per scrivere qualche racconto strapaesano o per assistere alla timbratura dei tori o per inforcare qualche discendente degli antichi cavalli saraceni; ma soprattutto si vive in Camargue per ritemprarsi al contatto di una natura primigenia dove la vita è ancora, secondo la frase di Blake poi ripresa da Gide, il matrimonio del Cielo e dell'Inferno.

M'incoraggiò a visitare la Camargue una dama di Nîmes, ricca e probabilmente ugonotta come lo sono in gran parte i borghesi di quella città, la più romana ma anche la più asettica e neutra delle città francesi.

— Non limitatevi al paesaggio — raccomandò. — Cercate più addentro. Mio figlio, voglio dire *mon beau-fils*, vive là da anni. Non hanno luce elettrica, gas, telefono; la posta vi giunge una volta alla settimana. Visitate il ragazzo, al *mas du Lièvre*. E non dimenticate il *mas* di Ricard. Troverete certo il padrone; ditegli che vi mando io e il rettore della Facoltà di Aix. Sarete accolto come un principe.

Noleggiai un tassì e partii da Arles verso le nove del mattino. La strada era ottima e percorreva risaie e saline. A Saint-Gilles si fece una prima sosta per prendere un caffè e visitare la chiesa; quindi varcato il canale del Rodano a Sète ci avviammo attraverso grandi stagni e *marais* verso Aigues-Mortes, città fortificata dai cui spalti si vede (a pagamento) un bel tratto di paesaggio lagunare. Aigues-Mortes deve la sua celebrità al suo nome e al fatto che fu fondata da san Luigi. Preso atto di questi meriti percorremmo altri sei chilometri per portarci alla Grau-du-Roi, famoso borgo peschereccio dove si vedono barche alla Van Gogh in un canale in cui si specchiano ristoranti e alberghi non troppo invitanti. Visitato l'istmo, o passeggiata al faro, ch'entra in alto mare, piegammo decisamente verso le Saintes-Maries, arrestandoci al guado du Sauvage, in attesa del *bac*, del battello che ci portasse sull'altra sponda del piccolo Rodano. Qui, a un'osteria, vedemmo i primi zingari; venivano da Perpignano, gente di lingua catalana. Mi offrirono cibi, profezie chiromantiche, filtri d'amore. Una ragazzotta seminuda allattava un poppante cereo, alcune sudicie vecchiarde mi fecero ricordare la fedeltà e la castità attribuita alle donne gitane da Mérimée che citava a proposito la donna brutta di Ovidio, « casta quam nemo rogavit »; perché non faceva gola a nessuno.

Migliaia di zingari in una confusione incredibile trovammo poi all'interno del paese delle Saintes-Maries. Vengono qui tutti gli anni in questa stagione per onorare le reliquie di santa Sara la negra che vi sbarcò diciannove secoli or sono in compagnia della sua padrona, Maria Jacobé, « sorella della Vergine », e di Maria Salomé, madre di due apostoli, Giacomo il Maggiore e Giovanni. (Così una tradizione locale, a cui non aggiungo nulla di mio).

Curiose le diseguaglianze sociali nel mondo gitano. Alcune *roulottes* erano lussuose e quella del loro re addirittura un palazzo fornito d'ogni *comfort*. Altri carri erano invece tirati da stenti cavallucci neri e difesi da ringhiosi cagnuoli bastardi d'inverosimile pelo e colore. Il re, vestito da *cow-boy* e obeso, confutava l'opinione che i gitani siano tutti smilzi. Debbo però aggiungere che altrettanto rubicondo e truccato alla Buffalo Bill era il principe di Ligne, della famiglia reale belga, che alle Saintes abita in permanenza e che è un poco l'ospite d'onore del raduno.

Sceso nell'oscura cappella sotterranea della chiesa sostai dinanzi alla statua di Sara e carezzai le sue guance d'ebano, invocando protezione. Alcune zingare avviticchiate a quel simulacro borbottavano fitte preghiere, a grandine. Ma era già mezzogiorno e dopo aver mangiato alcuni *merlans* fritti in una trattoria stranamente vuota ci buttammo a gran velocità verso la maggior Camargue. Il paesaggio era vasto, desolato, luccicante di acquitrini. Qua e là si levavano a volo ibis bianchi e pivieri. La riserva d'acclimatazione non doveva essere lontana. E vicino era anche il *mas du Lièvre*, una casa colonica dinanzi alla quale vedemmo una fuori serie di gran lusso. Bussai e vennero ad aprirmi due signore in pantaloni, una giovane e una vecchia. Spiegai chi ero e chi mi mandava e mi dissero di entrare. — Disgraziatamente — mi disse la giovane — mio marito non tornerà che a tarda sera. — Suo marito era evidentemente il *beau-fils* della dama di Nîmes. — Sta girando un film sulla Camargue, ne ha già fatto uno con molto successo. — Mi mostrò il ritratto del marito: un giovane barbutissimo, vestito alla cavallerizza, in gambali. Un signore molto elegante era all'interno; il minor fratello dell'assente barbuto. Mi accorsi di avere interrotto una partita di canasta. Il *mas* era arredato con eleganza squisita; sui tavolini erano sparsi numeri di « Life » e « Scrutiny ». — Abbiamo una vita molto intensa — disse il giovane. — Fra poco avremo la visita di Ernesto... sì, dico di Hemingway. Mio fratello è maestro di arte taurina, allevatore di cavalli e cineasta. Io faccio l'industriale a Montpellier e vengo qui ogni fine di settimana. — La vecchia in pantaloni era un'amica di casa. Disse che viene spesso in Italia, a Roma, dove ha una figlia sposata. Tutti e tre aggiunsero che adoravano l'Italia, dove *tout le monde* parla francese. — Fino a un certo punto — dissi. Poi la giovane mi fece vedere i suoi figli che studiano equitazione e latino e inglese con una istitutrice. — Si lavora molto, — concluse — la sera pranziamo *aux grands flambeaux* — accennò ad alcuni candelieri — e dopo, se non viene il Principe, andiamo a letto presto.

La conversazione languiva. Presi congedo e lasciando definitivamente la terra del piccolo Rodano la mia macchina puntò verso il grande stagno di Vaccarès, riserva zoologica, dove si pescano grosse sogliole e dove i tori nuotano in libertà. Dopo mezz'ora entrammo nel *mas* del signor Ricard, l'uomo più ricco di Marsiglia. La fattoria, di trecento ettari, è dominata da un palazzo padronale, antica casa colonica adattata con gusto, e da alcune case più piccole. Ci venne incontro il fattore, un uomo svelto e ben vestito. — Il signor Ricard non c'è, — disse — è in America e viene qui raramente. Quando c'è dà banchetti, anche con centinaia di invitati. Abbiamo qui tutto: scuola, chiesa, campi sportivi. I tori che posso farvi vedere sono trecento, i cavalli una cinquantina. Venite con me.

Ci condusse sopra un'arena, una vera e propria *plaza de toros* costruita con stecconate di legno. Dall'alto dei molti gradini la campagna circostante appariva in tutta la sua vastità. I tori si vedevano lontanissimi, sparsi tra ciuffi di alberi. — Stanno per tornare — disse il fattore. Un tremulo muggito ci fece guardare in giù. Ai piedi dell'anfiteatro vedemmo un toro nero di proporzioni microscopiche, non più grande di un can barbone che si reggeva appena sulle gambe. — È nato da poche ore — disse il *fermier* — cerca la mamma. — Vorrei carezzarlo — disse il mio autista che si torceva dall'ammirazione. Si profilò all'orizzonte un guardiano a cavallo che correva senza sella, a pazza velocità. Con urli e gesti invitava la grande *manade* al ritorno. L'aria era piena di muggiti e di nitriti, accanto ai primi tori spuntarono i primi cavalli, anzi le cavalle, guidate da un grande stallone bianco. Poi si levò un vento ostinato, il cielo accese di colpo le sue luci sanguigne, lo stagno di Vaccarès si punteggiò di guizzi, gli alberi sconvolti iniziarono la loro danza e un'immensa sinfonia di grida, di belati e di bramiti soffocò le nostre voci. Il torellino traballante era già lontano, correva verso i tori e le vacche. Le prime mucche a cui si accostò non mostrarono di riconoscerlo; o forse c'era tra loro una madre snaturata. Il *gardian* a cavallo continuava a galoppare e a urlare, le tre colonne, anzi le tre colate taurine cominciarono a fondersi e presto si vide un'unica massa di dorsi e di corna dirigersi verso la porta di un vasto recinto. Era in testa il torellino, che guidava tutti, gemendo, crollando e rialzandosi; la nera fiumana passò lentamente, la porta dello stabbio si chiuse e il guardiano ci raggiunse. Aveva diciassette anni, era bruno e scalzo. Da uno sportello ci fecero anche vedere da vicino alcuni tori che ci guardarono con occhi umidi e inoffensivi.

Smontati dall'anfiteatro, entrammo nella casa del padrone, visitammo la sala da pranzo, grande e adorna di teste di toro, passammo al bar dove ci fu offerto un *pastis* e dove fui pregato di firmare l'albo dei visitatori. Si unì a noi anche il prete della comunità, un parroco giovane che viaggia in micromotore e visita giornalmente le dieci o dodici famiglie del *mas*. Quando proseguimmo il cammino lungo lo stagno di Vaccarès vedemmo ancora piccoli pellicani scender dall'alto come elicotteri. Lo stagno era pieno di uccelli d'ogni genere. Il mio autista mi indicava quelli che si possono cacciare, le anatre selvatiche e i pivieri, e quelli che sono tabù; fra questi, naturalmente i grandi flamenghi dalle ali rosate, non rari ma divisi in due partiti inconciliabili: quelli che restano, *ayant droit de cité*, e gli avventizi, gli irregolari, che transitano in viaggio per l'Africa. Non mancano neppure i castori ma è difficile vederli. Con fatica, aguzzando gli occhi, potei scorgere qualche fiamma color carnicino agitarsi fra i giunchi e le molte piante del luogo, tutte « divoratrici di sale ». Dopo Villeneuve lo spettacolo era finito e la strada per Arles, data l'ora notturna, non poteva più riserbare sorprese. Si compiva così la mia iniziazione a una terra meravigliosa dove solo i ricchi o i pezzenti possono vivere da gran signori. Per gli altri non c'è speranza.

1954

Diario di Normandia

Sainte-Adresse, 2 agosto 1955.

Sainte-Adresse fu per un momento la più piccola capitale del mondo. Vi si trasferirono il re e l'intero Governo del Belgio negli anni 1914-1918. Ho sotto gli occhi la mediocre statua bronzea che raffigura Alberto I. Non cercate però qui le più brutte sculture d'Europa. Le troverete a Barentin, dove un demagogico sindaco, protettore delle arti, ha adunato nelle strade le più inverosimili sculture che la Francia abbia mai prodotte. Sono tutte posteriori alla stagione dell'impressionismo; e da sole sono sufficienti a rivelare i due volti della Francia. A Sainte-Adresse non si vedono altre statue, per fortuna. Oggi questa piccola città – benché sia un comune autonomo – si può considerare come un sobborgo dell'Havre. Ma se guardate uno degli acquarelli di Jongkind esposti al Louvre, vi accorgerete quale delizioso villaggio di pescatori sorgesse su questa spiaggia cent'anni fa. Ormai non vi si trovano più né pescatori né artisti scapigliati. Dall'asfalto si passa direttamente ai ciottoli di una riva inamena, spesso battuta da quell'effimero nebbione che qui si chiama brutalmente *crachin* (non per nulla siamo nei paesi di Maupassant).

Rari uomini armati di lunghi manganelli di pane (*ficelles*) percorrono le strade. Manifesti e avvisi parlano di *emprunts*, di buoni del tesoro, invitano all'economia e al risparmio. La città è poco lontana e alzando il capo dal mio *café crème* posso scorgere i primi grattacieli. Le Havre ha con la sua avenue Foch la più moderna strada di Francia: solo la *tabula rasa* fatta dai bombardamenti a tappeto ha permesso questo miracolo. Ma l'*avenue* è per ora poco frequentata; per trovare affollamento dovete spingervi verso la rue Aristide Briand dove potrete sorprendere qualche gustosa scena popolaresca. Niente tuttavia che valga una *rambla* o la Cannebière. Paese di lente ruminazioni la Normandia sembra sempre difesa da una forte struttura sintattica. Non apre mai il varco a illuminazioni, a sorprese.

Le Havre, 3 agosto.

Fra pochi anni si dovrebbe, stando alle date dei libri, celebrare la nascita dell'impressionismo francese. Fu nel 1858 che Monet incontrò Boudin a Le Havre. Nasceva quella stagione che Baudelaire chiamò delle « bellezze meteorologiche ». Ma si trattava, per il momento, di bellezze che già gli olandesi, e più tardi Constable e Bonington, avevano scoperto da un pezzo. Boudin somiglia straordinariamente ai macchiaioli toscani e intorno al '60 forse solo il quasi demente olandese Jongkind, che aveva lavorato nella Senna inferiore a partire dal '47, ci offre, nei suoi acquarelli, luminosi esempi di quella che sarà poi « l'impressione ». Ciò che venne dopo sembra nato dall'incontro del macchiaiolismo di Boudin col giapponesismo di Jongkind. Il *midi* non era ancora stato scoperto e nella zona *entre Seine et Oise* e nell'estuario della Senna si continuarono le esperienze dapprima fatte intorno a Barbizon.

L'impressionismo fu l'ultima esplosione di felicità e di benessere dell'arte europea; trovò la Normandia a portata di mano (allora i viaggi erano lunghi e complicati) e la sfruttò a fondo. Ma in sé questa regione è troppo pittoresca per essere veramente pittorica. Oggi, poi, in Normandia tutto « fa quadro » in modo quasi inverosimile. Si comprende facilmente come un Seurat abbia tanto lavorato per smontare e rimontare quella sua *Baignade* che pur doveva essere ispirata dalle rive della Senna, non lontano di qui; e come un Braque (non troppo felice nei suoi primi paesaggi) abbia voltato le spalle alla Normandia, dove pure ha vissuto a lungo.

Ancor oggi – dopo tante rivoluzioni – solo il pennello di un fiammingo potrebbe lottare vittoriosamente contro questi vasti paesi dove il clima difficile e la prosperità sembrano soffocare l'esile pianticella dell'uomo « naturale ».

Etretat, 5 agosto.

Sebbene il mese di agosto non porti la lettera *r*, e sia perciò sconsigliato ai divoratori di ostriche, ho contravvenuto alla regola qui a Etretat, dinnanzi a un paesaggio dominato da grandi rupi bianche. Le ostriche non erano cattive ma uno spicchio di limone mi è stato conteggiato a parte, come « supplemento ». Sulla *falaise* d'Aval grandi cormorani e rondini di mare mi hanno sfiorato; sono finora i soli animali che posso annettere, in questi viaggi, al mio bestiario privato. Debbo però aggiungervi il gatto che ha acciuffato un uccellino – pochi giorni fa – a Bonnières, sulla Senna. Tanta è qui la compenetrazione della natura con l'arte che ho subito pensato al feroce gatto di Picasso. La padrona della trattoria inseguì il ladruncolo per un pezzo urlando: *Vilain!, Coquin!* – ma poi venne da me per scusarlo, dicendo che il gatto, anzi la gatta, doveva pur tenersi in forze per allevare il suo gattino (esibì anche questo – minuscolo e lagnoso – traendolo dalle dune del suo capace seno).

Non ho ancora incontrato alcuno di quei grandi cavalli normanni, dagli zoccoli monumentali, che mi attendevo di trovare quasi allo stato brado. A Etretat c'è un albergo moderno, appollaiato in alto, tra le balze. Il mare è freddissimo e pochi bagnanti osano avventurarvisi. Non manca però qualche farfalla bianca che si confonde a volte tra la spuma delle onde. Nelle ore della bassa marea arano le alghe e la fanghiglia infaticabili cercatori di granchi e di arselle. Ma siamo lontani dalle sterminate, chilometriche, maree della Bretagna.

Abbaye de Graville, 7 agosto.

Come più di un secolo fa – quando ancora non esisteva la fotografia – il naturalista e pittore Audubon (allievo di David) si procurò una gloria modesta ma sicura dipingendo e illustrando tutti gli uccelli esistenti nel continente americano, così l'istitutore Gosselin, morto nel '36, ha affidato il suo nome a un duraturo ricordo con la collezione di vecchie case francesi da lui regalata al museo di quest'abbazia. Sono edifizi in miniatura, minuscole case di legno, di latta e di paglia, dipinte a vivaci ma ammuffiti colori; e nell'insieme costituiscono un *tour de France* architettonico che oggi sarebbe impossibile compiere perché poche di queste rustiche case restano in piedi.

Tutto ciò che la vecchia Francia feudale e regale ha prodotto in fatto di *folies,* di castelli provvisti di *tourelles* e di ponti levatoi, di ricche ville padronali e di rustiche fattorie, tutto il *bric-à-brac* di linee e di forme che interi secoli di architettura hanno escogitato per far sì che le abitazioni umane imitassero il tronco d'albero o l'alveare e si fondessero nell'immenso paesaggio boscoso e nuvoloso è qui riprodotto in scala microscopica, con maniaca e ispirata fedeltà. Un pittore metafisico – o meglio ancora un sapientissimo falso *naïf* – che portasse nella sala Gosselin il suo cavalletto potrebbe darci una serie di vecchi paesaggi francesi tale da disgradare le celeberrime piazze italiane dipinte da De Chirico quarant'anni or sono. La sala Gosselin vale un trattato di storia e di psicologia e fa comprendere meglio di un lungo discorso come e perché la poesia che da noi si chiamò « crepuscolare » sia nata in terra di Francia.

Mi viene in mente che anche Bernardin de Saint-Pierre, autore di *Paolo e Virginia* e primo crepuscolare « transoceanico » della letteratura francese, è nato in questo *havre de grâce* fondato da Francesco I a maggior gloria di se stesso, e di Dio.

St. Wandrille, 8 agosto.

Ecco l'abbazia dove visse Eginardo, storico di Carlomagno, che nessuno probabilmente ha letto in Italia, a eccezione di Luigi Foscolo Benedetto. Molti secoli dopo l'esteta Maurice Maeterlinck che l'affittò e ne fece il suo *hôtel particulier*. Oggi vi sono tornati i benedettini. Che cosa ricorderò fra pochi giorni di St. Wandrille, di Jumièges, delle tante meraviglie architettoniche che la Normandia nasconde nella sua folta vegetazione? Forse solo l'immagine di un giovane monaco seduto sulla sponda di un canale, vivida pennellata di bianco contro l'oscuro tronco rugoso di un olmo. Fasciata da secolari foreste, percorsa da corsi d'acqua che spesso si nascondono in gallerie arboree, questa vastissima regione è un palinsesto che pochi eruditi possono decifrare a dovere. Vi manca, come sempre avviene nelle regioni ricche, il carattere, che non si deve confondere col caratteristico, col pittoresco. Quel carattere che dovunque, in Italia e in Spagna, vi fa sussultare e vi sospende per un attimo fuori del mondo; e che è il generoso compenso offerto dalla natura alle terre povere.

1955

La casa di Flaubert

Dieppe, 9 agosto 1955.

A Dieppe molti giungono in un treno che li porta quasi dentro ai battelli diretti a Newhaven, e vedono la città popolare e piscatoria, ignorando la città balneare e le molte curiosità artistiche, fra le quali il palazzo e la tomba di Jean Ango, il pirata di Francesco I. Così era accaduto anche a me, altre volte. Oggi dall'alto del Castello vedo per la prima volta la Dieppe della vita moderna e dei torrenziali *weekends*. Sulla passeggiata a mare si scorgono rossi campi di tennis allineati come francobolli in un album; recinti riservati all'infanzia (ma a cinquanta franchi l'ingresso) irti di ogni sorta di *toboggans* e di giostre; lunghi quadrilateri riservati al parcheggio; e un'infinità di alberghi, che offrono *menus* a ogni prezzo. Non ho avuto il coraggio di affrontare la ben nota *sole dieppoise* temendo che anche qui si tratti di un pesce disgelato da una lunga pietrificazione. Ma il prodotto straordinario di tutta la Normandia è il *roux*, la crema di burro, che i Milanesi non possono più immaginare.

Ieri abbiamo raggiunto la *côte fleurie*, sull'altra riva dell'estuario, impresa non troppo facile perché al *bac* du Hoc l'attesa del battello-zattera può prolungarsi per molte ore. Non saprei dire come mai a tanta distanza d'anni non si sia fatto o rifatto un ponte che risparmierebbe molte torture. Honfleur, Deauville, Trouville, Cabourg sono luoghi che appartennero all'alta mondanità e alla grande letteratura. Oggi vi prevale il senso provvisorio del formicaio sebbene in Normandia esso non raggiunga mai le proporzioni che vediamo in casa nostra. Tuttavia è difficile pensare quel che dovette essere la vita del giovane Proust nella Cabourg (la sua Balbec) della fine dell'Ottocento. Fino a cinquant'anni fa queste spiagge dovevano somigliare un poco – a parte l'inclemenza del clima – all'antico Forte dei Marmi: luoghi di lungo soggiorno dove si poteva condurre una vita di *clan,* rustica e insieme elegante. Non ho visto nei parchi alcuna possibile Albertina che giocasse al diabolo. Funghiscono, invece, nuovi *sports* di cui ignoro perfino il nome; e ognuno ha campioni e tornei internazionali. Nell'insieme, fuse come ormai sono, tali piccole città offrono un'immagine molto nordica, quasi inglese, di questa costa, e sono infatti a pochi minuti di volo da Brighton e da Eastbourne.

Honfleur è diversa e mantiene intatte le sue architetture rustiche, le sue casette a *chalet*, aguzze di frecce e pinnacoli, cariche di bugne e di borchie, attraversate da grandi sbarre color marrone. Si ha l'impressione che se vi tornasse Baudelaire – che qui compose l'*Invitation au voyage* – non la troverebbe troppo mutata. Un manifesto però ci disillude, affermando che la cittadina può contenere cinquantamila persone. Honfleur ospita un'infinità di pittori, molti dei quali si difendono come possono dal « troppo pittoresco » dandosi a composizioni astratte. Nei suoi aspetti meno gradevoli la città fa pensare alla vita di Ascona e di Capri, luoghi d'incontro di nudisti nordici e di geni incompresi.

Da Cabourg era breve il passo per raggiungere Lisieux attraversando i grandi pomari del Pays d'Auge. La città ha sofferto gravi mutilazioni dalla guerra e sta attrezzandosi per diventare una imponente meta di pellegrinaggi. Intatta è la cattedrale, ma quell'enorme budino che è la basilica dedicata a suor Teresa del Bambino Gesù (beatificata nel '23 e canonizzata nel '25) è la sola chiesa brutta che si possa vedere in Normandia. Contiene tremila fedeli e nella cripta forse qualcuno di più. Un *record*, come si vede; ma probabilmente la « piccola Teresa » meritava qualcosa di meglio. Santità e turismo non vanno sempre d'accordo.

Octeville-sur-Mer, 11 agosto.

L'impervia muraglia di rupi a strapiombo, che s'estende a nord-ovest del Cap de la Hève, permette l'accesso al mare solo da strette e profonde spaccature entro le quali credevo pericoloso avventurarsi. Il mare, che ha lasciato in secco ampie pezzature di *varech*, di alghe nerastre, si è ritirato lontano. Sono rimasto più di un'ora a osservare i primi goffi voli di un paio di giovani falchi dall'alto di un ciglione. I falchi, le *mouettes*, i grandi cormorani, le gazze che talvolta lasciano i campi per spingersi fin quassù, hanno tutti un volo diverso, quasi un differente linguaggio. Mi credevo solo, poi verso l'imbrunire, simile a un lungo filo di formiche che salisse lungo il crepaccio, è cominciato l'esodo degli *estivants* verso l'interno. Appaiono uno alla volta lungo lo scosceso crepaccio, stanchi, sudati, forniti di gabbie, di sacchi, di thermos e di bastoni. Veri « estivanti » e non villeggianti in senso proprio, perché quasi nessuno ha qui una casa o una villa. È una strana fauna umana, che si aggiunge all'altra e la completa. In queste vaste regioni, che sembrano deserte anche in tempi di ferie e sono in realtà affollatissime, l'abitudine del campeggio ha preso una estensione da noi ignota. Dovunque si vedono tende perfettamente abitabili, di tipo più o meno uniforme, e nei luoghi dove un cartello autorizza il *camping* sorgono interi villaggi provvisori, quasi sempre abilmente mimetizzati nei boschi e tali da non sciupare l'armonia del paesaggio.

Starsene sul crinale a osservare il mondo che pullula, in fila indiana, dall'impervio burrato è uno spettacolo che finora, se non erro, nessun cineasta neorealista ha sfruttato a fondo. I bambini, soprattutto, arruffati, gocciolanti di gamberi e di alghe, sono spesso attori incomparabili. Incredibili sono le moine e le astuzie che impiegano per procurarsi un autostop e risparmiarsi così la strada per tornare alla tenda paterna. Si ha l'impressione che qui gli *enfants prodige* degni di esser presentati a teatro siano la regola, non l'eccezione. Abbiamo stretto amicizia con uno scaricatore del porto dell'Havre, un *docker* attendato a pochi chilometri di qui. Ha due tende che gli sono costate complessivamente sessantamila franchi, con tutti gli annessi compresi, e vi ospita la moglie (la seconda) e quattordici figli. Ci ha chiesto un passaggio per tornarsene in città, perché di giorno lavora, e nella prima parte del viaggio abbiamo dovuto stipare nella macchina anche un buon numero di suoi bambini che volevano accompagnare il padre per un tratto.

Lungo la via s'incontrano macchine inverosimili, talvolta tricicli dotati d'una *capote* trasparente e tinta a vivaci colori, che li fa somigliare a zanzare o a cavallette. Una conteneva un uomo e una scimmia. Quando debbono svoltare usano spesso, invece della freccia, un lungo bastone di pane. Il *docker* ha tenuto a mostrarci il cimitero nel quale è seppellita la sua prima moglie della quale ha fatto l'elogio. Ha lodato poi anche la seconda. Rimasto vedovo con nove bambini, ha sposato una bretone, figlia di gente che non parlava neppure il francese, che gli ha dato altri cinque rampolli. Guadagna trentaduemila franchi al mese e può concedersi il lusso di quattro mesi di villeggiatura all'anno. L'abbiamo sbarcato vicino al porto, ha voluto stringer la mano a tutti, ha sistemato nelle tasche un buon numero di granchi vivi e ha lasciato nella macchina un forte sentore di *calvados*, grappa di sidro.

Rouen, 17 agosto.

A Rouen – forse la più bella città di provincia francese e, senza dubbio, la più flaubertiana – non esiste più la casa di Flaubert, distrutta nel 1881. Se ne può ammirare il disegno in un piccolo acquarello di G. Rochegrosse nel padiglione Flaubert a Croisset, a pochi passi dalla casa scomparsa. Il padiglione era un poco lo studio, il pensatoio del grande scrittore, il luogo dov'egli amava ricevere i pochi amici. È rimasto intatto e si è avuto il buon gusto di non affollarlo di varia paccottiglia per farne un vero museo Flaubert. Il Rochegrosse dipinse anche il paesaggio che cent'anni fa si ammirava dalle finestre: paesaggio fluviale, oggi rotto dai profili di troppe gru e ciminiere di opifici e di navi. Di questo secondo paesaggio, mancando d'altri mezzi, ho fatto una copia, servendomi di fiammiferi spenti, macchie di caffè, vino, aceto e rossetto per le labbra. Potrà ammirarla, con altri disegni, chi busserà alla porta di Fernando Mor, attuale reggente del vice-consolato italiano a Le Havre.

Quanti turisti vengono a visitare il *pavillon* Flaubert? Pochi, a giudicare dalle firme di un album. Vi leggo però parecchi nomi di amici italiani.

Flaubert morì a Croisset nel 1880 e chi ha letto anche solo un poco la sua corrispondenza non può non risentire con commozione gli echi che entro queste mura non si sono ancora spenti. Qui si ha anche fisicamente una idea di ciò che dovesse essere, in pieno Ottocento, l'arte della conversazione, un'arte ormai quasi scomparsa. Non ci si sa più immaginare oggi quel che potevano dirsi tre o quattro persone chiuse per ore e ore, senza radio e grammofono, senza partite di canasta, senza eccitanti di alcun genere, col solo conforto di qualche *tisane*, tra queste mura ristrette, alla periferia di una città di provincia.

La casa di Flaubert, di cui il padiglione è l'ultimo avanzo, era stata acquistata dal chirurgo Achille Flaubert, padre dello scrittore, nel 1804; Gustave Flaubert visse qui per ben trentacinque anni. Sotto vetro si conservano una ciocca dei suoi capelli, un fazzoletto, carta, penna e calamaio, qualche autografo, e i ritratti dei membri del suo « gruppo »: Bouilhet, Du Camp, Chevalier, Duplan, Lapierre, Laporte, il dottor Cloquet, Feydeau, la principessa Matilde, Louise Colet, George Sand e qualche altro. Poche le tracce del Flaubert « orientale », a eccezione di un piccolo Budda. Ben altro si può trovare oggi nella casa di un Malraux a Boulogne-sur-Seine. Eppure Flaubert si buscò a Beirut la malattia che doveva condurlo a morte all'età di cinquantanove anni. Età che allora era considerata senile. La sua morte non dovette commuovere eccessivamente la *mairie* di Rouen, perché un anno dopo la casa di Croisset era rasa al suolo per motivi di rinnovamento edilizio.

1955

Mauriac

Dopo aver avuto rassicuranti notizie sul mio conto (unica fonte il figlio Claude, scrittore che porta degnamente il nome del padre) il grande romanziere di *Teresa Desqueyroux* e del *Nodo di vipere* mi ha ricevuto nel suo appartamento di avenue Théophile Gautier ad Auteuil. Non vuol vedere nessuno per comprensibili ragioni. Viene da Malabar, nel Bordolese, dalla casa di campagna dov'egli trascorre i mesi più felici dell'anno. Il salotto è diviso dallo studio da una semplice arcata e i due vani formano un solo esagono che riceve molta luce dall'esterno. Sul pianoforte a coda grandi pile di libri appena giunti e pacchi di corrispondenza non ancora letta. Ai muri quadri di Dufy, Gromaire e Waroquier. Nessun lusso ma una certa eleganza. Mauriac entra a mezzogiorno preciso. È rimasto suppergiù qual era una dozzina di anni or sono, quando ebbi il piacere d'incontrarlo in una villa di Firenze. Alto, adusto, slanciato porta bene i settantacinque anni da poco compiuti. I capelli sono appena grigi, i baffi, ridotti a un'ombra, non sopporterebbero l'appellativo di *moustache*. All'occhiello una rosetta adagiata su un *canapé* più chiaro. (Esistono vari tipi di *canapé*, ma credo che quello di Mauriac sia il più importante: è infatti la gran croce, conferitagli da De Gaulle malgrado il parere contrario di non so quali personaggi).

Come tutti i sovrani che ricevono visite Mauriac mostra di avere qualche nozione di me e dei fatti miei. Si è informato, non lo nasconde: e come potrebbe farne a meno un uomo come lui, quotidiano bersaglio di ammiratori e denigratori egualmente fastidiosi? Quasi certamente nel pacco delle lettere ce n'è una mia che non sarà mai letta: ma non importa; egli sa già che non sono venuto per aumentare le sue noie. Può dunque distendersi e sorridere. Si allunga su un divano e fa un cenno verso la torre dei libri.

— È terribile — dice con voce fioca. — Ed è sempre così. Come fare? Come leggere? Come rispondere? — Poi non si lascia interrogare e parla da sé.

I viaggi lo interessano poco ma è sceso più volte in Italia, non oltre Roma. A differenza di molti altri francesi non è sensibile al fascino del nostro *midi.* Ama tanto Firenze e la Toscana che ha circondato di cipressi la sua casa di Malabar. Ma i suoi contadini non volevano saperne. Purtroppo oggi Firenze e Roma gli riescono insopportabili per l'eccessivo rumore. C'è troppa gente. Inoltre a Roma c'è il Vaticano, ch'egli venera come potenza spirituale, s'intende; ma il suo cattolicesimo ha bisogno di un distacco, di una prospettiva che a Roma non sono possibili. La lingua italiana, i nostri scrittori? Niente da fare, per le lingue straniere lui è *bouché*, chiuso. Del resto, quando scrive, egli impiega poche, pochissime parole. Altri esauriscono gli arcaismi del Littré (Saint-John Perse, suo compagno di scuola) o pescano nel mare dell'*argot* (Quenod), il che gli riesce impossibile. *Nouvelles vagues* del romanzo? Non ne sa nulla. Si sente uomo di ieri, il presente gli fa orrore. Romanzi non ne scrive più. Uno può essere il romanziere della propria generazione, poi deve lasciare il compito ad altri. Con poca fiducia, magari.

Continua a parlare velocemente. Sfilano molti nomi: Bernanos, insopportabile come uomo, Péguy, che non ha conosciuto, Valéry, ultimo poeta che ammira senza restrizioni, Eluard, eccellente, ma chi ne ricorda un verso?, Verlaine che Thierry Maulnier ha il torto di aver escluso dalla sua antologia, e Claudel... Claudel (un gesto benevolo; ma io ricordo il necrologio che Mauriac ne ha scritto: « Miracolo della grazia che scende su un uomo *senza mutarne la natura* »: che è davvero un miracolo di reticenza).

— I cardinali francesi? Uomini molto degni senza dubbio. Hanno redatto un manifesto davvero onorevole. Però non sono tutti di prim'ordine. Nessun prelato d'oggi ha il cervello dell'*abbé* Bremond.

— L'Accademia? È difficile parlarne. Un vecchio, da solo, può essere una persona interessante, ma molti vecchi messi insieme... Del resto De Gaulle, « protettore » dell'Accademia, voleva riformare la gloriosa istituzione, procedendo personalmente a una nuova infornata. Ha trovato tanti ostacoli che ha dovuto rinunziare al proposito.

Il Generale riscuote ancor oggi la fiducia di Mauriac; tutto quello che può essere salvato nella difficile situazione che sta attraversando la Francia è nelle sue mani. Ha bisogno di tutti, anche dei suoi avversari di sinistra, per ridurre alla ragione le teste matte degli *ultras*. Per questo Mauriac collabora all'« Express », giornale d'opposizione e vi porta, rispettatissimo, la nota discordante dei suoi *block-notes*. Tutto può servire al Generale, persino i manifesti sulla disobbedienza. S'intende che lui, Mauriac, non poteva firmare nulla, nemmeno quello di alcune barbe accademiche (« Je n'ai pas marché »).

Una pendola suona le dodici e quarantacinque e il figlio minore di Mauriac viene ad avvisarmi che un tassì chiamato per radio-telefono è alla porta. Padre e figlio poi restano alla finestra per esser certi che mi sono imbarcato.

1960

Bourdet

Appartamento di lusso nei *beaux quartiers*; la sala da pranzo è sotterranea ed ha la nudità di un refettorio per collegiali ricchi. Il *menu* comprende: *pâté* perigordino, più sostanzioso di quello alsaziano, fagiani provenienti dall'Eliseo e un vastissimo *dessert*. L'invitato sono io; padroni di casa: Claude Bourdet, la moglie Ida, squisita donna di origine tartara, cugina del commediografo Adamov, e i tre figli: Catherine, che studia storia, Nicolas e Louis, studenti di architettura. Non solo l'uomo politico mi attira in Claude Bourdet, ma vedo in lui il figlio di Catherine Pozzi, poetessa di lontana *souche* valtellinese, morta giovane dopo aver lasciato quattro o cinque liriche che ci si può arrischiare fin d'ora a definire come durature. Non è facile far parlare di sé Claude Bourdet; né tanto meno farlo parlare di politica. Perciò, spilluzzicando un'ala del fagiano statale, ho dovuto aiutarmi col ricordo e integrare i frutti della memoria con le notizie (in parte false e romanzate) che di lui e della sua storia ci ha dato Simone de Beauvoir nei *Mandarins*.

Anche Bourdet, come Mauriac, è un cattolico; ma non è uno scrittore cattolico, ecco la differenza. In Mauriac il cristiano e il cattolico tengono in sordina l'eventuale socialista (cristiano) che forse vive in lui; mentre Bourdet, interamente preso dal suo sogno di un moderno socialismo umanistico e tecnico, custodisce gelosamente in sé il mondo delle sue convinzioni religiose. Quel tanto di *vieille France* che si avverte ancora in Mauriac, nel più giovane Bourdet, uscito dal Politecnico di Zurigo con un forte corredo di cultura scientifica ed economica, non si sente più; c'è, semmai, come dicono i suoi ammiratori, quella « linea dell'89 » che parte da Gambetta e porta i nomi di Clemenceau, Waldeck-Rousseau, Jaurès, Viviani, Caillaux, Briand e Léon Blum: una tradizione di riformisti in qualche misura liberali. E potrà sembrar strano che un cattolico si inserisca senza crisi di coscienza in simile tradizione laica; ma Bourdet è tutt'altro che solo in questo.

Come uomo, Claude Bourdet è prima di tutto un uomo elegante: non per nulla figlio di Edouard Bourdet, celebre commediografo mondano ed ex-amministratore della Comédie française. Il padre deve avergli lasciato un buon numero di beni immobiliari che Claude non ha certo aumentato. Se fosse entrato, a studi finiti, nel mondo degli affari o anche, semplicemente, in qualche organizzazione internazionale il giovane Claude avrebbe fatto certo carriera; invece a cinquantun anni egli resta il condirettore di un settimanale d'opinione (« France Observateur ») e uno dei capi del P.S.U. (Partito Socialista Unificato), il portabandiera, cioè, di un gruppo piuttosto ristretto, un uomo ammirato e rispettato, ma in definitiva un franco cacciatore nel sottobosco della vita politica francese.

Potrà o dovrà anche diventare un vero e proprio politicante con tutte le tare della professione? Oggi si direbbe di no. La grande esperienza di questo ex-gollista insignito dell'ordine dei Compagnons de la Libération è stata finora quella di « Combat », il giornale ch'egli ha diretto e portato a larga diffusione dal '47 al '50. Bourdet aveva appartenuto già in precedenza – con Albert Camus – all'*équipe* dirigente dell'omonimo movimento, confluenza di due diversi gruppi di resistenti. Arrestato dalla Gestapo nel '44, rinchiuso nel carcere di Fresnes, deportato poi a Buchenwald, egli fu poi scelto dai suoi compagni a dirigere questo giornale, che fu per tre anni e per merito suo una delle rare tribune indipendenti della Francia liberata. (Invece, secondo Soustelle, uno dei « quattro grandi del tradimento »: essendo gli altri tre,

« L'Express », « Témoignage chrétien » e « Le Monde »).

In ogni modo l'indipendenza del giornale – dapprima garantita da un comitato di redattori-azionisti – finì con un successivo aumento del capitale azionario; e Bourdet dovette lasciare il suo posto. Ed oggi « Combat » è un giornale di stretta osservanza gollista. Per conto suo Bourdet non restò inoperoso e fondò nel '51 l'« Observateur » oggi « France Observateur », settimanale sostenuto da intellettuali non comunisti, socialistoidi, ex-comunisti (Hervé, Morin), cattolici. È il gruppo della *nouvelle gauche*, che l'anno scorso si è fuso col M.L.P. (Mouvement Libération des Peuples), con uomini usciti dal P.C. dopo i fatti di Budapest e dalla S.F.I.O. di Mollet. E si giunge così al Partito Socialista Unificato, che conta non più di quarantamila iscritti.

Ignoro quale potrà essere la fortuna del nuovo partito, vivacemente anticolonialista e forse non troppo lontano da quel che fu, in Italia, il Partito d'Azione. Ma questo non mi impedisce di ammirare in Bourdet un moralista e un saggista di tempra classica, un francese del tutto nuovo, senza muffa intellettuale, senza *panache*, un europeista convinto, uno scrittore politico che è soprattutto uno scrittore umano. Non ho saputo dirglielo, non sono riuscito a estrarre da lui qualche frase memorabile e appena ho intuito il segreto del fascino ch'egli esercita sui suoi collaboratori. Ma un senso di nobiltà e di sicurezza Bourdet ha saputo darmelo come nessun altro in questi giorni. Uomini come lui (pochi) lasciano la speranza che il *pouvoir personnel* – De Gaulle, probabilmente disposto ad ascoltare tutte le campane – non trascuri questa, che è una delle più oneste.

1960

Malraux

Il più bel ritratto di André Malraux è contenuto in quel curioso libriccino che è la *Galerie Privée* di M. Saint Clair (al secolo Madame Van Rysselberghe). Malraux, reduce dall'Iran, scende dall'aereo, stringe molte mani e si installa nella macchina che deve condurlo al raduno intellettuale di Pontigny. Le sue prime parole sono: « Voyez, en Perse la Divinité... ».

Perfetto; e non ci sarebbe nulla da aggiungere per un lettore francese. In Italia invece, dove pure Malraux conta amici e ammiratori, il ritratto riuscirebbe senza dubbio insufficiente. Viaggiatore, esteta, uomo presente in molte rivoluzioni dell'ultimo quarto di secolo, combattente nella guerra civile spagnola, ex-comunista non ortodosso e non irreggimentato (lo stesso Trotzky ebbe a tirargli le orecchie in una polemica svoltasi nella « N. R. F. » del 1 aprile 1931), autore di romanzi fondamentali per la conoscenza del nostro tempo (un titolo solo: *La condition humaine* basta a dirci quanto gli debbano Sartre e tutti i problematici d'oggi), avant'ieri ministro di De Gaulle, oggi scrittore d'arte che ha meravigliato tutti per l'estensione della sua cultura e per l'originalità del suo antimetodico e antisistematico metodo, Malraux resta per noi quasi un'incognita. È un dannunziano – mi chiedevo ascoltandolo alla sala Gaveau – o un Malaparte francese riveduto e corretto? Gli chiedo ora scusa del mio dubbio, dopo tutto non offensivo.

Ero seduto dietro di lui e non avevo potuto vederlo in

viso. Un uomo giovane, magro, senza un filo bianco nei capelli. Aveva accolto con un inchino l'ovazione destata dal solo annunzio del suo nome e s'era messo a parlare con voce tonante senza quasi consultare i foglietti dei suoi appunti. Seduto, curvo, sembrava sprofondare in se stesso e poi riemergere; le sue mani si agitavano percorrendo il *clavier* di tutti gli effetti. Cominciò come se dovesse tenere un discorso politico. « Che cosa possiamo noi offrire » gridò « ai giovani che non siano già decisi a sottomettersi alla disciplina staliniana? » Domanda interessante, che restò in parte priva di risposta. Ai giovani Malraux offerse, sostanzialmente, la cultura dell'Occidente, una cultura che è soprattutto « conoscenza di ciò che ha fatto dell'uomo altra cosa che un accidente dell'Universo ». (Che proprio tutti i dotti del nostro continente abbiano escluso tale accidentalità non direi, ma lasciamo correre). Continuò poi parlando a lungo della solitudine dell'uomo in faccia al cosmo, polemizzò contro il realismo sovietico che impone all'artista non solo il contenuto ma anche lo stile dell'opera sua, affermò che l'arte non è tanto l'espressione della società quanto quella del genio e concluse che l'uomo artista non è nato « pour partager le mensonge mais pour retrouver la grandeur ». Un'acclamazione unanime salutò l'oratore, che si alzò stringendo le proprie mani al disopra della testa come se volesse dar l'*accolade* a tutto il pubblico. E scomparve subito, inghiottito dalla folla, prima che avessi potuto guardarlo in viso.

Il giorno dopo andai a fargli visita a Boulogne-sur-Seine, dove egli abita, in un viale tranquillo, a pochi passi da una piscina. « È un quartiere di gente ricca, molto ricca » mi disse l'autista che mi aveva condotto. Entrai in un giardino dove giocavano tre bambini biondi e una cameriera mi chiese se avevo appuntamento col signor Malraux. La risposta fu di sua soddisfazione e risultò conforme alle istruzioni da lei ricevute. Salii una rampa di scale e fui ammesso in un *living room* che ha le proporzioni di un nostro cinematografo. Malraux mi venne incontro e vidi subito che non ha il viso dell'agitatore e del demagogo. Un bell'uomo, alto, non altissimo, magro, avvolto da una vestaglia di seta nera gettata su un pigiama azzurro dai pantaloni listati di scuro. Cinquant'anni portàti magnificamente, occhi grigi, capelli lisci, un *tic* che lo fa sbuffare dal naso, un'espressione insieme energica e concentrata. Introversione, retroversione, ecco due *clichés* psicologici che per lui non servono a nulla.

Le prime parole sono asciutte. In verità parla lui ed è ciò che volevo. Mi limito solo a dargli esca. Rettifica subito il grado di colonnello che io gli attribuivo. Colonnello fu in Ispagna, ma ora è generale di brigata della riserva. (Da noi si direbbe generale di complemento). Ha comandato la brigata dei volontari che ha ripreso Strasburgo; sessanta per cento fra morti e feriti.

— Generali di complemento — gli dico — esistono anche da noi, ma sono rari e credo siano degli specialisti. — Lo sono anch'io: — risponde — ho comandato i carri armati.

La conversazione-monologo è fitta e divagante. Malraux fa capire subito che non intende parlare di politica. È in ottimi rapporti col generale De Gaulle, ma il suo movimento, in quanto partito fra gli altri partiti, non lo interessa molto. Sperava che da quella parte venisse un rinnovamento nazionale, una trasformazione non solo politica. Ma la Francia è stanca, provatissima dalla guerra e non ha alcuna voglia di rinnovarsi. Stanca come collettività, intendiamoci; gli individui ci sono ancora, e lavorano in tutti i campi. Anche, e soprattutto nel campo dell'arte che è quello che di più lo appassiona. Su colleghi scrittori non dà giudizi degni di rilievo: si sente però che non lo interessano molto. Giudica l'attuale pittura francese ancora viva e vitale, senza farsi illusioni sull'*Ecole de Paris*. Crede tuttavia che Parigi potrà dare il *la* in fatto di arti figurative, ancora per un secolo. Da Chardin fino al 2050, sarà pur sempre un bel periodo di pittura. Naturalmente, quando sarà scoperto un nuovo viso dell'uomo, molta roba del nostro tempo dovrà sparire. (Fa un gesto col braccio, come se spazzasse un tavolo ingombro). Poi accenna agli entusiasmi di un noto cattedratico italiano per tutto ciò che sa di cubismo e di post-cubismo. — È intelligente — dice — ma deve rendersi conto che Picasso lo conosciamo meglio di lui. — Per conto suo ammira la lezione di Picasso compositore e scompositore di forme; ma in quanto a resa pittorica gli preferisce il più limitato Braque e persino qualche buon Rouault. Bonnard?, gli chiedo. Fu un genio negli ultimi anni, e solo in questi. Il caso di un'esplosione senile del genio non è raro in pittura, e voi Italiani ne sapete qualcosa.

Conosce la critica italiana? La conosce e l'apprezza al giusto. L'estetica di Croce è la più seria, la più rigorosa che esista al mondo. Però lui, Malraux, non la crede feconda nel campo delle arti visive. Partire da un'analisi del concetto di arte, è, secondo lui, un'impresa disperata. Bisogna muovere dal concreto, dall'analisi di un gruppo di opere d'arte sul quale il consenso sia universale, e tirare poi le logiche conseguenze. Nel suo prossimo libro esaminerà settecento sculture, tre o quattromila anni di espressioni tradotte in marmo o in bronzo o in pietra, e studierà le costanti stilistiche, i corsi e i ricorsi formali di quei capolavori. Gli ultimi grandissimi scultori gli sembrano Donatello e Michelangelo. Rodin « fa museo », è sembrato moderno perché ha vissuto a lungo ma a lui pare un contemporaneo di Delacroix. Ultime grandi statuette moderne, quelle di Degas.

Pittori d'oggi? — Voyez Dubuffet — (accenna una specie di graffito marrone che invece non è un graffito ma un olio: un paesaggio sublunare nel quale si distinguono alcuni animali segnati rozzamente; una pittura da caverna) — voyez Fautrier — (indica un quadretto nel quale è iscritto un ovale appena accennato, forse un volto umano). Poi mi mostra una monografia su questo Fautrier, che costa, nell'edizione più economica, ottantamila franchi. Contiene litografie originali appena macchiate di colore. Fautrier ha oggi cinquantacinque anni; è tonale come Morandi e sfiora i limiti dell'astrattismo come Paul Klee. Compone non più di tre o quattro quadretti all'anno, dopo lunghe meditazioni.

È un pittore di macchie, di ruggini, di efflorescenze subacquee. Per procurarsi un suo lavoro bisogna fare anticamera di mesi. *Pas d'espoir* (e nel mio caso) *pas d'argent.*

Malraux parla dell'Italia, che conosce come nessun francese della generazione posteriore a Larbaud. Forse la sua è un'Italia da museo, ma che si può pretendere da un critico che vede nel Museo (questa istituzione esistente solo da due secoli) la vera rivoluzione dei nostri tempi? Il *Museo immaginario* è il primo dei suoi quattro libri sull'arte oggi riuniti insieme sotto il titolo *Les voix du silence* (ed. Gallimard). I musei e le riproduzioni forniscono all'uomo d'oggi una esperienza figurativa in altri tempi impensabile. Baudelaire non conobbe l'Italia e Gautier, che non visitò Roma, vi giunse solo a trentanove anni. Erano i migliori conoscitori d'arte del loro tempo. Oggi anche uno che non abbia viaggiato quanto Malraux può affrontare l'arte sumera, le arti africane, l'arte indiana, cinese e giapponese e tutte le arti precolombiane. Assistiamo a una rivoluzione del gusto che non ha precedenti.

Che cosa è l'arte per Malraux?, mi chiedo mentre sfogliamo il voluminoso messale. Certo la più alta attività umana, la sola ch'egli giudichi assoluta dopo le delusioni che gli ha procurato l'attivismo sociale e politico. Attraverso il museo immaginario che ognuno di noi può formarsi, le opere, le pitture, le sculture hanno lasciato la funzione e le destinazioni primitive e sono diventate « oggetti » comparabili, suscitando e creando quel secolo delle metamorfosi formali che sarebbe il nostro. Siamo alle soglie di un altro umanesimo, ma capovolto, proiettato nel futuro e il nuovo storicismo che sorge non spiega e non comprende il passato, ma lo continua. Storicismo immaginoso, mitico, poco o punto razionale che alterna ad aperture che si direbbero vichiane analisi critiche forse scaturite dalla lezione del Focillon e pacate pagine contemplative quali seppe scriverne un giorno, sul nostro miracoloso Rinascimento, il Pater. E tutta personale, tutta in chiave di Malraux la conclusione che fa dell'arte l'anti-destino, e cioè, se non interpreto male, la liberazione dalle chiuse del determinismo, la libertà interiore che piega il fato e lo vince. È un mondo senza Dio, questo di Malraux; ma indubbiamente pieno di dèi. Quanto vi sia entrato dell'*Übermensch* di Nietzsche e quanto del napoleonismo stendhaliano non saprei dire. Certo la componente ultima è molto personale; e appartiene in proprio all'uomo che ha creato il Garine dei *Conquérants,* il personaggio che dice: « Non c'è posto nel comunismo per colui che vuole, prima di tutto, essere se stesso ».

Non più comunista, oggi forse fascista? La risposta la troviamo nel romanzo *L'espoir* (1932): « Un uomo attivo e pessimista è un fascista o lo sarà, a condizione che non abbia *une fidélité derrière lui* ». Una fedeltà che nessuno potrà contestare ad André Malraux.

Singolare scrittore, questo, che giovane ancora, può rispondere a problemi d'oggi con parole di vent'anni fa, e che dopo aver vissuto una vita da uomo di ventura è tanto appartato e discreto che i suoi biografi son costretti a scrivere la vita non di lui, ma dei suoi personaggi.

Mi alzo e anch'egli si leva. Ha parlato per un'ora e mezzo dandomi l'illusione di parlare a un amico e di essersi aperto per la prima volta. Che si può pretendere di più? Dalla finestra mi fa vedere la via che devo percorrere (ma che certo sbaglierò) per trovare un posteggio di tassì.

Esco sotto i primi goccioloni e costeggio la piscina deserta. Non so se invidiare il regale destino (o anti-destino) di André Malraux, ma stasera sono meno scontento del mio. E anche di questo posso ringraziare il regale autore delle *Voci del silenzio.*

1952

Pompidou e la letteratura

Il presidente Georges Pompidou ha cortesemente accettato di ricevermi nel suo ufficio all'Hôtel Matignon *pour causer littérature*. Avevo pensato che la mia richiesta – sebbene fatta nei giorni del *referendum*, tutt'altro che tranquilli per un primo ministro – non gli sarebbe parsa troppo strana, e ora vedo che non mi sono sbagliato. Pompidou, infatti, unisce le qualità dell'uomo politico e del finanziere a quelle dell'uomo di lettere. Brillante allievo della Scuola Normale Superiore, questa scuola che dà un incomparabile titolo d'onore ai suoi licenziati, riuscito primo all'*agrégation des lettres,* diplomato anche dalla libera Scuola di scienze politiche, più tardi professore a Marsiglia e al liceo Henri IV di Parigi, più tardi ancora tenente di fanteria in guerra, collaboratore del generale De Gaulle a partire dal 1944, per sette anni *Maître des Requêtes* al Consiglio di Stato, dal '46 presidente della banca Rothschild, dal '49 membro del Consiglio costituzionale, dall'aprile di quest'anno primo ministro del Governo francese da lui formato, egli è autore di opere per le quali sarebbe assurdo parlare di un suo violino d'Ingres letterario.

Tali sono tre saggi rispettivamente sul *Britannicus* di Racine, su Taine e su Malraux, e un'antologia della poesia francese da Eustache Deschamps a Eluard pubblicata appena un anno fa da Hachette, che potrà essere molto utile a lettori stranieri e che in Francia si distingue nettamente da quelle, più note, che l'hanno preceduta perché è opera di un umanista che mostra di non credere alle cappelle letterarie e rivela una indipendenza di giudizio assai rara. Ignoro quali accoglienze quest'antologia abbia avuto in Francia, e non mi sorprenderei se i giudizi fossero discordanti. Un banchiere e un uomo politico che si occupi di poesia non sarebbe concepibile in Italia dove Raffaele Mattioli si spinge fino a condirigere una collezione di classici ma non annota testi di Guittone o di Corrado Govoni; mentre a Parigi nessuno si stupisce che un antico *normalien* lasci il suo segno dovunque tocca, anche al di là degli affari e delle incombenze amministrative.

Il presidente Pompidou è ancora giovane. Nato a Montbondel, nel Cantal, nel 1911, dimostra meno dei suoi cinquantun anni. È alto, longilineo, i capelli fini e lisci, nerissimi, non sono molti ma non lasciano apparire alcun segno incipiente di calvizie. Il disegno del naso e della bocca è sottile, gli occhi sono vivaci e scrutano il visitatore senza dare il sospetto della diffidenza. È vestito di blu scuro, naturalmente elegante e non porta decorazioni all'occhiello. È, o era fino a ieri, semplicemente *officier* della Legion d'Onore.

Mi ha ricevuto con mezz'ora di ritardo, ma già un cortese inserviente – lui sì, carico di nastrini – mi aveva informato che il presidente era *télévisionné* e che perciò non sarebbe stato puntualissimo.

Che cosa pensa il presidente della poesia? E perché ha composto la sua antologia?

— La poesia si trova dovunque, non solo nei libri di versi. In un romanzo, in un quadro, in un paesaggio, nel cuore stesso dell'uomo, è sempre possibile avvertire un'accensione poetica. Tuttavia la poesia scritta è la più difficile delle arti. Un quadro, una sinfonia possono essere ammirevoli anche se le loro qualità poetiche siano scarse; ma non c'è nulla di più triste di una poesia non riuscita. Se nelle altre arti la poesia può esser qualcosa come un *surcroît* (un pregevolissimo dippiù) nella lirica l'afflato poetico è tutto. La poesia impoetica ha la tristezza del bambino nato morto.

(Qui cade una parentesi, tutta mia. Siamo evidentemente dinanzi a una concezione classicistica ed extra-temporale della poesia. La poesia è un dono raro che a pochi, e non sempre, è concesso; ed essa è sostanzialmente eguale in ogni tempo. Tale è almeno il carattere della grande poesia francese; e fin qui non ci si distacca molto da quanto ha detto Thierry Maulnier in una sua giustamente lodata antologia).

— Conosco l'obiezione che lei mi muove, e che è stata ripetuta recentemente anche da André Gide col suo ben noto sospiro: *Hugo, hélas!* Io non credo affatto che la poesia sia il punto morto della nostra letteratura. Probabilmente Gide pensava alla poesia dell'Inghilterra e della Germania, ma ogni raffronto mi sembra impossibile. D'altronde Gide non amava molto la poesia e il suo orecchio musicale non era di prim'ordine. Il suo musicista preferito era Chopin. Lei mi dice che senza Chopin non si spiegherebbe nemmeno Debussy? Sarà vero ma ci sono state vette maggiori. In ogni modo credo che chi giudica la poesia dei poeti stranieri cada in errori di valutazione. La fortuna di Poe e di Heine in Francia sorprende gli Americani e i Tedeschi. La poesia è legata a elementi imponderabili che sfuggono a lettori cresciuti in altra lingua.

Ora riesco a inserire una domanda: — Non crede, signor presidente, che *l'esprit de finesse*, il carattere razionale e sociale della letteratura francese sia stato compromesso dalle ricerche avvenute in Francia dopo il simbolismo? Mio padre, uomo di scarsa cultura, leggeva senza troppa fatica Bourget, o peggio; ma uomini come lui, oggi, non saprebbero cavarsela con gli autori più recenti. La lingua si è impreziosita, la psicologia (quando c'è) si è fatta capillare, e insomma si ha l'impressione che i vari *ismi* non abbiano servito la diffusione della vostra cultura nel mondo.

— Ormai la letteratura va avanti a grandi ondate cicliche, e quelle che sopravvivono sono solo le grandi personalità. A una moda ne segue un'altra, poi tornano in auge le vecchie mode. Non bisogna lasciarsi impressionare dalle scuole letterarie. Lei ha visto la mia antologia: i parnassiani non vi trovano grazia, gli epigoni del simbolismo vi appaiono appena con qualche verso. Dietro un poeta c'è sempre un codazzo di imitatori. Ho invece riabilitato Lamartine, Vigny, Musset e, naturalmente, il primo Hugo; e in questo mi distacco dall'utilissima antologia di Thierry Maulnier, che aveva sopravvalutato i poeti barocchi, da Scève in su, per disfarsi poi dei grandi romantici. Al centro dell'Ottocento metto anch'io Baudelaire: Mallarmé, Verlaine, e Valéry nelle loro cose migliori sono sulla sua scia, poi si giunge ad Apollinaire, ultimo figlio di Verlaine. Finisco con Eluard che forse non ha trovato un tono molto alto, ma che è intimamente legato alla mia giovinezza. I viventi li ho esclusi per non aver seccature; e poi quanti sarebbero stati? Tre o quattro in tutto. Non potevo tralasciare poeti che hanno portato l'eloquenza fino ai margini della poesia (Péguy, Claudel), ma sono stato inflessibile con i mediocri, anche se hanno goduto ai loro tempi, di grande fama.

— A me, signor presidente, fa molto piacere veder posto in rilievo un poeta come Toulet, in Italia assai noto; ma resto sorpreso di veder decapitati poeti come Laforgue, Francis Jammes e Germain Nouveau. Il simbolismo ha prodotto, in Francia, una pleiade di minori che nel suo libro sono appena nominati. Chi tenga presente la prima antologia del simbolismo, a cura del Van Bever e del Léautaud (forse la culla della scuola « crepuscolare » italiana) assiste, leggendo la sua antologia, a una vera rivoluzione del gusto, o meglio a una restaurazione. La cosa sorprenderà chi pensava che la cultura francese fosse gelosa di tutti i suoi beni, anche del *bric-à-brac*.

— Io ho composto un libro puramente individuale, un libro di preferenze. Ho ricopiato, e spesso riportato a una grafia moderna, quelle che mi sembrano le poesie obiettivamente più belle fra quante in sette secoli sono state scritte in lingua francese. La critica potrà veder le cose in modo diverso. Lei mi chiede se in Francia esiste ancora una critica che serva veramente alla diffusione e alla comprensione delle opere letterarie. Forse la critica teatrale ha ancora una certa efficacia. Il resto si svolge in riviste poco lette, quando non è il primo abbozzo di un'opera che dovrà servire per tesi di dottorato.

— E la filosofia? Da noi si pretende che la metafisica sia morta e che la scienza debba sostituirla. Esistono però filosofi fenomenologici sospettati di ripresentare, sotto una nuova tintura, posizioni molto vicine a quelle del tramontato (per ora) idealismo.

— La filosofia mi interessa poco. *C'est du vocabulaire.* Nemmeno mi interessano le pretese dei nuovi romanzieri così detti « dello sguardo ». Le ripeto che le scuole passano rapidamente e che quel che resta è il talento individuale. Spesso il successo delle scuole è dovuto a un equivoco. Per esempio il cinema italiano neo-realista è piaciuto in Francia per un suo aspetto che a noi è sembrato surrealista. È possibile che le intenzioni degli autori fossero diverse.

— Un'ultima domanda letteraria. Se la poesia è intraducibile dobbiamo dunque fare a meno delle traduzioni?

— Traduzioni bilingui che facciano almeno sospettare che cosa c'è nel testo originale mi sembrano augurabili. Una *Divina Commedia* col testo a fronte, per esempio. Lei dovrebbe suggerire l'idea a Gallimard.

— Posso assicurarle che il professor Alfred Pézard ha già compiuto in gran parte l'impresa per la collezione della Pléiade. Non solo per la *Commedia*, tradotta in decasillabi senza rime, ma per tutte le opere di Dante. E ora signor presidente, un'ultima domanda, sui giovani. Un paese come la Francia, che ha sempre contato su due grandi forze – la burocrazia e la scuola – può sperare in un soddisfacente cambio della guardia? C'è ancora una gioventù che desidera di entrare nell'amministrazione e nella scuola? Da noi il problema si fa grave. Si vuole tecnicizzare la scuola e ridurre al minimo l'insegnamento delle lingue classiche.

— Non vedo molti pericoli in questo senso. Abbiamo una gioventù meravigliosa, e parlo naturalmente dei giovanissimi. Chi vuole studiare in uno dei due rami, il classico o lo scientifico (o anche in tutti e due), trova assistenza e aiuto. Se crisi può esservi, come dovunque, sarà una crisi di crescenza.

A questo punto mi sono alzato con l'immancabile rendimento di grazie. Con molta cortesia il signor Pompidou mi chiese se disponevo di un mezzo di trasporto, e a una mia risposta negativa mi affidò a ben due segretarie che misero a mia disposizione una macchina della presidenza. E intanto che l'auto procedeva lentamente verso la porta di Orléans, in un incredibile *embouteillage* d'altri veicoli, io pensavo alla stranezza di simili incontri tra sconosciuti che restano reciprocamente tali anche dopo avere sfiorato alcuni degli argomenti che più dovrebbero, almeno per un istante, metterli in comunicazione. Forse l'uomo si rivela più nelle piccole cose che nelle grandi. E io troppo tardi mi sono ricordato che il presidente ama i fiori e il giardinaggio; e ho dimenticato di dirgli che anch'io amo gli animali, gli alberi e la natura. (E la Francia, ma era sottinteso).

1962

Jean Delay, moglie e figlia

A che punto è in Francia la trasformazione dell'uomo in *robot*? Pericoli simili nel sud-ovest francese, scarsamente popolato e ancora poco americanizzato, è probabile che non si avvertano; ma forse a Parigi e nel nord il processo di massificazione dell'individuo poteva preoccupare qualche spirito avveduto. Decisi perciò di consultare uno psichiatra; e la mia scelta fu dovuta al fatto che l'uomo da me desiderato non era solo un uomo di scienza, ma un umanista e uno scrittore altamente rispettato. Con quale grazia e con quanta ampiezza di dottrina il professor Jean Delay dell'Accademia francese aveva presieduto giorni fa alla riunione delle cinque accademie nazionali (l'Istituto di Francia) sotto la cupola del rinnovato e intonacato *palais* Mazarino! Si trattava di commemorare non meno di venti accademici delle varie classi e accademie (con o senza abito verde) deceduti dal tempo dell'ultima riunione generale; e per tutti Jean Delay aveva trovato la parola giusta, la formula riassuntiva, toccando anche accenti commossi quando l'illustre scomparso era più vicino a lui per meriti letterari (il chirurgo Henri Mondor, biografo e critico di Mallarmé) o per estrose qualità di carattere (il romanziere Pierre Benoît, tanto innamorato dell'Accademia da ordire trame nei salotti fiorentini per favorire l'ascensione di qualche amico e capace di tenere il broncio ai suoi colleghi e di privarli della sua presenza quando i suoi consigli non fossero ascoltati).

Giovane ancora, cinquantacinquenne, il più giovane accademico dopo Henri Troyat, titolare di psichiatria alla Sorbona, autore di due fondamentali volumi sulla giovinezza di André Gide, Jean Delay era probabilmente l'uomo che io andavo cercando. E fu così che un giorno, verso le cinque del pomeriggio, lasciando l'Opéra sotto un violento acquazzone, mi imbarcai – è il caso di dirlo – verso l'avenue Montaigne numero 53: un bel palazzo con un vasto cortile e diverse porte interne tra le quali, risultando assente il *concierge*, era difficile la scelta. Purtroppo l'*avenue* era del tutto allagata, e così il cortile; ed io dovevo esser del tutto in guazzo quando, dopo vari sondaggi andati a vuoto, trovai l'ascensore che cercavo e il campanello che dovevo premere. Per fortuna non avevo con me un ombrello che inondasse la sala d'ingresso; e giunto in un salotto adorno di pitture cinesi tentai di mettermi in ordine. Ma uno sguardo alla *moquette* e ai miei piedi, incrostati di foglie gialle di *marronniers*, mi fece sussultare. Poiché l'insigne professore non era ancora apparso cercai di appallottolare le foglie e provvidi a nasconderle in un grande caminetto spingendole molto in fondo col *poker*. Poi si avvertì un passo felpato e il maestro apparve. Un uomo del tutto rassicurante, pieno di fascino e di cortesia.

Alto, robusto ma snello, con folti capelli appena ricciuti, uno sguardo penetrante, un sorriso che rassicura anche se incute rispetto, elegante nel portamento, accuratissimo nel vestire, questo basco di Baiona ha anche tutte le qualità esteriori che debbono occorrere per una carriera come la sua, compiuta a grandi bordate. Come il suo grande amico Mondor unisce le qualità dell'uomo di mondo allo scrupolo della ricerca scientifica. Mi dissi subito che se fossi impazzito mi sarei posto con piena fiducia nelle sue mani. E superato il primo disagio (dopo tutto correvo il rischio di sembrare un *casse-pieds,* uno scocciatore) gli posi le prime domande, accolte tutte con la più grande comprensione.

Non starò a enumerarle tutte, e mi limiterò a dire che le sue risposte sono quelle che si potevano attendere da un umanista. Jean Delay non crede che dall'uomo di oggi, ingranato in forze più grandi di lui, eterodiretto, guidato non solo dai *mass media* ma da mille motivi economici e sociali, sempre meno libero e probabilmente sempre meno desideroso di esserlo, debba uscire un uomo di domani totalmente diverso dall'uomo d'oggi, un uomo formica, biologicamente sviluppatissimo, psichicamente depauperato di quei moventi oscuri che fornivano alimento alle grandi costruzioni del pensiero e dell'arte. Non lo crede, e certo non è nelle sue speranze.

È perfettamente conscio del carattere visivo della nostra civiltà, della decadenza della parola e della conversazione; sa quali sono i pericoli di una ubriacatura scientifica che non sia posta al servizio dell'uomo e sa pure che il luogo dell'uomo è sulla terra e non sui cieli. (Se il suo luogo sia nel cielo di Dio è una domanda che non gli fu posta). Sostanzialmente egli è nella posizione di un ottimismo cauto, condizionato da molti *se* e *ma*. In arte non vede molta differenza tra la pittura dei pazzi (attentamente seguita da una Société de psychopatologie de l'Expression che ha creato anche un suo museo) e quella che si fa oggi nel mondo; ma questo non deve indurre in diagnosi premature.

Tutta la psiche collettiva è in travaglio perché al mutamento di pelle del mondo (progresso meccanico, industria, culto della velocità, apparente crollo dell'arte, decadenza dei valori individuali), non corrisponde ancora la struttura interna dell'uomo d'oggi, rimasta ancora a uno stadio precedente. Tuttavia non è detto che il volto dell'attuale civiltà resti quello che è ora, definitivo. Motivi esterni o interni, crisi inimmaginabili possono condurre l'uomo a smaltire l'attuale *déboire* e a ricondurlo a se stesso. In definitiva sarà la cultura, la cultura umanistica che potrà salvare l'uomo.

— Col greco e col latino?

— Anche, se pure siano necessarie molte scuole sempre più tecnicizzate. Ma una tecnica che prescinda dal senso dell'uomo, dalle verità della religione e della filosofia morale non può portare che a una paurosa involuzione.

— La giovane generazione dà garanzie a questo proposito?

— Se lei ha visitato la Scuola Normale deve essersene accorto. A meno che...

A questo punto la nostra conversazione fu interrotta da un'apparizione quasi soprannaturale. Una fanciulla forse appena ventenne, alta, esile, bionda, spettinata, con due occhi di un azzurro marino e un passo leggero come un volo era entrata nel salotto e mi guardava con un'espressione proterva, sotto la quale gorgogliava una gran voglia di ridere. Mi chiese se avevo dei dubbi sulla gioventù francese, e certo aveva afferrato qualcosa del precedente discorso.

— Nessun dubbio ora che vedo lei — risposi.

— È Florence, mia figlia — disse il professore. Spiegò che la ragazza – da poco « licenziata » in letteratura spagnola – è la Giovanna d'Arco dell'ultimo film di Bresson non ancora apparso in pubblico. Si tratta di un film storico, per quel tanto che è possibile, e Florence ha pronunziato tutte le parole dette dalla pulzella dinanzi ai suoi giudici. Malgrado questo esordio sensazionale la fanciulla (un angelo alla Burne-Jones che più tardi mostrò i lineamenti *estompés* di una forosetta di Greuze) non vuole inoltrarsi sulla strada del cinema: preferisce il teatro, diventerà forse una regista. Ma di quale teatro, se intende limitarsi ad opere di assoluto valore poetico? Florence parla a lungo e scopriamo che abbiamo comuni amici a Milano e a Firenze, città che le ha dato il nome. Ascoltandola penso che sto trasferendo l'intervista dal padre alla figlia; con molta mia gioia perché sentirla parlare è una delizia, ma anche con un totale naufragio dei miei propositi iniziali.

Uno scroscio violento di pioggia interrompe il colloquio a tre, più monologo che colloquio. Si fa tardi, sarà possibile chiamare un tassì col telefono? Sì, la possibilità esiste, ma col brutto tempo non si sa mai... Si proverà. Florence esce e torna con buone notizie: il tassì arriverà tra quindici minuti. C'è tempo per parlare ancora: teatro, Shakespeare, maltrattato anche in Francia, la presenza fisica del poeta René Char a Parigi (si provvederà a informarlo che sono visibile all'albergo Saint James) e un ruscelletto di tante altre cose. Infine ci alziamo e poiché Jean Delay mi ha offerto i due tomi del suo Gide e il testo del discorso da lui pronunziato « sotto la Cupola », Florence nasconde il pesante fardello sotto l'impermeabile e mi prende sottobraccio. Nel cortile allagato ho l'impressione di essere re Lear condotto per mano da Cordelia.

Purtroppo, il tassì non c'è più, o forse non è giunto affatto. Florence propone di lasciarmi lì e di andare alla ricerca di un mezzo. Io mi contenterei di essere guidato fino a un *métro*. Prevale l'idea di risalire per telefonare ancora. Ma quando mi ritrovo solo nel salotto e sto tentando di eliminare qualche altra foglia dalle mie scarpe ecco aprirsi la porta ed apparire una donna forse bellissima ma talmente imbacuccata in *foulards* e scialli che io vedo soltanto due occhi lucenti e risoluti. — Vi accompagno io — dice con decisione senza che io abbia tempo di presentarmi.

— È mia madre — dice Florence. Ogni mia protesta è inutile; scendiamo in tre, io e Madame Delay entriamo in macchina, Florence fa cadere il prezioso pacco ai miei piedi e saluta con la mano. La macchina procede lentamente, io guardo in tralice gli occhi della signora, bellissimi, ma vedo poco altro di lei. Ma lei parla, e dal cumulo delle sciarpe mi vengono molte notizie: alle otto dovrebbe essere a Neuilly per un pranzo importante, dovrà tornare a casa per cambiarsi e ripartire, arriverà con un'ora di ritardo, ma che importa? Tanto meglio o tanto peggio. Adora la poesia, non legge più romanzi, da tempo si è fissata su un poeta solo: Hölderlin e ha imparato apposta il tedesco per leggerlo nell'originale. Dice di essere forte, risoluta, e lo si vede. Io sono tentato di cambiare rotta per la terza volta e di riportare la mia ammirazione, e la mia intervista, dalla figlia alla madre, ma della madre so poco, troppo poco, neppure l'ho vista in faccia. Dice di essere nata nel nord ed io so soltanto che è di una cortesia suprema e che ama i poeti.

Intanto la macchina procede sempre più lentamente, è imbottigliata in una triplice colonna che scivola senza rumore verso l'Arco di Trionfo; ma lei ogni tanto fa un rapido semicerchio, passa da una colonna all'altra, guadagnando numerose posizioni. — *Je triche* — dice. — *Je triche pour vous, Monsieur.*

Ed io ringrazio confuso e prego di essere deposto in qualche luogo, saprò pur cavarmela da solo, il peggio è fatto. Ma lei insiste, vuol portarmi fino a rue Cambon, poi sarò quasi arrivato. Non importa, a Neuilly aspetteranno, non è la prima volta.

Il compatto torrone delle macchine si sposta senza rumore, la pioggia è un po' diminuita; ma infine appaiono le prime arcate di rue de Rivoli, rue Cambon è a pochi passi, al primo faro io riesco a scivolare fuori. Ormai non mi resta da percorrere più di mezzo chilometro al riparo dalla pioggia. Ringrazio, sollevo il pacco dei libri, vedo con orrore altre foglie gialle sulle mie scarpe e mi avvio lentamente verso il mio albergo. La macchina scompare inghiottita da altre macchine. Ed io mi metto a riflettere. Non so se potrò ricavare un « pezzo » da questa visita ma intanto debbo registrare con soddisfazione che non tutto in questo mondo va a rotta di collo. E la mia sorpresa si accresce quando, il giorno dopo, ricevo un messaggio di René Char, che annunzia una sua prossima visita. Dunque la sorprendente Florence ha mantenuto la sua promessa e la non meno incredibile sua madre – giunta a Neuilly con tanto ritardo – non mi ha odiato.

1962

Auric e Char

L'ingresso dell'Opéra è sbarrato da grandi cancelli nelle ore diurne, e si accede alla direzione da un cortile laterale. Al piano di sopra c'è un corridoio sul quale si aprono diversi salotti. A metà del corridoio un'impiegata seduta a un tavolo. I muri del corridoio sono tappezzati da manifesti di trenta, quarant'anni fa, annunzianti grandi prime rappresentazioni d'allora. Sono introdotto in un salottino e una cortese segretaria mette a mia disposizione la metà di un portacenere spaccato. Dall'interno giungono note acute di cantanti: certo di là dai muri si sta provando qualcosa al pianoforte. La segretaria riappare e mi dice che il signor Auric si scusa per il probabile ritardo. Ha una colazione ufficiale a Versailles e date le condizioni del tempo non gli sarà possibile tornare in ufficio per le tre. — Sapete come vanno le cose in questi pranzi — dice. — Non si sa mai quando finiscono. — Fuori si sente lo scroscio della pioggia. Passano nel corridoio uomini vecchi e giovani in maglione, qualcuno porta il berretto basco. Devono essere cantanti; uno intona la « vecchia zimarra » in francese: *O ma vieille douillette.*

Quello che ho davanti agli occhi è il retrobottega, o la cucina, di una secolare e gloriosa fabbrica di spettacoli operistici. Per molti anni, e si può dire fin verso la fine dell'Ottocento, un particolare tipo di opera in musica – il *grand opéra,* mastodonte melodrammatico arricchito di balli e di grandi effetti spettacolari – tenne il campo nel mondo dello spettacolo e si espanse anche al di fuori della Francia. Tutti i nostri grandi operisti del secolo, non escluso il casto Bellini, ne furono più o meno contagiati. Accanto al genere minore dell'opera comica nelle sue varianti (*vaudeville,* operette di tipo offenbachiano) il *grand opéra* fu l'ultimo grossolano tentativo di sintesi delle varie arti, o se si vuole il preludio di ciò che oggi si chiama lo spettacolo, e cioè l'accozzaglia di ogni genere d'effetti visivi e auditivi al fine di far digerire al pubblico quel tanto o poco di ciò che il pubblico non desidera più: l'arte.

Da molti anni il mastodonte è morto, non si riproduce. Ma gli esemplari rimasti imbalsamati nel museo vengono ancora offerti al pubblico e l'Opéra di Parigi ne conserva alcuni, non molti. Il resto del repertorio è occupato dall'opera verista e post-verista, da Massenet fino a Charpentier. In alto resta il pallido astro del *Pelléas.* L'opera italiana è presente con Verdi, Puccini (migliaia di repliche di *Bohème*) e *Cavalleria* e *Pagliacci.* Poco altro di più, ma si è rappresentato anche il *Volo di notte* di Dallapiccola.

Intanto il tempo è passato ed ora ho dinanzi a me Georges Auric, da qualche mese direttore artistico del glorioso teatro. È uno di quegli uomini con i quali si discorrerebbe volentieri a tavola, un *bon vivant,* un uomo coltissimo che non esaurisce le sue curiosità nel campo della sola musica (« Je déteste la musique », dice agli amici), ma qui lo vedo rattrappito nelle sue nuove funzioni, disincantato, ma anche deciso a reggere meglio che può il timone della barca. In gioventù ha fatto parte del gruppo dei Sei, accanto a Milhaud, Honegger e Poulenc (gli altri due erano Louis Durey e Germaine Tailleferre), una piccola pleiade che venerava Satie e tentava di salvare la musica francese dalle nebbie dell'impressionismo postdebussiano e dall'ascetica avarizia dei seguaci della *Schola Cantorum* (D'Indy soprattutto). Su Wagner i giudizi erano discordanti, perché Milhaud si professava entusiasta del nuovo verbo.

Il gruppo durò poco e ognuno dei sei percorse la propria strada. Auric si fece presto ammirare per le sue musiche di balletto e di film (numerosissime e del genere « secco », non immune da ricordi stravinskiani), ma non parve mai tentato dall'opera, dal melodramma. Ed ora proprio sulle sue spalle devono gravare i due teatri d'opera statali, l'Opéra e l'Opéra Comique, tutti e due per molte ragioni invecchiati, in attesa che si costruisca – se mai sarà costruito – un nuovo teatro d'opera per quattromila persone sui Champs-Elysées, secondo un progetto di André Malraux. Invecchiati, ma purtuttavia i soli che vantino una tradizione e mantengano un gusto, un carattere.

Che cosa sopravvive di quel gusto? Che attrazione hanno per il pubblico parigino gli spettacoli dei due teatri? Auric parla. È di statura non alta, più che media, piuttosto corpulento, i capelli color marrone portano una scriminatura centrale e non rivelano l'età del maestro, nato nel 1898. Dev'essere un uomo pieno di spirito, ma per assaggiarne il sapore si dovrebbe uscire dai binari dell'ufficialità. Oggi è impossibile, siamo spossati tutti e due.

Dunque la verità è che a Parigi l'opera desta poco o nessun interesse nelle cosiddette *élites* culturali. I giovani francesi non sentono il bisogno di ascoltare la *Lakmé* di Delibes o la *Mirella* di Gounod e certo non si sono mossi da casa per sentire l'*Aida* di Verdi data ora per due volte in lingua italiana con interpreti stranieri dotati di una pronunzia del tutto insufficiente. Eppure il teatro era esaurito e le accoglienze del pubblico mi parvero addirittura entusiastiche. Ma chi formava quel pubblico? Probabilmente molti erano portoghesi, disponevano di biglietti messi a disposizione dei vari ministeri; e il resto era formato da stranieri e da provinciali francesi.

L'Opéra non riesce (e neppure vi riesce la Scala) a rinnovare il suo repertorio. Vive sul passato. Tutti i tentativi fatti per trovare nuovi lavori adatti al gusto del pubblico sono falliti. Tuttavia il pubblico non manca; il portiere del mio albergo conosce i nomi dei principali artisti, anche italiani, e rivela una competenza degna di un « loggionista » della Scala.

Auric parla, si sveglia, dà qualche scintilla, ed io cerco di ricordare senza prendere appunti. Sarebbe come infilare una farfalla con lo spillo e pretendere che resti viva. La Francia produce ogni tanto, raramente, eccellenti artisti lirici, ma questi sono molto impegnati all'estero. Abbonda di artisti di secondo piano e ad essi il lavoro è assicurato anche nei teatri di provincia sovvenzionati dai Comuni. Hanno *cachets* o stipendi modesti. E la critica serve qualcosa? Pare che serva a poco. Ci sono critici competenti e poco sensibili al teatro, altri sono buoni giudici degli artisti ma non conoscono la musica. Quanto alle tendenze della musica attuale Auric manifesta il suo eclettismo: tutto gli piace, anche l'opera italiana, non però quella ch'è venuta dopo Puccini. Tollera la dodecafonia; gli eccessi della regìa, lo sfarzo scenografico lo trovano piuttosto freddo. Sull'avvenire dell'opera non si pronunzia; tuttavia l'esistenza di un mondo che vive del teatro musicale è indubitabile, ed è impossibile che prima o poi questa grande macchina di interessi non esprima dal suo stesso seno un artista di genio. Oggi la radio e la televisione hanno la meglio, ma si può credere che il vecchio strumento, il teatro, non abbia esaurito i suoi compiti. Bisognerà attendere.

Con queste parole, e con una stretta di mano, Georges Auric mi lascia. È un uomo pieno di ricordi e scarso di propositi. Peccato non averlo conosciuto durante la sua stagione alta, quando la musica era per lui una gaia avventura di tutti i giorni.

*

Più tardi è venuto a trovarmi René Char, il poeta che oggi gode di maggior credito in Francia e forse anche all'estero. Ha cinquantacinque anni, è alto, robusto, i suoi capelli sono leggermente crespi, la sua andatura potrebbe essere quella di un soldato anche se il bastone a cui si appoggia mi fa pensare a qualche suo incidente di macchina. È stato un eroe del *maquis,* ma secondo lui tutto è cominciato per errore: i Tedeschi lo cercavano credendo che fosse un altro. E intanto da quell'errore è venuto fuori un duro combattente partigiano, e sono nati quei *Feuillets d'Hypnos* che restano il più bel libro di poesia uscito in Francia da molti anni. I « foglietti » sono i frammenti, le illuminazioni, gli aforismi di una stagione di vita eccezionale; in essi la sensazione fisica è completamente bruciata da un senso che potrebbe dirsi metafisico se la parola non fosse sospetta. In lui l'attimo, l'istante reale spalanca le sue porte e lo immerge nell'esperienza concreta dell'eternità. Non mi sorprendo quando lo sento parlare dei presocratici, i soli filosofi che lo interessano, i soli che i filosofi d'oggi ignorino.

Char vive in Provenza, a Valchiusa, all'Isle-sur-la-Sorgue. Petrarca è, naturalmente, uno dei suoi poeti. E parlando con lui non ho più l'impressione di infilzare una farfalla, bensì quella di metter le dita in un braciere ardente.

A Parigi viene di rado, ha in orrore le cabale e le combriccole del mondo letterario, l'insaccamento (*saucissonnage*) di ogni ingrediente nei prodotti attuali della letteratura e del teatro. Si potrebbe dirlo un pessimista se il suo non fosse un pessimismo che rivela una fede profonda, oscura forse a lui stesso, forse la sola fede possibile a un uomo d'oggi. La poesia come professione, come genere letterario non è cosa che possa interessarlo; oggi è un prodotto che si può perfezionare all'infinito, una cosa morta, un arnese. Tuttavia può accadere che il poeta trovi qualcuno che riceva il suo messaggio e che si faccia vivo da lontano: sono i casi in cui « la bottiglia gettata in mare » è arrivata a destinazione. Vale qualcosa questa rete invisibile di corrispondenze e di echi che sembrano giunti d'oltretomba? Vale indubbiamente a confermare al poeta ch'egli non vive in un sogno ma in un mondo più reale, il solo che garantisca una realtà. Tutto il resto (politica, partiti, affari, strutture sociali ed economiche) non ha nulla di vero, semplicemente esiste; ma l'uomo che ha compreso la vita non può che tenersene lontano.

Estetismo, *art pour l'art*? Nulla di più lontano da un poeta che mi avevano dipinto come scontroso e difficile, e che è invece il modello stesso della cordialità e dell'onestà intellettuale. Le strettoie dell'*esprit de finesse*, del vecchio razionalismo francese non hanno presa sul suo animo di uomo del mezzogiorno aperto a tutti i venti ma saldo sugli scogli di una vecchia sapienza ancestrale. E il fatto è che lasciando questo pessimista ci si sente riconfortati, mentre dopo l'incontro con i molti Pangloss d'oggi ci si può abbandonare alla più nera disperazione.

1962

VII

Un festival di musiche e di bombe

Quando si afferma che la Catalogna non è la Spagna ma la sua anticamera si intende fare ai Catalani un complimento che essi non gradiscono. In verità, poiché comincia qui il paesaggio terribile che in Europa non sapremmo trovare altrove, il paesaggio da *Dies irae* della Spagna, si dovrebbe concludere che l'anticamera è troppo simile ai grandi saloni del piano nobile per esserne veramente distinta. Ma probabilmente il senso della frase vuol soprattutto sottolineare una diversa tradizione storica, psicologica e linguistica; e allora converrebbe abbandonare l'idea dell'anticamera e dar ragione a quei catalanisti che pretendono di non aver nulla in comune con gli Spagnoli. Chi viene dal di fuori ha invece un'impressione diversa e pensa che la secolare disputa tra i due paesi implichi una profondissima, dialettica, concordia discorde; e che in definitiva le due terre non saprebbero fare a meno l'una dell'altra. L'impressione della parentela, e persino di una stretta parentela, finisce per imporsi.

C'è, è vero, anche più importante degli altri motivi di divisione, l'attaccamento dei Catalani alla loro lingua. Se in Provenza, come vedemmo, la lingua provenzale appena sopravvive, in tutta la Catalogna popolo e borghesia si esprimono in catalano. Abbiamo già detto che partendo da questa constatazione, cent'anni fa, Paul Meyer giudicava molto più promettente la rinascita letteraria catalana di quella provenzale. Fu buon profeta, anche se la Catalogna non ha dato un poeta di fama mondiale come Mistral; ma la vitalità letteraria di una lingua si misura dalla poesia o dalla prosa? E sapremmo oggi immaginare grandi giornali quotidiani, libri storici e scientifici scritti in lingua d'Oc? Nate come lingue poetiche, la provenzale e la catalana, troverebbero in se stesse, nella loro squisitezza strumentale, il proprio ostacolo anche se la loro area di diffusione fosse maggiore.

Espresso questo dubbio – e senza negare la possibilità di espressioni capaci di parlare a un vasto pubblico popolare: per esempio il teatro, fortunatissimo, di Josep Maria de Sagarra – non ci resta che riconoscere l'eccezionale importanza del *revival* poetico catalano. Ecco finalmente una terra dove la poesia non nasconde la faccia, non è una povera cenerentola. Due nomi stanno alla testa di tale moderna rinascita: un prete, Jacint Mossén Verdaguer i Santaló (oggi una altissima statua sul paseo de San Juan), e un avvocato *rentier*, un patriarca che visse carico di figli e di gloria, Joan Maragall (1860-1911).

Culminante in giochi floreali che si tenevano a Barcellona e nel Rossiglione – e ch'erano la reviviscenza di certami poetici assai antichi – la poesia catalana nata fra il '70 e il '900 appartiene ancora a quella corrente ottimistica di cui da noi il ballo *Excelsior* e l'Esposizione di Torino del 1902 rappresentarono il culmine. La Catalogna moderna ha tradizioni anticlericali ma la poesia era, per i catalanisti, una zona d'intesa e di *embrassons-nous*: perciò non fa meraviglia se ai nomi che abbiamo citati possiamo aggiungere quelli di altri ecclesiastici: da Miquel Costa i Llobera, maiorchino, morto nel '22, fino al vivente Carlos Cardó, canonico della cattedrale di Tarragona, oggi esule volontario a Friburgo svizzera. Mi valgo del pericoloso confronto col ballo *Excelsior* per chiarire quanto di quella poesia fosse legato a un semplicismo progressista ormai lontano da noi, non già per negarne il valore o per insinuare che i suoi araldi abbiano combattuto con armi di cartapesta.

Don Jacint (1845-1902) ebbe una vita travagliata e subì gravi sanzioni da parte delle autorità ecclesiastiche, sia pure in seguito a un'attività di elemosiniere che nulla aveva a che fare con la sua poesia; ma è da credersi che tutti questi preti poeti (universalisti nella fede, particolaristi nelle credenze politiche e nel linguaggio) abbiano attraversato quarti d'ora piuttosto difficili. Da anni, per vicende che è inutile ricordare, e fatta naturalmente eccezione per il breve periodo della *Generalidad*, la letteratura catalana è stata, se non interdetta, vigorosamente scoraggiata dall'alto, e la sua vita ha preso caratteri che con poca esagerazione si direbbero clandestini.

Poeti post-maragalliani come Josep Carner e Josep Maria López Picó scrivono ancora *ex abundantia cordis*, restano nella linea tradizionale della comunicazione immediata, del sentimento; ma nei loro successori non poteva non farsi sentire l'urgenza del ripiegamento e della ricerca interiore. Si arriva, così, fino a Carles Riba (nato nel '93), lirico modernissimo, tra i maggiori dell'Europa d'oggi, già professore di greco all'Università libera, ormai allontanato dall'insegnamento; e sino ad altri poeti nuovi: Tomás Garcés, poco più che cinquantenne ma padre di numerosi volumi e anche di otto figli, secondo il buon esempio di Maragall, Clementina Arderiu, Joan Teixidor, anch'egli futuro patriarca, Mariá Manent e tutta una pleiade che sarebbe lungo ricordare. Poeti in vincoli? Fino a un certo punto, perché i reggitori di Madrid sono troppo furbi per non lasciare aperta qualche valvola, qualche sfogatoio. Poesia però, come dicemmo sopra, appena tollerata e perciò destinata a far seriamente i conti con se stessa. Giudichi il lettore se tale situazione non sia, per qualche lato, invidiabile.

Alcuni dei nomi che abbiamo citato, e tanti altri, sono noti in Italia a poche persone, tutte in debito verso Cesare Giardini per una sua già antica opera di traduttore e di interprete. A Barcellona abbondano invece – e in questo la città si distingue da ogni altra metropoli straniera – gli uomini di lettere perfettamente informati delle nostre faccende letterarie. Almeno per questo settore consiglieremmo perciò una rettifica a quanto ha affermato Bruno Zevi parlando del *genius loci* barcellonese, l'architetto Antonio Gaudí: « Barcellona è un centro estraneo alle correnti europee ». Sarà vero per l'architettura; ma non è più esatto se riferito all'intero itinerario spirituale della Catalogna, una terra che dal Rinascimento fino ad oggi è stata, seppure con qualche letargo secolare, un centro nevralgico, o se volete un ago sensibile che ha ricevuto e anche trasmesso le scosse più lontane.

Gaudí, l'autore della sbalorditiva *Pedrera* e dell'altrettanto sorprendente parco Güell, era un mistico sprofondato in una ispirazione che si direbbe africana. I suoi ultimi esegeti citano continuamente, per lui, Frobenius, l'architettura trogloditica, la meschita di Sansanné, nel Togo settentrionale, e cercano tutti i possibili antecedenti dei coni della sua neo-gotica Sagrada Familia. Ebbe avversari ma anche mecenati, visse assorto in un cattolicismo feroce, quasi pagano. Assiduo a tutte le funzioni religiose, la sua fotografia più nota lo rappresenta barbuto, miseramente vestito, con un cero in mano, alla processione del *Corpus Domini* a Barcellona. Morì nel 1926, all'età di settantaquattro anni, travolto da un tranvai elettrico. Gli storici dell'architettura non son tutti d'accordo nel giudicarlo; alcuni vedono in lui un asso dell'*Art nouveau* (liberty), altri lo incasellano diversamente o addirittura non ne fanno il nome.

Certo, se è vero che sia « del poeta il fin la meraviglia », non si può guardare senza stupire la casa Milá (la *Pedrera*) che è insieme formicaio, tempio e fortezza, e quel parco di Güell che dissemina milioni di *azulejos* (piastrelle di ceramica colorata), alberi di pietra, grotte, cripte e orridi d'ogni genere in una collinetta posta nel cuore della città. *Art nouveau*? Sta bene, ma a patto di includervi anche Picasso, Miró e persino, temo, quell'atroce Salvador Dalí che col suo baffo di fil di ferro vive (quando c'è) a poca distanza da Barcellona. A ben pensarci un'etichetta che val tanto per certa asettica architettura olandese, e per i quadri di Mondrian, quanto per le reviviscenze dell'arte negra è così larga da spiegar tutto e nulla.

È dunque forte, in Catalogna, il varco che divide i poeti dagli artisti visivi (non scriviamo « figurativi » perché la parola non serve più). I primi furono quasi sempre umanistici, i secondi possono sembrare « orfici » o pazzi scatenati a seconda dei gusti, ma ubbidiscono ad altre leggi. Si noti che, a complicar le cose, quando Gaudí e Doménech i Montaner (autore del *Palau de la musica catalana*) erano in piena attività « floreale », l'atmosfera della città era tutt'altro che idilliaca. Appena giunto a Barcellona chiesi a un amico di qui, ottimamente informato, di tracciarmi un rapido schizzo della vita intellettuale della città; ed egli, dopo avermi condotto alle *Siete puertas*, un ristorante della città vecchia dove si conserva un'atmosfera da repubblica marinara, da Simon Boccanegra, che ormai non chiediamo più alla Sottoripa genovese, mi annunciò un'esauriente cronologia del risveglio catalanista. Mentre attendevamo il riso alla valenzana sturò una bottiglia di vecchio *rioja,* ne bevve un sorso, socchiuse gli occhi e cominciò così:

1888: Esposizione Universale di Barcellona. 1889: scoppia una bomba presso casa Battló. 1890: Suffragio universale, legge delle otto ore. Utrillo va a Parigi. 1891: tumulti degli anarchici, si fonda la società corale *Orfeo Catalá.* 1892: *meeting* anarchico con *cargas de policía*; *fiesta* dei pittori modernisti a Sitges. 1893: due bombe feriscono Martínez de Campos, capitano generale di Catalogna; grandi concerti wagneriani, altre feste moderniste. 1894: attentati vari, fucilazione di anarchici, quadri del Greco in processione ecc. 1895: guerra di Cuba, rivolta di studenti. 1896: bombe alla processione del Corpus Domini, il pittore Nonell – uno dei padri di Picasso – inaugura la sua maniera dei « fritti all'olio » (*en aceite*). 1897: fucilazioni varie; l'italiano Angiolillo assassina Cánovas, Presidente del Consiglio; nuovi grandi concerti wagneriani. Si apre in una birreria l'esposizione dei Quattro Gatti. 1898: ottomila persone (massoni, spiritualisti, repubblicani) protestano contro le torture inflitte agli anarchici nelle carceri di Montjuich...

Il mio amico continuò a lungo, fino a una *semana tragica* del 1909, mentre io invano mi sforzavo di prendere appunti. Un po' di luce andava facendosi in me, per quel che riguarda il singolare aspetto che l'*Art nouveau* deve aver preso in quest'affascinante e stregata terra di Catalogna. E quando seppi che una mostra retrospettiva dei Quattro Gatti era aperta non lontano dal mio albergo non mi parve vero di potermi riportare, in modo ben più diretto e concreto, ai tempestosi inizi della nuova stagione catalana. — Può accompagnarmi alla mostra? — chiesi all'amico. — *Con mucho gusto* — rispose l'amico, che è aragonese e non sdegna di parlar castigliano. E finita di divorare una *paella* inverosimilmente colma di cotenne, di peperoni, di frutti di mare e di altri pimenti ci avviammo insieme verso l'esposizione.

1954

L'età d'oro dei « Quattro Gatti »

Barcellona bisogna conquistarla venendo dalla frontiera francese, quando, verso Gerona, la terra si arrossa e le gazze bianche e nere, già abbastanza frequenti in Provenza, viaggiano a grandi stormi. Solo così si ha il senso di raggiungere una grande capitale. Dall'aereo, invece, la città si mostra sparpagliata, sproporzionata, informe; e quando dalaeroporto di Muntadas giungete nel centro, la prima sorpresa non lieta è che il mare c'è ma non si vede, tal e quale come a Glasgow o in altre città di mare britanniche. Il mare si vede dalla collinetta di Montjuich e dall'alto del Tibidabo, le due alture che proteggono la città e la rendono afosa: ma il centro è separato dall'acqua da dighe, darsene e muraglioni. Pure basta un giro nella città vecchia, nel Barrio Chino e nelle splendenti *ramblas* perché l'atmosfera mediterranea vi conquisti. Barcellona non è monumentale come Genova e non è pittoresca come Napoli, ma ha qualcosa di eccitante e di vitale. In confronto di tante altre città di mare non è una città-albergo, una città di passaggio: è una metropoli in cui si vorrebbe e si potrebbe abitare a lungo. Abitarvi, beninteso, da turisti, senza pretendere di capire a fondo le questioni locali, e soprattutto senza aver l'aria di giudicare.

I Catalani hanno avuto ed hanno due ragioni di sofferenza: la prima è dovuta al fatto di essere catalani, la seconda al fatto di essere, malgrado tutto, spagnoli. La *crono-*

logia barcelonesa di cui già demmo un breve esempio ci dice che qui tutti gli *ismi* e tutti i movimenti intellettuali post-romantici, sebbene arrivassero con qualche ritardo (Wagner e Ibsen giungono a Bologna e a Milano prima che a Barcellona), produssero, innestandosi sul fondo anarchico dell'intelligenza catalana e sulle aspirazioni autonomistiche della gioventù, l'effetto di un gigantesco colpo di frusta. La scossa durò dall'inizio del secolo fino al crollo della *Generalidad*: ma fu sempre meno una scossa artistica e divenne sempre più faida di fazioni politiche. Chi giunge qui dal di fuori ed ha il buon gusto di non condolersi con gli amici catalani per le condizioni in cui si trovano (Catalani e Spagnoli sono uniti in questo: nell'essere fierissimi e nel respingere ogni forma di condoglianza) ferma, naturalmente, la sua attenzione sugli aspetti meno contingenti della città: scopre le chiese gotiche, visita il Museo d'arte romanica (la meraviglia di Barcellona) passa qualche ora al Museo d'arte moderna, dove lo attende la sorpresa di Ramón Casas e dei Quattro Gatti.

Siamo ai tempi in cui Barcellona era un polso ardente di febbre, ai primi anni del Novecento. Riviverli è difficile perché i tempi sono mutati. I giovani non possono averne un ricordo diretto, molti degli anziani, come i critici Estelrich e Eugenio D'Ors, sembrano aver tagliato i ponti con la Catalogna, e in genere da una conversazione con gli intellettuali di qui non si ricava che un'impressione di « mugugno », di *refunfuñar*, uno sfogo che sembra esser concesso da tutte le dittature giunte al loro termidoro. — Picasso? — chiesi a un letterato nato in Aragona e perciò non troppo intinto di sentimenti catalanisti. Mi rispose che a suo avviso l'origine di Picasso va ricercata nei *portales* del Museo romanico, dove avrei trovato press'a poco le sue fonti. Andai al Museo, che non ha molti visitatori e che presenta pale d'altare in *madera* (legno) spesso decorate con stucchi policromati, provenienti da chiese e monasteri di tutta la fascia pirenaica, non esclusa Andorra. Nel 1934 la Junta de Museos ne ha dato un catalogo, oggi quasi introvabile, con quattordici riproduzioni. Si va dall'undicesimo al tredicesimo secolo.

Non ne tento una descrizione e nemmeno se potessi riprodurre qui tutti gli esempi del catalogo potrei dare un'idea di questo museo d'importanza mondiale. Di picassiano non ho trovato nulla di specifico, se non forse nella sesta lamina che rappresenta il martirio di santa Julita, dapprima bollita col figlio, poi squartata con una grande sega. Il prezioso pezzo giunse a Barcellona nel 1923, ma suppongo che il giovane *malagueño* Picasso, arrivato a Barcellona nel '95, non avesse veduto in quell'epoca quasi nessuna di queste opere.

Gli artisti che cominciarono a riunirsi nel '97 all'insegna dei Quattro Gatti (*Els Quatre Gats*) in una birreria della calle de Montesión predicavano tutti – Santiago Rusiñol in testa – la necessità del *descenso a los infernos*. Fanno parte del gruppo fin dal principio Ramón Casas, Utrillo, ai quali presto si affiancano Nonell, Canals, Mir ed altri. Alcuni di questi pittori (Rusiñol più di ogni altro) avevano già messo il naso a Parigi, Utrillo vi andrà per restarvi per sempre, Ramón Casas vi era andato già nel '91. Nel complesso si tratta di una *bohème* modernista, di una scuola impressionistico-espressionistica che dovrà essere seriamente studiata. Dentro vi trovate di tutto: Zuloaga, i *nabis* francesi, la scoperta del Greco, il fermento di una generazione esplosiva, generosamente sperimentale. Un incontro simile, se non spiega tutto Picasso, ne dà il sicuro punto di partenza.

I due grandi talenti del gruppo sembrano essere stati Isidrio Nonell e Ramón Casas. Quest'ultimo visse a lungo, ebbe trionfi anche nel Nordamerica e ha lasciato al Museo d'arte moderna oltre duecento disegni a carbone che rivelano in lui un degno emulo di Toulouse-Lautrec. Verista-sentimentale, quasi zuloaghiano in pittura, in questi *dibujos* ci ha dato il ritratto portentosamente vivo di tutti gli scrittori, gli artisti e gli intellettuali che fecero parlare di sé, in Spagna, fra il '90 e il '930. Casas è il Nadar del disegno, il ritrattista di un'epoca. A suo confronto quel Félix Vallotton che pur ci lasciò i preziosi schizzi del *Livre des Masques* di

Remy de Gourmont è un povero apprendista. Esiste un album che faccia conoscere Casas fuori di Barcellona? Qualcosa deve essere stato fatto, ma in misura insufficiente. In ogni modo Casas tiene in piedi da solo un museo che basterebbe a giustificare un viaggio a Barcellona.

Si dice che i disegni di Casas non abbiano lasciato indifferente Picasso; ma il vero anello che lega il pittore di Malaga alla tradizione catalana è certamente Nonell, di cui mi dicono figuri ora qualche opera alla Biennale veneziana. Meglio tardi che mai: di Nonell (a parte un cenno di Francesco Arcangeli) credo che in Italia nessuno abbia parlato mai. Morto a soli trentasette anni, fa l'impressione strana di un Picasso in boccio. La fine precoce non gli dette il tempo di diventare né strutturalista né cubista. Cominciò pittore di paesaggi con uno sfumato che ricorda i nostri Avondo e Grubicy, poi scoperse i giapponesi e Daumier, disegnò una stupenda serie di *cretinos*, di gitani, di poveri diavoli e lasciò figure e mezze figure che si confondono con quelle della maniera azzurra e rosa di Picasso. La storia non si fa coi « se » ma, se fosse vissuto, il suo duello con Picasso sarebbe stato uno spettacolo interessante.

Santiago Rusiñol, intellettuale del gruppo, ospite del cenacolo a Cau Ferrat, commediografo, scrittore, dipinge alla francese, un po' alla Zandomeneghi. Era ricco, per sua disgrazia, e non fu preso sul serio. Joaquin Mir, morto nel '40, sembra sulla linea dei Pissarro e dei Sisley; Miró, più giovane, non fece parte del falansterio e non è presente; è considerato dai critici locali romanico, popolare, tellurico, autore di forme « biologicamente logiche ». Ha fatto fortuna a Parigi. In quell'epoca – che si può considerare finita verso il 1910 – abbondarono anche gli statuari, quasi tutti floreali, classicheggianti, tra Rodin e Bistolfi; non ce n'è uno che valga Renoir scultore. Intanto, per conto suo e per circa mezzo secolo, il tiepolesco-goyesco José Maria Sert riempiva mezzo mondo dei suoi affreschi; se ne ammira una serie persino in un albergo di Nuova York. Ma Goya è presente un po' dovunque e non mi risulta che sia un valore catalano.

Il caffè dei *Quattro Gatti*, come appare da una fotografia del tempo, era arredato in stile moresco-ebraico, *mudéjar*, un grande pannello rappresentava due uomini in tandem. Il padrone, Pere Romeu, aveva fatto la *vie de bohème* a Parigi, dov'era stato amico di Aristide Bruant; chiuse il locale nel 1903, diventò proprietario di *garage*, non ebbe fortuna e morì di tubercolosi pochi anni dopo. Gli artisti catalani parlano di quel locale come dello *Chat noir* del loro modernismo. Ho sott'occhio un *menu* del 1901: la bistecca, la *bife* con patate, costava una peseta, il piatto del giorno, *Regut paisana*, 0,75. Ai *Quattro Gatti* si dettero concerti di Granados e Albéniz, e Picasso vi fece la sua prima mostra. Queste, suppergiù, le notizie a mia conoscenza; le altre dovrebbe venire a raccoglierle qualche studioso d'arte in caccia di un bell'argomento per una tesi di laurea.

Sono passati molti anni ed oggi la Catalogna (a parte i suoi poeti) non è più un attivo semenzaio di esperienze artistiche. Il vanto che gli intellettuali di Barcellona si fanno è di avere contribuito più di ogni altra città europea (ma dove metteremo la Germania?) al passaggio dell'impressionismo al forse fruttuoso, ma certo oscuro, cafarnao che venne dopo. In questo, effettivamente la Catalogna ha poco della Spagna, è una stazione di smistamento, un laboratorio, una fucina di esperienze. Ma qui poi la Spagna è presente in tutto: nella cucina, nelle donne, nel vino, nella perenne *fiesta* delle *ramblas*, dove potete acquistare fiori, scimmie, pappagalli, cani, gatti e crostacei d'ogni forma misura e colore; nella natura vulcanica di una popolazione che dovette passare ore di ebbrezza e di terrore durante gli anni di bufera in cui furono riconosciute le sue autonomie locali; vive e batte ancor oggi in quegli uomini di cultura che dopo aver fatto feroci discorsi da mangiapreti vi conducono sulla cresta rocciosa del Monte Segato – Montserrat, il paesaggio più esoterico, più teofanico del mondo – e giunti dinnanzi alla statua della Vergine nera – la Moreneta – si fanno il segno della croce e si prosternano in religioso raccoglimento. Forse pregò allo stesso modo il nostro Dino Campana, quando vide spiccarsi dalle cime della Verna la mistica, bianca colomba che gli ispirò una delle sue pagine più alte.

1954

Non si sa come vivano...

Abbiamo enumerato i piaceri offerti dal Portogallo e dalla Catalogna al viaggiatore che non si lascia convogliare nei *tours* d'agenzia e che vuol vedere coi suoi occhi: il paesaggio, il vino, le donne, la lingua, lo splendore d'un costume che può essere cencioso senza diventar mai volgare. In Castiglia nulla c'è da togliere a questo elenco, e qualche cosa vi si potrebbe, invece, aggiungere: la ricchezza della fauna, scarsa ma degna dell'arca di Noè; il terrore dell'altopiano su cui sorge Madrid, la città meno antica della Spagna, e in questo senso la meno spagnola di tutte; il fatto misterioso che vi si incontrino tanti uomini dei quali ci si chiede *come vivono* e coi quali si vorrebbe stringere amicizia; il senso delle grandi distanze (in un museo mi dissero: — Questa è una copia del Greco, l'originale è qui vicino, a Palencia. — Vicino? — Sì, a cinquecento chilometri —); e infine i personaggi da *Gran via*, da *zarzuela* che si trovano dovunque, non solo al caffè dei letterati – il *Gijón* – o sulla Castellana, i *serenos* delle strade notturne, i *botones* e le *criadas* o, più rispettosamente, le cameriste dei maggiori alberghi.

I *botones* sono i *boys*, i giovani valletti così chiamati dai molti bottoni d'oro che ornano i loro corti e attillati giubbetti. Vi tengono compagnia ad ogni ora; se abitate a un decimo piano, come me, e attendete fermi sul pianerottolo, sbucheranno dalle porte degli ascensori chiedendo se volete scendere o salire (*bajando? subiendo?*), e poi scuoteranno la testa perché non fate al caso loro e telefoneranno dall'ascensore stesso ad altri loro colleghi perché vengano a prendervi. Sono ciarlieri, pettegoli, pieni di dignità, cavallereschi. La brillantina dei loro capelli rende irrespirabile la gabbia dell'ascensore. *Bajando* o *subiendo,* è sempre lo stesso tanfo oleoso. Poi al primo trillo del campanello vengono a trovarvi in camera le garrule *piche* che sono addette al vostro *cuarto*: estremegne, riojane, andaluse, pronte a tutte le ciarle, cantatrici, ballerine, confidenti, taumaturghe, facili alle confidenze, il ritratto del fidanzato, del *novio,* a vostra disposizione in una piega del corsetto, oneste tutte e felici di vivere. Nelle ore morte possono venire da voi con chitarre e mandolini e organizzare un concerto di *flamencos* in vostro onore.

Quanto ai *serenos,* essi sono gli amici delle ore notturne. Passano la notte all'aperto e ognuno di essi ha le chiavi di una o più case in condominio, delle quali è portiere, custode e fors'anche spione. Non tengono solo le chiavi esterne, ma anche quelle di ogni appartamento. Chi rientra alle ore piccole dà un fischio e subito il *sereno* lo accompagna, gli apre una, due, tre porte e lo conduce fin quasi a letto. Servono anche da sveglia mattutina, penetrando, puntualissimi, nelle camere dei loro clienti (o protetti, o sorvegliati). I loro guadagni sono miseri ma i posti di *sereno* sono molto desiderati in tutta la Spagna. Infine, di essi si sa come vivono e di che vivono. Ma gli altri?

Dei molti personaggi singolari che incontrate dovunque, e dei quali, come ho detto, vorreste essere amici, se chiedete a qualcuno chi sono e come possono vivere lautamente in un paese dove gli stipendi sono notoriamente bassissimi, vi sentite rispondere: sono *enchufados.* Per chiarire il mistero vi dirò che si chiama *enchufe* la spina, la presa di corrente elettrica. Sono dunque spinati o avvitati o *enchufados* coloro che godono di protezioni importanti e possono così tirare non uno o due, ma anche tre o quattro stipendi.

E, si noti, non occorre affatto appartenere alla Falange o essere in odore di santità (politica) per far parte degli avvitati: basta avere un amico in auge e saperlo sfruttare. La Spagna è il paese delle clientele personali, a chi non dà fastidi non si rende la vita impossibile. Sono i miracoli delle dittature che, avendo evitato le guerre, hanno anche evitato di perderle e sono rimaste in piedi, ammorbidendo i contrasti e aprendo qualche spiraglio.

Ho già detto che in Portogallo si permette un giornale d'opposizione; qui non si arriva a tanto, ma l'Accademia non ha sostituito i membri che sono andati all'estero, fuorusciti. Le loro poltrone sono vuote e libere, attendono l'ipotetico ritorno dei loro « titolari ». Credo siano due o tre in tutto. Gli accademici sono scienziati, filologi, letterati. Non si aspetta che siano diventati vecchie mummie per canonizzarli, anzi i poeti vengono imbarcati in età abbastanza giovane: Gerardo Diego è del '96. Dámaso Alonso e Vicente Aleixandre sono del '98. Non tutti gli scrittori e gli accademici hanno l'aria di essere *enchufados*: il vecchio Baroja, che all'Accademia non s'è mai fatto vedere, avrà probabilmente guadagnato coi suoi libri, e, morto Galdós, resta, col dottor Marañón, il nome più illustre che possa oggi vantare la Spagna. Azorín è pure molto vecchio: ha avuto da poco un premio nazionale di mezzo milione di pesetas e scrive quasi un articolo al giorno, di argomento cinematografico. Ogni sera va al cinema accompagnato da una delle sue due donne di servizio.

Sono andato a salutarlo, in calle Zorrilla dove abita, in un appartamento molto lindo e ben tenuto. È un uomo ancora sveglio ma poco facondo, anzi piuttosto prudente e circospetto. In genere, i letterati spagnoli, esauriti i primi slanci del cerimoniale, i vari *encantado* ecc., sembrano aver l'aria di divagare e di menare il can per l'aia. Gli incontri sono sempre cordiali ed evasivi. Così Azorín: mi ha parlato dell'Italia, che ama, di alcuni scrittori nostri: di D'Annunzio, di cui conosce persino il *Notturno*, di Papini di cui ha letto qualcosa. È stato in Italia? *Ojalá!* (magari) ci fosse arrivato. Ora è troppo tardi. Ai suoi tempi ci si fermava in Francia, la Francia sembrava la *cabeça del mundo*. La conversazione muore, poi una baffuta Maritorna appare nel vano dell'uscio ed io mi alzo dichiarandomi molto, *muchísimo encantado*.

Il viaggiatore straniero non potrebbe affermare che in Spagna manchi la libertà; e se si aggiunge che qui il gusto e il piacere della conversazione sono ancora assai vivi, si rischia di offrire un quadro fin troppo ottimistico della situazione spagnola. Sono soltanto le reticenze, il pronto tamponamento degli spigoli a mettere in guardia. Ed è ovvio che dove non si può dir tutto fiorisca l'arte del compromesso.

Si veda un caso recente. A Salamanca, nell'ottobre scorso, si commemorava il settimo centenario di quell'Università. Si ebbero discorsi in latino e in molte altre lingue (riflesso della politica universalistica della Spagna, del patto con l'America), si offrì una laurea *honoris causa* (l'unica della stagione) al rettore dell'Università di Monaco di Baviera (e ci si vide dietro la politica filotedesca, la necessità di formare in Europa un triangolo militare sicuro, Spagna-Germania-Turchia, che anche agli Stati Uniti fa comodo). E a conclusione dei discorsi parlò il rettore dell'Università di Madrid, il dottor Pedro Laín Entralgo, un medico di origine basca, ottimo oratore, molto somigliante a Pastonchi. La sua fu una serrata critica di Unamuno, presunta unica gloria dell'ateneo salmantino. A distanza di pochi mesi tutto è cambiato. Il discorso di Laín Entralgo è piaciuto al Caudillo, il medico è stato nominato accademico, ma nel frattempo era andata maturando, sebbene lenta e in sordina, la reazione del mondo della cultura contro l'allocuzione del rettore. Ed ecco il rettore stesso scegliere per il suo discorso « di ricevimento » all'Accademia il tema: *La voluntad en Augustin, Unamuno y Machado*: sperticato elogio dei due fuorilegge Unamuno e Machado e insigne esempio di rovesciamento della frittata. Altrettanto caloroso nella sua risposta è stato il professor Marañón; qualche vescovo ha protestato ma la gioventù ha applaudito.

Non cito questo episodio per suggerire (dopo quanto è accaduto in Italia!) che gli intellettuali spagnoli siano più trasformisti dei nostri; ma solo per dare una indicazione termometrica della situazione. Insomma, non è che a Madrid non si parli liberamente: ma parla chi può e quando può. Dove la « pianta uomo » verdeggia, come in Spagna, tutti gli adattamenti sono possibili, anche i più umoristici. Mi è stato citato il caso di un insigne storico che conosco di persona, e di cui non faccio il nome per ovvie ragioni di riguardo.

L'avevano imprigionato per il reato di adulterio, crimine che comporta qui l'arresto senza libertà provvisoria. Il guaio era, però, che proprio in quei giorni lo storico doveva presiedere un congresso internazionale molto importante. Fu allora deciso di metterlo fuori per le ore strettamente necessarie, ponendogli ai fianchi alcuni poliziotti truccati da congressisti. E tutto filò nel migliore dei modi possibili. (Aggiungo che il fatto non è recente e non avvenne a Madrid).

Nella villa (*villa* e non *ciudad*) di Madrid si accentra buona parte del mondo intellettuale spagnolo e quel poco di cinema che esiste qui. L'Italia vi ha un fiorente Istituto di cultura. Non di rado vi fanno capo i letterati madrileni per cercare libri e riviste italiane. In compagnia di Ugo Gallo, ispanista ma anche lettore d'italiano all'Università di qui (detta la *Central*) ho potuto assistere a uno dei tanti incontri che i giovani poeti di Madrid tengono in casa di Vicente Aleixandre y Merlo, accademico e poeta superrealista. Vi si respira un'aria che il nostro Baldini definirebbe di buon-incontro, senza mutrie accademiche e senza pedanterie. Quanti nomi ho annotati nel mio taccuino! José Luis Cano, Rafael Morales, Carlos Bousoño, Leopoldo de Luis, il colombiano Eduardo Cote, Jaime Ferran, José Angel Valente, Alfonso Costafreda e il traduttore di Svevo, Jesús López Pacheco: nomi, volti, manoscritti, volumetti più o meno tascabili che si annidano nella mia memoria (e nelle mie valigie). Quando il più giovane, e il più cresputo, di questi aedi lesse una sua lirica sul *choto*, sul torello che sente il vellichio delle prime corna sul capo, brividi di commozione parve che scuotessero l'uditorio. Forse la poesia era bella, ma io non potevo dimenticare i tori che avevo visto morire il giorno prima nella sola corrida a cui ho assistito: povere bestie che mi parevano inoffensive, incapaci di difendersi, inginocchiate sulla sabbia, eruttanti sangue fin dal primo colpo del *picador*; e così non seppi abbastanza vibrare con gli altri, e mi unii fiaccamente agli applausi generali. Vorrei scusarmene oggi col giovane poeta, il cui nome figura certo fra i nove che ho ricordato. Senza quello sciagurato macello – che non piacque nemmeno al pubblico – il mio ricordo della Spagna sarebbe senza macchie.

1954

VIII

Portogallo

Il Portogallo è uno dei due paesi latini che il Cielo ha meglio preservato dalla volgarità. (L'altro è la Spagna). Le ragioni di questo fatto mi sfuggono. Se siete sensibili al motivo economico potrete attribuirle a mancanza di capitali che permettano di creare industrie e di sfruttare il policromo mantello di troppe terre; se siete psicologi e moralisti osserverete che dovunque esiste una tradizione cattolica è frenata la corsa al meccanicismo e alla vita intensa; se siete modernisti e attivisti direte che il benessere porta con sé inevitabilmente un certo appiattimento, ma è sempre da preferirsi alla nobile muffa delle nazioni « depresse ». Sia come si voglia, resta la constatazione che qui sopravvive qualche bene che le nazioni poste alla frusta dal progresso hanno ormai perduto di vista. Lo stesso insegnamento si porta via dalla Grecia, prova evidente che dove è passata la grandezza un cedimento totale non è più possibile. Certo qui tutto è molto vecchio malgrado lo spreco dell'intonaco e persino stazioni termali di scoraggiante tipo fine Ottocento, le Caldas da Rainha, per esempio, i bagni della regina, vi conducono dritti col pensiero al grande Cinquecento portoghese; e anche il bicchierotto di *madeira* che vi offrirà l'unica osteria del Guincho potrà farvi ripensare a Shakespeare, indubbio bevitore di quel vino. Tuttavia il Portogallo non è il solo paese d'Europa che abbia una vecchia storia e restiamo sempre a chiederci perché in questa piccola terra anche la paccottiglia da « Scena illustrata » in cui vissero gli ultimi

Braganza abbia preso una patina così illustre. Siamo in una delle ultime classiche riserve di Strapaese, questa è la verità: in un angolo del mondo dove non esistono confini tra regalità, familiarità e indigenza, e dove la misura delle cose è ancora umana.

Una delle spie di questa fondamentale umanità è data, come dicevo, dalla lingua, e non tanto dalla lingua parlata, difficile a intendersi perché dopo l'accento tonico va dissolvendosi in un cupo borbottio; quanto dalla lingua cantata che ha la sua massima espressione nel *fado. Fado* vuol dire fato, destino, e questa è già una indicazione preziosa. Si tratta di un canto monocorde, macerato di cupa tristezza, forse il solo possibile arricchimento di una lingua che sembra sia stata stigmatizzata e torturata a sangue fin dal suo nascere. Il *fado* è per lo più anonimo e lo si canta su parole tutt'altro che preclare. Non ha le arricciature e il tremolo dei *flamencos*, né il ritmo indiavolato della *jota* e della *sardana.* Forse non è tutta roba antica e non mancherà qualche fabbricatore che rifornisca di tanto in tanto il mercato delle *feiras* provinciali. Il risultato è però sempre straziante, autentico. Ho sentito i primi *fados* in una bettola della Baixa, la città vecchia, dove la musica comincia verso le dieci di sera. Tre o quattro cantanti e vari chitarristi si alternavano. Vicino a me erano seduti due industriali venuti da Porto che si esprimevano in eccellente francese. Pochi erano gli stranieri e non si aveva l'impressione di uno spettacolo preparato per turisti. I due miei nuovi amici mi traducevano ogni parola. Allora l'incanto diminuiva un poco perché il *fado* ha bisogno di molta oscurità e quando si è inteso qualche parola come *manhà* e *curaçao* ce n'è d'avanzo. (Lascio ai musicologi le fanfaluche del « recitar cantando »). Io spero che in Portogallo e in Spagna la musica continui a restare sul piano carnale, fisiologico in cui si muove e che nessuno si attenti più a scrivere come Felipe Pedrell che dovette essere una specie di Smareglia iberico.

La sera dopo fui riportato al *fado* quando meno me lo

aspettavo. Ero al *Negresco*, ristorante di lusso, uno dei pochi che abbiano camerieri non addormentati. Al tavolo vicino al mio un signore elegante, di mezza età, spiegava in francese e in inglese ad alcuni suoi amici stranieri in che cosa consistesse il suo « sebastianismo ». È una malattia che ha molti secoli d'età. Nel 1578 il giovane re Dom Sebastião fu sconfitto presso Ksar el-Kebir dalle truppe del re del Marocco, 'Abd al-Malik. Sparve in combattimento, non fu creduto morto e sorse su di lui la leggenda dell'*Encoberto*, del re nascosto. Sebastiano, il re fanciullo animato da una fede eroica, sarebbe dunque un personaggio a mezza via tra Giovanna d'Arco e la Maschera di ferro... Ma la conversazione fu interrotta dall'arrivo di una bella donna bruna dagli occhi verdi e il sebastianista, eccitato, gridò: — Informo le Vostre Eccellenze — (in Portogallo siamo tutti Eccellenze) — che giunge Anita Rodrigues, la regina del *fado* — e allora i presenti si alzarono in segno di omaggio. Anita non si unì a noi; aveva un suo codazzo di ammiratori.

Il personaggio malato di *saudade* (malattia nazionale: la « presenza nell'assenza »!) e di non so quali altri morbi continuò a parlare con me e volle che assaggiassi un pezzo di salmone del Minho, affermando che non dovevo lasciare il Portogallo senza aver pescato in quel fiume di frontiera. I salmoni galleghi, disse, abbandonano la Spagna e vogliono morire in Portogallo. Era un portoghese poliglotta, buon conoscitore anche dell'Italia, uno di quei tipi che s'incontrano solo nei paesi a forte dislivello sociale. Il giorno dopo andai in un negozio di dischi e acquistai *Uma casa portuguesa*, una delle migliori registrazioni della bellissima Anita, canzone popolare di cui tutti ripetono in coro il ritornello.

Dalla musica possiamo passare al paesaggio. Il Portogallo non è altro che il declinare più o meno rapido, più o meno impervio, del vasto altipiano, della *meseta* spagnola. Non ha perciò né potrebbe avere quel carattere di monotonia che di una terra forma propriamente lo stile. Forse l'ha soltanto nell'Algarve, molto a sud di Lisbona, una maremma disertata dal turismo. Qui nell'Estremadura, dov'è Lisbona, nell'Alentejo e nel Ribatejo, facilmente accessibili, la varietà degli aspetti ha qualcosa della nostra natura italiana del nord. È una grigia Ardenza prolungata per oltre venti chilometri la riviera dell'Estoril e di Cascais, punteggiata di alberghi d'ogni genere, alcuni faraonici, altri miseri ma tutti, all'apparenza, non sovrabbondanti di ospiti. Cascais deve la sua attuale celebrità al fatto di essere una sede di *rois en exil*. Umberto di Savoia lo intravidi un istante alla finestra di una modesta villa e non lo visitai per timore dei personaggi che lo accompagnano. Ma si possono incontrare qui, a sera, mescolati fra pescatori di sardine, il conte di Barcellona, figlio di Alfonso XIII, il conte di Parigi, Enrico d'Orléans, che di solito vive in Francia ma ha una tenuta presso Sintra, l'ammiraglio Horthy, l'ex-signora Lupescu, vedova di re Carol, che oggi si chiama principessa Elena di Rumenia come la prima moglie di Carol. Abitava infine a Cascais anche Don Duarte de Braganza, pretendente al trono di Portogallo; fa l'agricoltore in una fattoria presso Porto e sembra persona grata all'attuale regime.

Dopo Cascais l'uniformità del paesaggio si rompe. Io non so dove sarebbe possibile in pochi minuti un salto, un brusco passaggio com'è quello dal castello reale di Sintra (un piccolo Escuriale borghese in cui Gozzano avrebbe potuto restare in ammirazione per intere settimane) alla spiaggia del Guincho, vasta buca di sabbia, anzi di polvere sulfurea, cui sovrastano cornicioni di rupi nere. Due o tre cabine violacee erano affondate nella sabbia, il mare bolliva livido, cominciò a piovere, dalle cabine vennero fuori due bagnanti seminudi che corsero a tuffarsi in quel mare d'inferno. Forse erano stranieri: non ho l'impressione che i Portoghesi siano più naturisti degli Italiani. Mi ricordai che su una di queste prode terribili s'affaccia la fattoria, la *quinta*, dove abita Roy Campbell, autore del poema *Adamastor*, uno di quegli inglesi che non sanno vivere in Inghilterra.

Un altro forte contrasto, sempre restando nella regione

extremeña, potrete averlo abbinando una visita ai due grandi monasteri (*mosteiros*) di Alcobaça e Batalha a una punta al borgo marino di Nazaré. Le due rare meraviglie di questo gotico che diventerà fiammeggiante nell'epoca manuelina si raggiungono attraverso una strada piuttosto deserta che ha il merito di non essere sconciata, come da noi avviene, da cartelloni pubblicitari; e in se stesse le due cattedrali restano un poco come monumenti fuori del tempo, come due cetacei approdati a una riva straniera: non sono fortezze di Dio come quelle spagnole, non sono il cuore e il rifugio di una città viva, come le cattedrali francesi; e nemmeno hanno il patetico di quelle cattedrali inglesi – Ely per esempio – dove una lunga storia di guerre di religione appare come stratificata e composta in una luce di penitenza. Tuttavia Alcobaça e Batalha non possono esser dimenticate dal viaggiatore, e particolarmente da chi ricordi la storia della bellissima Inés de Castro, seppellita ad Alcobaça: l'amante di Dom Pedro trucidata mentre l'Infante era assente e da lui, poi diventato re, dissepolta e incoronata regina fra il terrore di tutta la Corte. (Il re si fece portare a tavola il cuore palpitante degli uccisori – da poco squartati – ne mangiò un boccone e poi proseguì tranquillamente il pasto).

Da una tragedia d'altri tempi ci si avvia a un muto dramma d'oggi scendendo a precipizio su Nazaré. Il borgo è povero, benché al solito sia bianco di calce: è un paese di pescatori, noto perché qui le donne non portano meno di sei o sette sottane. Ma queste donne senza età, nere, corrose, scalze, confitte nella sabbia, quasi incatramate insieme in blocchi dalle molte teste (ne rompe l'immobilità il divincolio di nudi, scheletrici poppanti che sfuggono da scialli e da stracci); questi scugnizzi o *meninos*, che chiedono l'elemosina stropicciando l'indice e il pollice senza grida volgari, senza dir parola, per far intendere che si contentano di un soldino per un tozzo di pane; e questi uomini che accumulano grandi pesci cardinali color sanguinaccio, lunghi polpi occhiuti, murene dai denti di sega, piramidi di ricci e di arselle – non sono gente viva ma spettri che ritroveremo fra i nostri incubi. (Ora cominciavo a capire come mai un poeta che ha cantato « Adamastor, re dell'acque profonde » – tolgo i versi dall'*Africana* di Meyerbeer, ma non importa – sia venuto a vivere da queste parti).

Il giorno dopo venne a trovarmi un inviato dell'Emissora, come si chiama la radio nazionale che per fortuna del Portogallo non è affatto l'unica, non vanta alcun monopolio; e quando sentì ch'ero stato a Nazaré disse tranquillamente: — Mia madre era di Nazaré — e non parve minimamente turbato. Lo ero invece io, pensando che da noi il figlio di una pezzente può provarne sciocca vergogna o altrettanto stupido motivo di vanto, ma non mai accettare il fatto con una così franca disinvoltura, senza sottintesi. E lasciando quell'uomo mi chiesi se per avventura non potesse esser di Nazaré anche il sebastianista del *Negresco*, l'uomo dalle molte lingue e dalle molte nostalgie. Figlio di una strega o di una nobildonna, chissà? Non risolverò mai il dubbio; eppure il fascino del Portogallo è proprio in questo, che dubbi del genere qui possano sorgere ad ogni passo.

1954

IX

Sulla Via Sacra

Alla tellurica lacerazione della crosta terrestre fa riscontro, in Grecia, una quasi lussuriosa ricchezza di vegetazione povera. Poco o niente di nuovo per chi conosca il paesaggio italiano; ma da noi la varietà insidia la continuità del piacere, provoca una soddisfazione che muta d'ora in ora e non consente le fruttuose ruminazioni di un'altissima noia. Noi italiani godiamo del nostro paesaggio a cucchiaini; mentre in Grecia la misura è quella del gallone. Anche l'insidia della fauna umana qui è sventata. Si possono percorrere cento chilometri incontrando soltanto qualche asinello o qualche capra; e il solo guasto è dato dai torpedoni turistici, frequenti, veloci e ingombranti. Chi s'intruppa in questi viaggi ha però il vantaggio di poter pernottare più o meno confortevolmente fuori di Atene perché le agenzie turistiche possiedono i migliori alberghi e riservano le camere ai loro clienti. Il viaggiatore isolato ha ben poche speranze di passare la notte a Delfi o ad Olimpia se non dispone di una *roulotte* personale; e deve limitarsi a qualche breve incursione seguita da un necessario ritorno alla base.

Giunto a Delfi, chi non voglia retrocedere ad Atene, non ha che due scelte: o farsi traghettare sulle prode del Peloponneso, dove il paesaggio è molto meno interessante ma dove esiste la possibilità di trovare un albergo decente; oppure proseguire fino a Lepanto, lungo una strada cosparsa di macigni e di buche, giudicata impraticabile anche da guide stampate parecchi anni addietro. E questa è la soluzione che ho dovuto scegliere io, perché a Lepanto qualcuno mi attendeva: un personaggio importante che conosce perfettamente la nostra lingua e la nostra letteratura.

Ma prima dovrei dire qualcosa di Delfi, luogo sacro arroccato lungo un'impervia salita che domina lo scosceso burrato di un fiume senz'acqua e un piccolo triangolo di mare, lontanissimo. A Delfi, mi diceva l'amico Fenton, uno scrittore americano che vive in Grecia da anni, bisogna risiedere a lungo in attesa che giunga l'ora della rivelazione. In difetto di questa, bisogna limitarsi ad ammirare il famoso auriga dagli occhi di smalto e ad immergere le mani nella fonte Castalia esprimendo mentalmente un desiderio. Non mi sono sottratto a questo rito, ma purtroppo i desideri erano molti e contrastanti e non penso che possano essere esauditi. Intorno a Delfi sono rovine di ogni genere che possono essere visitate a dorso di mulo. L'aria di Delfi è elettrica, eccitante, probabilmente misterica; ma il mistero e il turismo non sono conciliabili. Esiste, se non sono male informato, un progetto, caldeggiato dall'Unesco, di fondare a Delfi un falansterio riserbato a intellettuali, poeti e scrittori « ad alto livello » nella speranza che una scintilla del fuoco sacro si apprenda alle loro anime. Non vedo però come un Hölderlin o un Federico Nietzsche (nessuno dei due venne mai in Grecia) potrebbero allogarsi con vantaggio in una simile frateria. Probabilmente i pochi eletti saranno scelti secondo criteri scientifici studiati da tecnocrati dell'intelligenza e della produzione letteraria. E la Grecia, la Grecia veramente immortale, sarà conosciuta e venerata soltanto da alcuni grandi spiriti che mai vi avranno messo piede.

Non già che l'Ellade d'oggi deluda il viaggiatore « sentimentale » (un tipo di turista destinato a scomparire) perché ancora oggi essa può offrir molto a chi abbia occhi e sensibilità; ma è questione d'anni. Fate che il turismo fluviale divenga addirittura alluvionale e vedrete anche qui le conseguenze. Per ora il paesaggio greco ha saputo difendersi: suppongo che le costruzioni troppo alte siano vietate da particolari leggi, ed anche dal fatto che qui siamo in terra vulcanica, squassata da non rari terremoti. Unica triste eccezione, l'Hotel Hilton in via di costruzione ad Atene: un mostruoso *building* semicircolare che potrà ospitare almeno un migliaio di persone. Un altro albergo di enormi proporzioni sorge a millecento metri di altezza sul monte Parnete, a sessanta chilometri dalla capitale. È costato somme enormi e questa spesa minacciò addirittura la stabilità del Governo. Tuttavia sulla vetta di quel monte, che in inverno è coperto di neve, la macchia bianca dell'albergo non può dirsi una stonatura.

Un miracolo di armonia è invece la lunga serpeggiante strada che da Atene porta ad Eleusi, a Tebe (più volte terremotata ed oggi poco più che un villaggio), a Levadia e infine a Delfi. Qui la vegetazione ha gli alti e i bassi di un poema in cui l'aspirazione si alterni a fasi di nutriente torpore. Il paesaggio è tutto un succedersi di strofi irregolari, l'evidente lavoro dell'uomo non giunge a farne un quadro umanistico. Gli avvallamenti e le brevi salite si dànno il cambio, i pini, gli oliveti e gli eucalipti cedono il posto a piccoli vigneti protetti da muri a secco formati da grandi pietre. Un folto gregge di capre può vedersi raccolto, col pastore e col cane, all'ombra di un albero. Ma forse la maggior sorpresa è data dalla varietà delle erbe minute, dai cuscini di velluto che rivestono le rocce, dal proliferare delle roselline selvagge. Le luci sono spesso accecanti, il vento che soffia da gole lontane sommuove il tappeto dei muschi là dove qualche chiazza di verde si ostina a crescere su ciglioni di terra rossastra. Monotonia e spreco, miseria e sotterranea convulsa esuberanza sembrano dovunque i caratteri di questa « via sacra » del mondo antico. L'uccello più frequente è quella gazza nera striata di bianco che gli Spagnoli chiamano *hurraca* e che in tale quantità si vede solo in Provenza e in Catalogna. Anche i corvi sono numerosi, più tardi appariranno i falchi. Dopo Delfi ne ho visto due, giovani, robusti, che si azzuffavano amorosamente su un muretto della strada, indifferenti al passaggio della nostra macchina.

Lasciata Delfi, dopo aver dato una breve occhiata a ciò che resta del tempio di Apollo, cominciò la parte più penosa del viaggio. Dapprima l'attenzione si ferma su una sterminata selva di olivi selvaggi (sterminata ma non tale da formare una foresta: piuttosto una lunghissima galleria arborea), poi la strada si fa quasi impraticabile, piena di gobbe e di buche, sparsa di macigni e di montagne di detriti. Il mare non si vede più, si sale si scende continuamente in mezzo alle rocce e l'automobile è costretta a procedere quasi a passo d'uomo. Giunti al villaggio di Amfissa riuscimmo a identificare due notabili del paese (un poliziotto e il sindaco) i quali si offersero cortesemente di telefonare a Naupatto (Lepanto) per informare il nostro ospite che, con l'aiuto degli dèi, saremmo giunti a destinazione assai tardi. Intanto si era fatto buio. Non s'incontrava anima viva, ripreso il cammino si dovette cambiare una ruota. Saremmo stati più tranquilli se almeno si fosse veduto il mare; ma la strada – se così può chiamarsi quella rocciosa crosta di terra – riprende sempre a salire tra irte muraglie e solo negli ultimi chilometri strapiomba sulla piccola città. Per fortuna i notabili di Amfissa avevano mantenuto la promessa e nell'ultimo tratto venne a soccorrerci la macchina del nostro ospite, il signor Novas, deputato del collegio di Missolungi, appartenente a una dinastia di deputati di quel collegio, più volte ministro e accademico di Atene. Scrittore e poeta, oltreché uomo politico attualmente schierato a fianco del *ralliement* dei partiti d'opposizione capeggiati da Papandrèu, Kỳrios Novas è il personaggio più importante di Lepanto, sua città natale. Ha da poco ricostruito la sua casa, distrutta da un incendio durante la guerra civile e vi ha raccolto una impressionante documentazione di tutto ciò che si è pubblicato sulla famosa battaglia svoltasi quasi quattro secoli fa al largo dell'attuale Naùpaktos.

Con lui e col barbuto *papas* della città, giunto a darci il suo augurale saluto (ma fu una grande sorpresa vedere una folta barba nera infilarsi in piena notte nello sportello della nostra macchina) proseguimmo senza incidenti il viaggio fino all'ospitale casa del nostro protettore. Là giunti consultai non so quanti carmi ed epinici, per lo più pubblicati a Venezia nel 1571-72 in onore di Don Giovanni d'Austria e dei suoi ammiragli. Né la rara collezione si ferma qui, perché è completata da curiose stampe dell'epoca: in una d'esse, eseguita evidentemente *ad hoc* da un disegnatore moderno, si vede addirittura Cervantes che con la sola mano rimastagli è impegnato in una lotta mortale con un turco.

A parte questa collezione, che finirà in un museo locale, non c'è molto da vedere a Lepanto. Il porto forma un anello molto armonioso e tra boschetti di oleandri di scorgono le rovine di un castello veneziano. C'è molto silenzio a Lepanto e se la piccola città possedesse un albergo confortevole potrebbe essere consigliata a chi desideri vivere qualche giorno in pace.

Il mattino seguente, svegliatomi di buonora, udii il suono lamentoso di una voce umana, alternato a un chiacchiericcio di passeri. Era un venditore ambulante di polpi che lanciava il suo appello. È possibile che fra qualche anno il nome di Lepanto si associ nella mia memoria ai tentacoli e alle ventose di un polipaio in un canestro. Tutta la Grecia è questo, è *anche* questo, per chi non sia archeologo e non sappia padroneggiare a fondo le reliquie della sua scomparsa civiltà. È un insieme di apparizioni naturali che si direbbero impossibili altrove e che in realtà si possono vedere dovunque, ma che solo qui assumono il valore di un misterioso richiamo: è nell'allucinante magia del suo paesaggio, povero ma intenso, indigente e sublime. Purtroppo una simile scoperta doveva avere altro valore in altri tempi, quando venire in Grecia era un'impresa ben più difficile. Diventare cittadini spirituali della Grecia voleva dire qualcosa ai tempi di Byron che qui trovò la morte, è oggi impossibile per chi vi giunga in *jet* per pochi giorni. Eppure è un errore venire qui con l'animo di chi entra in un museo. Bisognerebbe diradare la cortina affascinante, e talvolta paurosa, delle immagini che si vedono, delle forme che si toccano, per entrare nel vivo di questa Grecia d'oggi, per conoscerne gli uomini, per apprendere com'essi vivano, che cosa possono ancora darci e che cosa possiamo apprendere da loro. Per conoscere, insomma, se c'è una Grecia viva accanto alla terra dei morti che si può studiare e amare stando chiusi in una biblioteca. Ed è quello che prima o poi vorrei tentare, anche se la mia visita d'oggi è stata troppo breve.

1962

Il carattere dei Greci

Lasciata Patrasso, che sarebbe piacevole per i suoi portici e consigliabile per un più lungo soggiorno se i suoi alberghi di prima categoria fossero all'altezza della qualifica, percorremmo senza incidenti la lunga strada costiera che conduce a Pỳrgos, piccola città dove un benzinaro ci consigliò di portarci sul vicino promontorio di Katàkōlon se volevamo gustare eccellenti *barbugna* (triglie) appena pescate. Lungo una via costiera sparsa di oleandri, in riva a un mare sul quale non si vedono barche, sorgono infatti ristoranti molto modesti, poco più che baracche, dove è possibile pranzare all'aperto. Eravamo i soli clienti: la padrona accese per noi il fuoco. Dietro uno steccato di canne che divideva il poco spazio da altro terreno coltivato un ragazzo gettava un osso a un piccolo cane color ruggine che si precipitava ad afferrarlo. Accortosi del nostro interesse per il suo cane egli scagliò l'osso sempre più vicino a noi per farci ammirare meglio l'inverosimile grado di bastardaggine della sua scodinzolante bestiola. Né il cane, però, né le squisite triglie distolsero il mio pensiero dai Greci che avevo intravisto al di là della folla cosmopolita affollante gli alberghi di Atene in occasione delle recenti *bodas* principesche (ad Atene per più giorni fu pubblicato addirittura un quotidiano in lingua spagnola). Dietro quel fasto effimero che cosa c'era? L'ultima volta ch'ero giunto ad Atene (1948) la guerra civile era finita da poco, negli alberghi mancava persino l'acqua, e in ogni famiglia regnava il lutto. Lasciamo stare quelli che caddero combattendo, ma chi ha mai contato coloro che morirono di fame negli ultimi tempi di quella tragedia?

Non sono passati troppi anni ed oggi tutto è diverso. I Greci si divertono, affollano le taverne, vanno matti per il teatro e mostrano una espansività che si direbbe meridionale se fosse, com'è nel nostro mezzogiorno, più rumorosa e più gesticolante. Non manca neppure la vita intellettuale, contraddistinta da uno spirito di vivace individualismo. Esistono, per esempio, non meno di quattro o cinque società di scrittori una delle quali – non la più antica – porta il titolo di « nazionale » ed è presieduta da un accademico. E c'è anche una rivista letteraria bimensile, « Nèa Estìa », che pur essendo indipendente ha un certo carattere di ufficialità. È come se da noi la « Nuova Antologia » pubblicasse il meglio dei nostri giovani autori.

Profitto dell'occasione per rivolgere qualche domanda a Maria Nike che mi accompagna nel mio breve viaggio e che sa tutto della Grecia e dell'Italia. La interrogo sul carattere dei Greci.

— I Greci — mi dice — non pensano mai al domani. Con l'aiuto del clima dell'Attica, che è secco e leggero, amano vivere fuori di casa e riempiono tutte le trattorie. Il Greco è frugale, anche se la sua cucina risulta troppo complicata per il forestiero. E dorme poco. La vita notturna non si interrompe che per brevi ore. Di notte si può trovare tutto nelle edicole, che non vendono solo giornali esteri ma anche sigarette, carta da lettere, sapone, aspirina e un'infinità di piccole cose. Il Greco è impaziente e ribelle: dove c'è una società, un gruppo, una scuola, ecco sorgere altri gruppi o istituti analoghi, in concorrenza. Solo una guerra che minacci l'indipendenza nazionale può metter tutti d'accordo. A parte qualche svaligiatore di gioiellerie i Greci si fanno un dovere di riportare alla polizia gli oggetti smarriti, che sono innumerevoli. Dato il modo di vivere e le non sempre facili comunicazioni Atene può gareggiare con Londra in fatto di smarrimenti e felici ricuperi. Talvolta l'oggetto smarrito è riportato con un messaggio di auguri e felicitazioni.

— E la famiglia? I mariti?

— Il marito greco non è fedele ma ama a modo suo la famiglia; non vuole però dimostrarlo in modo troppo chiaro. E non è mai noioso. Dopo il matrimonio non cambia vita, come avviene spesso in Italia, e continua a frequentare gli amici di prima. In Grecia esiste il divorzio, concesso dal tribunale e accettato dalla Chiesa. Si possono avere anche tre mogli (non contemporaneamente, s'intende), non una di più. Il matrimonio civile non è ammesso. I preti si sposano, prima dell'ordinazione, e solo i vescovi devono essere celibi. Nella vita politica del paese la Chiesa esercita poca o nessuna influenza. Di solito i preti sono poveri e rispettati. Qui, in un certo senso, è il popolo dei fedeli che elegge i suoi pastori. Prima che il pastore venga consacrato in chiesa, una domenica mattina dopo la messa, si chiede ai fedeli: è degno? (*àxios*); e tutti devono rispondere: degno. Se una sola voce risponde « indegno », l'accusatore deve giustificare il suo giudizio e può darsi che la consacrazione non abbia luogo.

Le cerimonie nuziali, in Grecia, sono un rito caratteristico al quale i forestieri assistono numerosi. Sulle teste degli sposi vengono poste, e poi scambiate, due coroncine bianche unite da un nastro, simbolo di un vincolo che si presume (per il momento) indissolubile. Dopo un'allocuzione del *papas* gli sposi baciano il Vangelo, bevono un sorso di vino bianco (è la loro Eucarestia) e compiono poi un giro circolare, quasi una danza, intorno ai tre preti celebranti. Il tutto è accompagnato da un sommesso coro gregoriano; gli invitati gettano sugli sposi foglie di camelia e manciate di riso. Anche gli occasionali curiosi si associano al diluviante omaggio. Dopo un quarto d'ora tutto è finito. In fin dei conti risultano più spettacolari i matrimoni che avvengono in Italia.

— Ma la passione che i Greci hanno per lo spettacolo

— mi dice Maria Nike — si mostra altrove: a teatro. Ci sono una ventina di teatri ad Atene, compreso un teatro nazionale. Nei teatri antichi il popolo accorre ad assistere alle tragedie classiche in versione moderna. Vecchi e giovani, operai e ragazzi restano immobili per ore a guardare Elettra, Antigone ed Edipo con le lagrime agli occhi. Non sono venuti a divertirsi, sono « andati al teatro », è un'altra cosa. Solo in questo e nelle danze popolari la tradizione non è stata interrotta. Anche il teatro moderno è eseguito in modo perfetto (Pirandello ha interpreti eccezionali). Tutte le recite sono affollatissime e non è facile trovare un posto libero. Il festival della tragedia antica richiama gente da tutto il mondo (ma qui, suppongo io, entrano in ballo le ragioni del turismo e nove decimi degli spettatori non hanno alcuna idea di quello che si svolge sulla scena).

— Non manca neppure il teatro d'opera, anche se non c'è un teatro che disponga di un palcoscenico adatto: sono incredibili le ovazioni che accolgono gli artisti dopo aver eseguito le arie più note. Il pubblico acquista il libretto del *Barbiere di Siviglia* (in greco) e lo legge con attenzione, come in Italia si leggeva – in altri tempi – il testo di *Parsifal*.

— Il Greco — continua Maria Nike mentre proseguiamo il viaggio verso Olimpia — si stanca della monotonia e non lascia pietra su pietra. Un bel teatro ottocentesco c'era ad Atene e vi aveva recitato anche Sarah Bernhardt; ma è stato demolito. Qui sono rari i suicidi così frequenti invece nei paesi nordici dove c'è una morte prima della morte; mentre da noi c'è una vita anche dopo la morte. C'è il culto dei morti tramandato dall'antichità e adattato allo spirito del cristianesimo. Lo stesso edifizio della nostra Chiesa ha ancora la sua base nella filosofia platonica.

— Che cosa accade — chiedo io — il primo maggio, il giorno in cui dalla troppo fredda e troppo remota Kēfisià sono disceso in città per trovare un alloggio meno eccentrico? Mi sono trovato immerso in una festa floreale di cui mi sfuggiva il senso.

— Il nostro primo maggio è la festa dei fiori e dell'amore. Tutti mettono una ghirlanda di fiori sopra gli usci delle case o sotto i balconi. È la festa dei fidanzati, dell'amore e della gioventù. Le ghirlande restano al loro posto fino al primo maggio successivo; le vecchie ghirlande appassite sono poi bruciate sui fuochi che si accendono nelle strade nella notte di San Giovanni, il 24 giugno. È tornata la Persefone dall'Ade, si è portato Gesù al sepolcro venerdì santo, come si portava Adonis nell'antichità. Dioniso-Bacco è risorto, entra col vino nel corpo dei suoi fedeli. È con questo spirito che il popolo assiste ancora al dramma antico, come si va oggi in chiesa. Dopo tutto *ekklesìa* vuol dire popolo radunato.

Maria Nike mi parla poi della passione politica dei Greci. In ogni borgo c'è almeno un caffè che ha un suo parlamento e una sua opposizione riconosciuta. In quei locali dove avvengono frequenti baruffe le donne non sono ammesse. — Lì e al monte Athos — aggiunge maliziosamente. Chi sa come si è formata l'indipendenza greca dal 1821 ad oggi e attraverso quali vicende essa sia maturata fino ai nostri giorni può immaginare quanto sia acuminato e velenoso qui in Grecia il chiodo della politica. Ma non è mio compito parlarne, né la mia informazione sarebbe sufficiente. Per ora non mi resta nient'altro da fare che stringer la mano a molti uomini di lettere (c'è senza dubbio una *élite*, qualcosa come una « terza forza », politicamente inefficiente come accade, su scala maggiore, anche in Italia) e ammirare rovine, monumenti e paesaggi. Tutto il resto lo scoprirò in seguito, se mi accadrà di ritornare.

E mi concentro così sugli anelli, sui saliscendi di una strada dove s'incontrano di tanto in tanto donne e fanciulli che vendono rosari di nespole. Olimpia (pronunciate Olimpìa) si nasconde fino all'ultimo e quando si rivela mostra la più bella conca che alberi cielo ed acque possano formare. Corot avrebbe forse potuto dipingerla, con la sua maniera minuziosa e insieme larga. Mentre la fonte Castalia non mi aveva offuscato la memoria di Vaucluse, qui c'è un concentrato di Toscana e di Umbria che solo qualche rara apertura provenzale può suggerire, non però eguagliare. A Olimpia si ammira, naturalmente, l'Ermete di Prassitele e molte altre cose. Ma non penso che la mia penna possa ricreare simili capolavori, e il viaggio è ancora lungo. Per il momento Olimpia è destinata ad allogarsi, piccola come il ricordo di un pastello, negli archivi della memoria. E con essa questa meravigliosa poesia che Maria Nike – probabile sua autrice – mi regala prima di congedarsi: « Nulla esiste là dove la Moira / segna i destini sotto una luce spettrale / e odia le vie del mare e le vie della terra / dal prezioso ricamo della primavera. / Difficile sarà lo sbarco per noi, / passeggeri di frodo. / E intanto spegni la candela. / Non ci sono altri sentieri ».

1962

Un poeta greco

Del poeta neo-greco Costantino Kavàfis ebbi già ad occuparmi due volte diffusamente. Il mio primo articolo risale al '57. Cinque anni fa poco si era tradotto di lui in Italia e il mio scritto si fondò sulla versione inglese di Sir John Maurogordato. Ora è disponibile l'intero *corpus* delle sue poesie in versione italiana di F. M. Pontani e col testo originale a fronte (nello « Specchio » mondadoriano). Posso quindi riprendere il discorso interrotto con la quasi certezza ch'esso non cadrà del tutto nel vuoto. Kavàfis è infatti il solo moderno poeta greco che abbia raggiunto fama internazionale e la sua reputazione (sembra un paradosso) è aumentata dal fatto ch'egli, a differenza di altri grandi suoi predecessori, non è stato mai un bardo nazionale, un padre della patria, non ha subìto, cioè, la sorte di quei poeti « risorgimentali » che la Grecia (non meno dell'Italia) ha consacrato e che l'estero considera come prodotti locali, da non portarsi fuori sede.

Kavàfis apparteneva alla comunità greca di Alessandria oggi assai decimata; fanciullo passò alcuni anni in Inghilterra ma poi la città natale lo riassorbì. Diventò funzionario in non so quale ufficio dell'Irrigazione e fu anche mediatore in borsa. Andò due volte ad Atene, la prima intorno al 1901, la seconda nel 1932, per farsi operare alla gola; morì in Alessandria nell'anno successivo. La sua gloria è stata postuma perché il poeta pubblicò pochissimo in vita sua: in forma di libro solo una *plaquette*, poi ristampata con aggiunte; in veste di foglietti volanti gran parte delle altre poesie. Questi fogli, di cui ho veduto alcuni esemplari, non devono far pensare a nulla di popolaresco, come il pescatore di Chiaravalle: sono impressi assai preziosamente e destinati senza dubbio a finir tra le mani dei rilegatori. I fedeli di Kavàfis ne posseggono varie collezioni ed oggi esistono edizioni normali delle liriche del poeta e sta crescendo di giorno in giorno il contributo della critica alla comprensione delle sue centocinquanta brevi composizioni.

A parte queste, esistono alcune decine di poesie giovanili rifiutate; possono esser lette nel saggio critico biografico che Michele Peridis ha dedicato al poeta nel '48. Il Peridis, avvocato alessandrino oggi trasferitosi ad Atene per comprensibili ragioni, ha conosciuto in Egitto Pea e Ungaretti ed è una buona fonte di informazioni sull'ambiente in cui Kavàfis ebbe a formarsi. Non meno ricco di notizie di prima mano è un altro letterato da me conosciuto, Giorgio Papoutsakis a cui si deve una traduzione francese di tutte le poesie dal Kavàfis accettate. Anche il Papoutsakis ha vissuto a lungo in Egitto ed è in grado di darci il ritratto di un Kavàfis *en pantoufles* di cui per ora, in attesa ch'egli pubblichi l'atteso libro sull'argomento, posso anticipare qualche spunto. Non prima, però, di aver ricordato che Kavàfis ha trasferito se stesso in personaggi più o meno immaginari (o appena nominati da Plutarco o da Svetonio o da altri storici e cronisti più recenti) facendo rivivere un mondo ellenistico e tardo bizantino ch'egli avvicina al nostro oggi e sente come nostro contemporaneo.

S'intende che il ravvicinamento è frutto di nostalgia, è il culto di quel tipo d'uomo – l'Elleno, « la più preziosa delle cose prodotte dall'umanità » – che difficilmente si troverebbe nella Grecia d'oggi ma che nei gruppi della diaspora doveva vivere ancora come un mito, come un resto di fuoco sotto la cenere. Non so nulla di Alessandria, né tanto meno dell'Alessandria d'oggi, duramente « scremata » dalle leggi nasseriane, ma chi abbia letto *Justine* di Durrell e alcune antiche pagine di E. M. Forster potrà comprendere come la vita e la poesia di Kavàfis siano inseparabili dal fondo e dal sottofondo di un'Alessandria che ai nostri giorni dev'essere assai diversa.

In attesa di quanto sarà scritto durante l'anno kavàfisiano ormai prossimo (1963, ricorrenza della nascita) ecco come ricordano il poeta i quattro o cinque critici che qui ad Atene (oltre i due già citati) si contendono il culto della sua memoria. Kavàfis aveva una bellissima voce e vantava la discendenza fanariota della madre (Fanari era il quartiere dei dotti di Costantinopoli). La madre fu la sola donna da lui amata; gli altri amori del poeta furono del genere « sterile e riprovato » che egli attribuisce a molti suoi personaggi. Pare che il futuro biografo Papoutsakis – il quale ha raccolto in un piccolo museo gran parte degli oggetti e delle carte del poeta – distruggerà la leggenda di questi amori e che a tale condizione l'erede di Kavàfis, Alessandro Sengòpulos, ha messo nelle sue mani quel ricco materiale.

La casa del poeta, in via Lepsius ad Alessandria, era arredata di mobili pesanti, di legno scolpito, intagliato e incrostato di madreperla: mobili di gusto arabo. Il poeta amava la penombra e la luce delle candele. Quando un ospite gli riusciva gradito accendeva candele supplementari; in caso contrario spegneva le candele una dopo l'altra, e questo era il segno del congedo. Lo stesso accadeva per i beveraggi; agli amici cari offriva *whisky*, agli altri diceva con aria distratta: « Ah, già, mi ricordo che lei non beve ».

A giudicare dalle fotografie Kavàfis era magro, occhialuto, di statura forse media, elegante nel portamento. Non trasandato né *bohème*, doveva circondarsi di un certo *bric-à-brac*, legato però a ricordi di famiglia. Sopra un'*étagère* teneva in mostra i gioielli di famiglia, anelli, bottoni di diamanti fuori moda ch'egli portava quando era invitato nell'alta società greca di Alessandria. Dicono che abbia trascorso gran parte della vita recitando a perfezione « la parte di Kavàfis »: la voce, le frasi, i gesti, tutto era scrupolosamente studiato e mandato a memoria. Un'esecuzione impeccabile. Del periodo che interessa la sua poesia (tutta l'epoca ellenistica – 200 a. C. - 655 d. C. – e tutta l'epoca bizantina – 842-1355 d. C. –) egli aveva una larghissima conoscenza, tanto che i professori di storia lo evitavano per non cadere in qualche domanda-trabocchetto (era una delle sue tante civetterie). Suppongo però che la sua erudizione fosse quella dell'artista che prende il suo bene dove lo trova e se ne infischia dell'esattezza storica; l'erudizione di un moderno esteta, insomma, qualcuno ha detto di un parnassiano: ma come conciliare col gelo del *Parnasse* il tragicomico *sense of humour* di molte poesie kavàfisiane?

L'esteta ch'era in lui è rivelato, tuttavia, da certi oggetti o indumenti d'uso ch'egli ha lasciato: pantofole di velluto ricamate, statue arcaiche, bellissimi vasi smaltati; dallo scrupolo ch'egli pone nel citare le sue fonti (un coacervo che farebbe impazzire un vero storico) e infine dall'insistenza con cui egli si descrive come scultore e come artefice, come personaggio che occupa un posto insigne nella civiltà del suo tempo.

È sorprendente notare che Kavàfis, perfetto conoscitore della lingua inglese, scrisse in una lingua che dovette riapprendere all'età di nove anni benché fosse la sua lingua materna. Il neo-greco era trent'anni fa (ed è ancora) in una fase assai fluida e le ricchezze della lingua parevano inesauribili. Da una parte la lingua illustre (quella che usano ancora i giornali), dall'altra la lingua demòtica, la lingua veramente parlata. Kavàfis, a quanto pare, attinse liberamente alle due fonti e si creò un linguaggio tutto suo. Forse la difficoltà dell'impresa spiega perché egli preferì esprimersi in greco anziché in inglese. Ma c'è chi si spinge più lontano e illustra con ragioni puramente letterarie anche la faccenda dei « mal riposti nervi ». Amori di questa fatta non apparivano più nelle lettere greche dall'epoca di Stratone mentre in Inghilterra non avrebbero avuto sapore di novità. Tale considerazione avrebbe avuto un peso decisivo nella scelta, anzi nelle scelte, del poeta. In ogni modo si tratta di ipotesi, probabilmente suggerite dal desiderio di non lasciare alcuna ombra sulla sua vita e sulla sua crescente fama.

Una fama, è quasi inutile dirlo, quasi tutta postuma e abbastanza recente. In vita Kavàfis fu più deriso che applaudito; aveva pubblicato poche cose e in un tempo di poesia declamatoria la sua lirica (così poco lirica nel senso ordinario della parola) non poteva esser compresa che dai giovani. Tuttavia quando egli venne ad Atene per farsi operare i più illustri letterati greci gli fecero visite di omaggio. Il maggiore di tutti – Sikelianòs – ricoperto da una lussuosa cappa azzurra si presentò alla porta della sua camera nascondendo un grande mazzo di rose bianche. Kavàfis andò ad aprire; il visitatore lasciò cadere teatralmente la cappa, rovesciò le rose sul letto e abbracciò l'alessandrino gridando con voce tonante: « Amatissimo poeta e fratello! ». Dopodiché si affollarono i giovani poeti intorno al letto del malato, ognuno recitando i suoi versi e chiedendo giudizi e consigli. Ma Kavàfis, quasi totalmente afono, poté sottrarsi a quella tortura. E poco dopo l'infermo tornò a casa sua per morire. Si spense nell'ospedale greco di Alessandria il 29 aprile del 1933 ed è sepolto nel cimitero della Comunità.

Forse interesserà al lettore che conosca poco o nulla di lui di leggere una delle sue poesie più attuali. Ed io mi provo a tradurre (tenendo d'occhio e abbreviando un testo del Pontani) la lirica *Attendendo i barbari* di cui già detti una versione dall'inglese molti anni fa, pubblicata sulla rivista « Il ponte », ma non più in mio possesso.

« Chi aspettiamo raccolti qui nel Foro? » / « Oggi arrivano i barbari ». / « Perché il senato è inerte? e cosa aspettano / i senatori per legiferare? » / « È che arrivano i barbari: / faranno essi le leggi, appena giunti ».

« Perché l'imperatore si è alzato di buon'ora / e si è messo sul trono, con la corona in testa / davanti alla gran porta della città? » / « È che arrivano i barbari: egli è pronto / ad accoglierne il capo con una pergamena / tutta piena di titoli e di onori ».

« E perché i nostri consoli e i pretori / portano toghe rosse e ricamate / e braccialetti e anelli luccicanti / di ametiste e smeraldi? » / « È perché vengono / i barbari e bisogna sbalordirli ».

« Perché i nostri oratori come al solito / non sono qui a discutere e a cavillare? » / « È che arrivano i barbari, / ed essi non sopportano le chiacchiere ».

« Ma ora cos'è questa confusione? / E perché tutti sono così gravi? / Perché le piazze si vuotano, ed in fretta / tutti tornano a casa? »

« È che annotta ed i barbari / non sono giunti. Peggio: / messaggeri venuti d'oltre frontiera / dicono che di barbari non c'è più neppur l'ombra ».

« E ora che faremo senza i barbari? / Era una soluzione, dopo tutto... ».

1962

X

Da Gerusalemme divisa

Se è vero che le forme verbali dell'aramaico non consentono una netta distinzione tra passato, presente e futuro, e lascio la responsabilità dell'affermazione a Raymond Aron, si può comprendere che il *continuum* di un eterno presente abbia finito per imporre una certa iconoclastia ai paesi di lingue semitiche. Da un lato concreto, la vita quotidiana, dall'altro ciò che non si può né vedere né rappresentare.

Così il Dio non effigiato doveva prendere, presso gli Ebrei, anche gli attributi meno nobili dell'uomo: la collera, la violenza. Mancando ai monoteisti il conforto che ebbero i Greci di popolare la Terra di divinità terrene o di subdivinità in incognito, molto lento dovette essere il processo che vide nascere la carità, in sostituzione dell'antica *pietas*, accessibile solo a pochi privilegiati. E fu la rivoluzione cristiana, da duemila anni la sola rivoluzione che, anche incompiuta come è, dica ancora qualcosa al cuore dell'uomo.

Questi, ed altri meno peregrini, erano i sentimenti che mi ispirava la strada quasi deserta che porta da 'Amman a Gerusalemme. Nella città di 'Amman ho visto solo i quartieri dei rifugiati, che formano una sorta di lebbrosario edilizio. Più in là, alle baracche e alle casupole succedono tende di forma semiovoidale, attaccate al suolo come sanguisughe. Apparvero poi due cammelli, uno sciacallo con gli occhi accesi dalle prime luci del tramonto e una o due squadre dei mirabili cavalleggeri arabi del re Ussèin. Il suolo era rossastro e ondulato, non ci si accorgeva di scendere gradatamente dai quasi mille metri dell'altipiano verso i quattrocentoquaranta piedi sotto il livello del mare del plumbeo Mar Morto. Sulle rive del quale sorge un *Dead Sea Hotel* che offriva camere libere ma non riscaldate. E il freddo in terra era intenso, le poche erbe erano già strinate dal gelo.

Una larva di calore ci offriva, invece, a Gerusalemme, un alberguccio sul Monte degli Ulivi. Ma in questi giorni un solo alloggio non bastava ai giornalisti, perché la città è divisa in due parti, una giordana e una israeliana, e chi voleva vedere qualcosa doveva far la spola dall'una all'altra, dopo essersi imbottite le tasche di ogni genere di documenti, tessere e salvacondotti. Per la prima volta in vita mia, ho avuto così due alloggi, uno dei quali lussuoso, a forse un chilometro di distanza.

Che cosa pensavano i Giordani dell'imminente arrivo di Paolo VI? Secondo re Ussèin, il Papa potrà rendersi conto delle condizioni di vita di un milione di rifugiati, ma non bisogna attribuirgli compiti di mediatore tra due paesi ancora su un piede di guerra, seppure in regime di armistizio.

Che cosa pensano gli Arabi del nostro coraggioso Pontefice? Lo abbiamo chiesto ad un arabo ed egli ci ha interrogato a sua volta: sa camminare sull'acqua il Papa? E alla nostra risposta se ne è andato, deluso.

Ciò non toglie che in questo paese l'interesse per l'inopinato gesto di Paolo VI sia stato altissimo. Mentre sto scrivendo, levo gli occhi e guardo la mareggiata umana che accoglie il Papa alla porta di Damasco. Neppure il forte sbarramento della polizia e dell'esercito giordano ha potuto impedire che, durante l'ascensione della Via Dolorosa, il Pontefice dovesse procedere tra una vera calca di popolo. Eppure la *Via Crucis*, quando l'avevo percorsa io, non era che un vicolo in salita, a zig-zag, sul quale si aprono friggitorie e piccole botteghe. Era una sera di luna, non si vedeva anima viva. In un seminterrato un uomo impastava coi piedi nudi una melma di olio di sesamo e il tanfo dilagava intorno.

La vera *Via Crucis* correva sotto l'attuale strada, pochi metri al di sotto; qualche traccia ne resta ancora ed a ogni stazione c'è un'apertura che permette di scorgerla. La chiesa del Santo Sepolcro sorge su quella che doveva essere poco più di una gibbosità o verruca del suolo. È là che Paolo VI ha celebrato, nello storico 4 gennaio 1964, la prima messa di un Papa in Terrasanta. Se è lecito attribuire pensieri nostri a così alto visitatore, si può credere che egli abbia invidiato quei pellegrini che vengono qui senza clamore di pubblicità e senza apparire su alcuno schermo. Teoricamente, la possibilità esisteva, poiché né Giordania né Israele posseggono la televisione: i Giordani troppo poveri per pagarsi questo lusso, gli Israeliani convinti che la televisione distragga dal lavoro e corrompa i costumi. Ma la macchina diabolica poteva essere importata per pochi giorni, e nessun uomo di prestigio e tanto meno il capo della ecumene cattolica potrebbe sognarsi oggi di viaggiare clandestinamente.

A Getsemani poi, l'ultima tappa importante di questa prima spossante fatica del Papa, è quasi impensabile la folla. L'orto ha ancora l'ingenuità dei quadri dei primitivi, la luce sgronda dagli alberi, un uccellino ammaestrato dai francescani viene a posarsi sulla vostra spalla; e nemmeno il cuore più indurito può trattenere la commozione vedendo la più che bimillenaria lastra di pietra sulla quale il Salvatore, per lunga ed ininterrotta tradizione, si adagiò e pianse.

Mi accorgo di aver saltato a piè pari la tappa intermedia toccata in breve tempo dal Papa: Betania, dove si vedono i resti della casa di Lazzaro, pure custodita dai francescani. Qui la chiesa è quasi addossata a una moschea e il suono dell'organo e il canto rauco del *muezzin* si fondono in un unico stupefacente concerto. Nazareth, il più famoso dei Luoghi santi, si trova, invece, in Israele.

Mentre continuo a scrivere (è l'alba del 5 gennaio) il Papa vi giungerà dalla frontiera giordana di Jenin e a Megiddo sarà incontrato dal presidente della repubblica israeliana, pressappoco lungo quella spaccatura dove Debora sconfisse Sisara (*Giudici*, 4, 15). Anche a Nazareth bisogna scendere sotto terra per vedere le grotte dove vissero a lungo Maria e Gesù e dove Giuseppe lavorò come falegname. Purtroppo la chiesa che sovrasta le grotte raffredderebbe la fede più ardente e il paesaggio circostante, assai deturpato, non giustifica più la sua reputazione.

Il lago di Tiberiade, il colle delle Beatitudini, il monte Tabor sono altre tappe di quella che qualche giornale definisce *the Pope's cavalcade*. Il lago resta ed è probabilmente eguale a quello che fu visto da Gesù: non vi sono che poche abitazioni. L'altro giorno questo piccolo mare di Galilea era sferzato da un vento furioso, le onde erano altissime, di un colore quasi nero. Siamo ancora sotto il livello del mare. Una piccola monaca espone alla mia ammirazione un grosso luccio che era convinta fosse destinato alla cena del Pontefice. Di fronte è la Siria che un tempo mandava qui turisti e villeggianti. Nel viaggio di ritorno Paolo VI sosterà a Cana, dove battezzerà un bambino, e a Ramla, dove nacque Giuseppe d'Arimatea. Si pensa che gli sarà mostrato il sicomoro sul quale si arrampicò Zaccheo per vedere Gesù.

La via del ritorno lungo la fascia costiera, che in qualche punto è larga appena dieci chilometri, e la strada che sale poi a Gerusalemme mostrano un paesaggio folto di agrumeti, ben diverso da quello giordano. A tratti sembra di essere in Umbria e qualcuno ha pensato alla Val Gardena. Tutto il coltivabile è stato sfruttato al massimo, abbondano gli uliveti ed i cipressi, sui colli biancheggiano i *kibbuz*. Negli ultimi chilometri si scorgono i resti delle autoblindo israeliane che nel '46 tentarono di rompere un accerchiamento. Oggi vi sono appese ghirlande di fiori.

La Gerusalemme ebraica è una città moderna dove esiste quasi ogni *comfort,* escluso un buon riscaldamento. Israele conta ben sette università e non ha analfabeti. Il contrasto psicologico con lo Stato giordano non potrebbe essere più forte. Di là l'Oriente con la sua inerzia e la sua apparente inoffensività: di qua uno Stato moderno, ma ibridato incredibilmente. Accanto agli ortodossi, che portano lunghe trecce e insultano chi si permette di fumare il sabato, stanno gli stessi uomini che possiamo incontrare in via Montenapoleone. Non mancano i cattolici e neppure gli Arabi, lo Stato è ufficialmente laico, sette partiti si contendono il potere, la ferma militare è obbligatoria anche per le donne, e le più belle ragazze sono quelle che portano la divisa.

Di fronte alla vastità territoriale degli Stati arabi, poco spazio resta a disposizione di Israele. Potranno un giorno Arabi e Israeliani convivere in pace? È quello che si augura ogni uomo di buona volontà. Ma il solco è ancora profondo e le previsioni sono inutili.

Domani, 6 gennaio, Paolo VI visiterà Betlemme e poi tornerà ad 'Amman per riprendere il viaggio di ritorno. Proponendo e attuando rapidamente questa sua visita egli ha compiuto un gesto che non ha precedenti, che ha creato difficoltà di ogni genere, e non solo di etichetta e di protocollo, un gesto del quale non possiamo valutare per ora le possibili ripercussioni. La sua visita è stata considerata importante e nello stesso tempo è stata temuta. Religiosamente, nessuna delle parti tuttora in lotta appartiene alla cattolicità. Sul piano politico si è trattato della visita di un capo straniero ai due capi di Stato che lo hanno ricevuto. Ma sul piano della storia esistono forze che agiscono nel sottosuolo e che sfuggono alla comprensione dei contemporanei. Forse io mi sono trovato come Fabrizio del Dongo a Waterloo: ho assistito a una grande azione storica senza rendermene conto.

Più tardi attraverso il ricordo ne prenderò piena coscienza. Per fortuna o per disgrazia noi uomini dell'Occidente possediamo forme verbali che ci permettono di vivere più nel passato e nel futuro che nel presente.

Posso concludere queste brevi note affidate al telegrafo dicendo con quale emozione di pellegrino culturale ho rimesso piede dopo anni nelle terre dove è nato il monoteismo. Paesi come questi lasciano, come ha detto il vecchio re 'Abd Allāh assassinato qui a Gerusalemme, una impressione di eternità. Abbiamo creato tante macchine, il progresso, sebbene a rilento, è giunto anche qui, eppure noi sentiamo che la via del progresso meccanico non è che una delle vie possibili e forse non è neppure la via più giusta per l'Oriente che noi possiamo dire cristiano anche se i cristiani vi siano in minoranza. Io ne avevo già avuto un sentore quando visitai rovine e santuari, oasi e città morte di Libano e di Siria sotto la guida di Julian Huxley: terre che si possono amare o detestare, prendere o lasciare, ma che in nessun caso possono lasciarci indifferenti. E per conto mio anche stavolta, vincendo la ripugnanza del grasso di montone e delle sugne di olio di sesamo, posso dire che non mi pento di aver deciso senza esitazione di prenderle e di conservarle gelosamente tra i miei ricordi più cari.

1962

Noterelle di uno dei Mille

Giornalisti

Se fossi nato nei primi decenni dell'Ottocento, mi sarei probabilmente arruolato tra i garibaldini, salvo poi pentirmene dopo l'infelice compromesso dell'unificazione. Tuttavia posso dire egualmente di essere stato uno dei Mille: dei mille e più giornalisti che sono venuti in Terrasanta in questi giorni. Più di un milione di parole ha trasmesso ieri l'ufficio telegrafico di Gerusalemme giordana – non conosco la cifra delle parole spedite dall'ufficio israeliano. Le notizie pubblicate dai giornali saranno tutte vere? Ognuno aveva la sua verità incontrollata ma incontrovertibile, ognuno aveva il suo patriarca informatore, il suo *genius loci* che affermava di saper tutto.

I giornalisti erano appollaiati in ogni luogo, seduti a terra con la macchina da scrivere sui ginocchi, sui parapetti dello Smith College, all'ombra delle mura di Solimano, nei sottopassaggi e nei cunicoli dei Luoghi sacri. Quando non scrivevano dovevano correre a farsi fotografare, perché infinito era il numero delle tessere e dei lasciapassare richiesti. Avevano gli occhi gonfi e barbe di una settimana. I più anziani se ne stavano all'albergo inventando qualcosa. I più giovani e più zelanti passavano e ripassavano la frontiera due o tre volte il giorno. E gli alberghi, di quali alberghi si parla? Qui al *Mount Olives Hotel* nella mia camera non si può spegnere la luce elettrica perché manca l'interruttore. Ogni sera viene un tipo negroide, un arabo di Gerico, che sale sul mio letto senza togliersi le scarpe e svita la lampada. Una notte, ebbi invece un lussuoso *flat* al *King David*: camera con bagno, salotto. Ma non possedevo nulla: né pigiama, né sapone, né rasoio, né pettine. Fui soccorso dalla moglie del nostro collega Segre, alla quale rendo qui le mie grazie. Il pigiama era però troppo lungo per me – e indossandolo esclamai per la prima volta in senso non traslato: « È un altro paio di maniche! » Poi fui vinto dal sonno.

Alberi

In Israele gli alberi si direbbero d'importazione. Non è possibile che cipressi così alti siano nati da poco in uno Stato giovane e fino a pochi anni fa notevolmente brullo. Anche gli stupendi aranceti della Galilea suggeriscono idee di pianificazione. Ciò non toglie che la Galilea sia molto bella e che tutto il paesaggio israeliano dimostri la presenza di una stirpe forte e risoluta. Che cosa accadrebbe se tutti gli Ebrei del mondo convergessero qui e ricostruissero il loro tempio? Il loro impero dilagherebbe in tutto il vasto territorio oggi occupato dagli Arabi: i quali, feroci sporadicamente, sono però incapaci di organizzarsi e di credere che l'uomo è nato per lavorare. Ma gli Ebrei della diaspora non avrebbero nulla da guadagnare venendo qui: intendo nulla da guadagnare come collettività universale. Il destino del popolo di Israele sembra quello di essere disperso e insieme unificato, ma non in senso territoriale. La sua vera unità l'ha formata una volta per tutte Faraone – e chi legge la Bibbia non fatica a rendersene conto.

Ma chiudo la divagazione e torno agli alberi. I più antichi alberi del mondo dovrebbero essere quelli dell'orto di Getsemani: sei o sette ulivi dai tronchi incredibilmente forti e nodosi, autentici laocoonti arborei. Un botanico non avrebbe però difficoltà a stabilirne l'età, che non è certo di duemila anni. Meno dubbia è invece l'ubicazione: si sente che i loro predecessori erano lì e non in altro luogo, perché altro spazio non c'è. Informazioni più vaghe corrono invece sui terebinti e sui sicomori che molti affermano di aver veduto in vari luoghi, senza precisare dove e come. Questi alberi hanno in ogni modo una loro vita perenne nelle pagine dei poeti. In Italia il sicomoro dev'essere l'albero di Giuda. Ma non ne sono certo.

Se gli archeologi...

Se l'archeologia non fosse una scienza giovane, la custodia dei Luoghi sacri sarebbe stata risolta in altro modo, isolando ciò che resta di autentico o di antico, e non permettendo ricostruzioni, sovrastrutture e camuffamenti. Purtroppo c'erano di mezzo gli uomini, anzi gli uomini più disposti a monopolizzare il divino: cioè gli ordini religiosi, che qui sono numerosi e in aperta concorrenza. E così a chi mi chiede se un viaggio in Terrasanta riesce a confermare o a infiacchire la fede di un cristiano d'altre terre io posso rispondere: ai cristiani di scarsa fede il viaggio sarà certamente utile, perché solo un cieco e un sordo potrebbero negare che qui qualcosa è accaduto, qualcosa molto più importante della scoperta dell'America e della dichiarazione dei diritti dell'uomo.

Ai cristiani di fede salda, a quelli che hanno la *foi du charbonnier* direi invece: non venite, per voi il viaggio non è necessario. L'immagine che voi vi siete formati del Cristo non può essere controllata sul posto, non ha bisogno di puntelli esterni. Per voi il Golgota deve restare un'altissima montagna, non una escrescenza del suolo, e un sotterraneo al quale si accede da una strada in cui si vendono focacce e spiedini di montone arrosto. Unico e grande fatto confortevole: qui si vendono poche reliquie e il piccolo commercio di « articoli religiosi » non trova la sede adatta.

Di questo abbiamo molto di più a Lourdes o in Italia.

Il Papa

Ai giornalisti non era concesso di vedere il Papa in ogni minuto della sua *randonnée.* Al massimo si poteva avere una tessera valevole per un solo momento e per pochi minuti. E il fortunato possessore di una simile tessera doveva alzarsi alle tre del mattino e trovarsi sul luogo scelto con l'anticipo di molte ore. Tuttavia, pur essendo sprovvisto di ogni tessera (avevo esaurito lo *stock* delle mie fotografie) mi è riuscito di vedere il Pontefice scendere dalla macchina, percorrere un declivio sassoso e curvarsi in preghiera sul Giordano, dopo essersi tolto il galero rosso. Indubbia era la sua dignità, e si sa quanto conti il portamento, l'autorevolezza fisica in questi paesi. In parole povere, agli Arabi il Papa è piaciuto. Salvo il rimpianto ch'egli si recasse di là dalla *no man's land,* nel paese dei loro nemici. In Israele non so che effetto abbia fatto: buono senz'altro ai politici, ai capi; meno buono alle soldatesse di vent'anni. Ma era inevitabile. Troppe piaghe sono ancora aperte in queste terre e ai giovani non si può chiedere imparzialità e senso di giustizia. E alle donne poi!

I re ascemiti

Nel luglio del 1951 il vecchio e gagliardo discendente del Profeta re 'Abd Allāh (ex-emiro incoronato dagli Inglesi, ma abituato anche a dormire sotto la tenda) decise di fare una visita alla città di Gerusalemme, da lui molto amata. Egli sapeva che da questa parte del Giordano non aveva troppi amici e quando i suoi ministri, con qualche debole scusa, gli fecero capire che non volevano accompagnarlo, comprese che qualcosa di grave stava maturando. Tuttavia restò fermo nella sua decisione, e rivoltosi al nipote (l'attuale re Ussèin, essendo il padre malato e inutilizzabile) gli disse: « Tu verrai con me, figlio mio ». Ussèin ne fu contento, ma cominciò a turbarsi quando il vecchio gli impose di indossare la divisa militare. L'uniforme non era in ordine, era sgualcita, si dovette farla stirare e il viaggio subì un ritardo.

All'ingresso a Gerusalemme il vecchio e il nipote furono accolti col dovuto onore e il capo della congiura si prostrò dinanzi al re baciandogli i piedi. Poi la processione dei dignitari si avviò e procedette, finché dal riparo di un colonnato un gigante barbuto si sporse e tirò due colpi di rivoltella. Re 'Abd Allāh cadde fulminato, Ussèin fu pure colpito ma una medaglia dell'uniforme deviò il colpo. Senza quell'uniforme oggi la storia del Medio Oriente sarebbe alquanto diversa. La medaglia di Ussèin, il naso di Cleopatra... di quali insignificanti *faits divers* è tessuta la storia?

1964

XI

Sulla scia di Stravinsky

Venezia, 8 settembre. – Ho una bella camera sulla riva degli Schiavoni e un interminabile Canaletto brulicante e vivente mi si dispiega sotto gli occhi. Finisco qui le mie ferie per assistere alla nascita di un presunto capolavoro; o meglio per spiare questo battesimo dalle *coulisses,* dal retrobottega. Dio sa però se riuscirò a veder da vicino Stravinsky che è arrivato con la sua *suite* al completo (moglie, figlio, medico di fiducia ecc.). Il Maestro, a quanto pare, è piuttosto « arancino », come dicono a Firenze, coi giornalisti. A Napoli lo hanno interrogato a lungo per definirlo poi « il grande violinista »; *inde irae* che sconsigliano ogni approccio diretto. Esco, entro in un dedalo di strade e raggiungo il celebre bar dove mister Cipriani, l'amico di Hemingway, mi fa omaggio di un aperitivo e di una pallina di riso fritto. Poi riesco e passeggio ancora, annoiandomi. Fa caldo e c'è una folla enorme. Dovunque grandi cartelli invitano a manifestazioni artistiche di ogni genere. Perché il Comune di Venezia non annunzia al mondo intero che d'ora in avanti nessuna attrazione (né artistica né mondana né sportiva) sarà più ammessa in questa divina città dove non giunge il frastuono degli *scooters*? Sparirebbe d'incanto anche il cicaleccio dei calabroni del bel mondo e Venezia si assicurerebbe una colonia di nuovi ospiti infinitamente maggiore e più duratura. Una città del silenzio ben organizzata contro ogni forma di organizzazione mondana attirerebbe gente da ogni parte del mondo. Lancio l'idea senza sperare, purtroppo, che sia raccolta e attuata.

8 settembre, sera. – Son riuscito a procurarmi il libretto di *The Rake's Progress* che è un gioiello del genere e contiene forse i più bei versi di Auden. Senza mancar di rispetto a quei quasi capolavori che sono i libretti di Giacosa e Illica, da quanti anni non si tesseva una ragnatela così perfetta? D'altronde tutta la recente poesia inglese tende al libretto d'opera o d'operetta (senza musica, o con la sola musica delle sue parole). Questo non è però un libretto funzionale come forse Auden crede. Quale musica potrà sottolineare versi che saltano dallo stile del *Mikado* di Sullivan al monologo di Baba la Turca arieggiante certi pezzi della *Terra desolata* di Eliot? Temo che rimarrà sempre uno scompenso tra l'intelligenza ramificatissima e allusiva di Auden e l'intelligenza nuda e quasi astratta dell'ultimo Stravinsky. Intanto mi canterello, con musica di mia fattura,

What deed could be as great
As with this Gorgon to mate?
All the world shall admire
Tom Rakewell Esquire.

(Dice di messer Rakewell e del suo previsto accoppiamento con quello scorfano della donna barbuta: *exploit* che riempirà il mondo di ammirazione. Ma non invidio il traduttore, che deve salvare il senso e il ritmo, qui e in molti altri luoghi più difficili. Anche se farà miracoli, ho l'impressione che questo testo secco come un bambù guadagnerà sempre a esser letto e cantato nella lingua originale).

9 settembre. – Il medico di Stravinsky mi ha detto: — Perché non provi ad aggredire il figlio anziché il padre? Sa tutto di lui, ha scritto persino un libro sul Maestro. — Ho seguito il consiglio e ho passato mezz'ora con Teodoro Stravinsky, pittore residente a Ginevra e autore di un *Messaggio di Stravinsky* che il grande Igor giudica definitivo. Disgraziatamente, Teodoro non vede il padre da dodici anni e preferisce parlarmi della sua pittura. Gli chiedo se è pittura impressionista, ma da un suo sobbalzo comprendo di aver fatto una *gaffe*. Teodoro è stato toccato profondamente dall'*esprit de Genève* e vorrebbe affrescare intere chiese. Parla perfettamente il francese; col padre si esprime in russo ma pare che il russo del padre e del figlio sia alquanto arrugginito. Quando cerco di ricondurlo in carreggiata egli insiste molto sulla religiosità di Stravinsky. In alcune dichiarazioni stampate contenute nel programma di *The Rake's Progress*, il musicista ha infatti affermato il suo attaccamento alla Chiesa ortodossa; non escludendo però di potersi fare cattolico romano un giorno o l'altro. La sua religione è tuttora *in fieri*. Intasco una copia del messaggio e mi accomiato. L'aggressione non ha dato i frutti che mi attendevo.

10 settembre. – Da un palchetto della Fenice, ho assistito alla prova generale del *Libertino*. Dirige Leitner, da uomo navigato: domani, quando l'autore salirà sul podio, si dice che tutto sarà più annacquato. Non ho la pretesa di dare un giudizio sulla nuova musica di Stravinsky, ma non posso non salutare con soddisfazione la ricomparsa, dopo tanti anni, di un'opera in cui esistono *parti* per i cantanti. Eseguito in inglese, a me il *Libertino* pare un delizioso lavoro di ebanista, di stipettaio; un'opera che tira come una pipa Dunhill di vecchia radica. Non ho mai inteso nulla di così squisitamente legnoso e rifinito. Può darsi che in esso il settecentismo finisca poi in uno stile Chippendale più sobrio che elegante; ma non oso decidere. Altra gradita novità è la soppressione della grande orchestra, dell'imbottitura sinfonica. Qui il diavolo si fa accompagnare dal pianoforte; e gli basta. Il giorno che un musicista di teatro crederà al potere espressivo della musica (Stravinsky è un illuminista che odia l'espressione e vuol ridurre la musica a pura idea platonica) questa partitura potrà suggerirgli molte cose.

10 settembre, sera. – Tre dei più illustri poeti inglesi dei *thirties* (il periodo che va dal '30 al '40) W. H. Auden,

Stephen Spender e Louis MacNeice, stavano mangiando una zuppa di peoci mezz'ora fa, in un ristorante della Frezzeria. Poiché conoscevo già gli ultimi due, l'incontro con Auden è stato per me il più fruttuoso. Wystan Hugh Auden, il librettista del *Libertino*, in collaborazione con Chester Kallman, ha quarantaquattro anni, è alto un metro e ottanta e non ha, o ha perduto, l'espressione efebica e la chioma fluente che certe fotografie gli prestavano. È un uomo forte, cordiale, umano, che sembra di aver conosciuto sempre. Divide la vita fra Ischia e Nuova York; ormai cittadino americano, ha percorso in senso inverso la strada di Eliot che da americano s'è fatto inglese. Secondo Stravinsky, che lo ha scelto per consiglio di Huxley, Auden è il Bach della poesia moderna. Fa quello che vuole e non ignora nessun segreto della tecnica. E infatti il suo verso è dolce come quello di Spenser, ironico e arguto come quello di Pope, arido e discorsivo come quello di Eliot. Salta dal vecchio al nuovo con perfetta disinvoltura, aggancia le sue strofe come le migliori del *Don Giovanni* di Byron, palleggia il pensiero « moderno » con acrobatica agilità, muovendosi a tempo e luogo tra i fantasmi di Kierkegaard e le invettive di Karl Barth, ha abbandonato la religione marxista per quella anglo-cattolica in cui è nato; e infine (ed è per me, oggi, la sua maggiore attrazione) ama l'opera in musica e ha saputo scrivere col libretto del *Libertino* un capolavoro del genere. « Poesia camaleontica » ha definito la sua il biondo (una volta) Spender che è venuto dal Garda per assistere a questa « prima mondiale ». Camaleontica, nel senso che prende il colore delle idee senza restar prigioniera delle idee. E poiché Auden è tale personalità da muover l'aria che gli sta dattorno, stasera tirava in Frezzeria un'auretta piuttosto da oratorio sacro che da opera comica. « Quando finirà questo scandalo delle tre Chiese (la romana, l'ortodossa e l'anglicana) disunite? », mi ha detto Auden. Tuttavia, adepto di una sua religione *in progress*, egli non spera che l'esempio venga dall'alto, dai *bosses*, dai capi gerarchici. È un lavoro difficile, che deve essere iniziato da piccoli gruppi di « privati », di individui. Meglio dar tempo al tempo e sgusciare un ultimo peocio.

Lo lascio pieno d'invidia. Mi mancherà sempre la gioia di vivere da straniero in Italia. E Dio sa se non ho provato a farlo; ma quando ci si è nati il giuoco non riesce!

11 settembre. — Grande trionfo della *Carriera del libertino*, alla Fenice. Stravinsky è stato tirato alla ribalta dove rimbalzava come un burattino di gomma. Quando dirige, indaffarato e assente, con largo gesto impreciso, sembra Benedetto Croce curvo su un vecchio codice. Come lui appartiene d'altronde al passato, a un grande passato. Il libretto di Auden attraverso il suo filtro ha perduto molti dei suoi sapori moderni ma ha acquistato in compattezza di stile. Stile o tecnica? Un uomo come Stravinsky che fa una non lieve confusione tra forma e tecnica e distingue assurdamente tra opera in musica e dramma musicale (venerando l'una e scorbacchiando l'altro) non poteva approdare a un diverso risultato. Non è un piccolo risultato, s'intende. Con la *Carriera del libertino* un grande europeo d'elezione ammonisce gli europei a non farsi barbari. Prevedo però che molti europei di nascita e non d'acquisto risponderanno che senza barbarie non si darà un nuovo volto all'Europa. E continueranno a scrivere noiosi drammi musicali, non opere architettate come una suonata da camera.

12 settembre. — Vermut d'onore offerto dal Comune. Stravinsky è giunto all'imbarcadero, a Rialto, seguito dalla sua *troupe* e accolto dagli applausi di un centinaio di peoni in ciabatte, con la camicia sciolta sui pantaloni sbracalati, logori *pullovers* attorcigliati sul davanti o sul didietro e ciuffi di setole giallastre sfuggenti dal cerchio degli occhiali neri. Mi spiegano che non si tratta di peoni ma della quintessenza più squisita dell'intelligenza mondana. Parlano una *koiné* anglo-romanesca (« Il progresso del racchio ») e si conoscono tutti fra loro. In una sala del palazzo comunale facciamo capannello intorno al sindaco che tiene un'apprezzata allocuzione in cui figurano i nomi di Eschilo, di Hugo e di

Arrigo Boito. Stravinsky, seduto, incassa e ringrazia. È un ometto curvo, malazzato e sorridente, che si inchina alla russa, a tuffo. Riesco a scambiare alcune parole con lui e non mi meraviglio di trovarlo così semplice e umanamente solitario. La celebrità, Hollywood e i dollari non hanno minimamente scalfito la sua natura di piccolo *barine* che teme il diavolo e vorrebbe che tutta la vita fosse una bella opera in musica, più vicina a Ciaikovsky che a Wagner.

13 settembre. – Torno a Milano. E all'aeroporto rivedo Auden che parte per Roma, per raggiungere Ischia. Parla quasi in italiano, mi fa un'istantanea, mi ripete la sua ammirazione per Dante, poeta che gl'Inglesi cucinano a modo loro (e hanno ragione); poi salta sull'apparecchio come un capriolo. La sua testa color carota s'imbuca, sparisce. Poco dopo decolla anche l'apparecchio per Milano. Venezia s'imperla di nebbia, vista dall'alto. Valeva la pena di chiudere con questo sogno l'epifania del *Libertino*.

1951

Indice

« Fuori di casa »
di Eugenio Montale
Collezione Scrittori italiani e stranieri

Arnoldo Mondadori Editore

Questo volume è stato impresso
nel mese di gennaio dell'anno 1976
presso la Nuova Stampa di Mondadori - Cles (TN)
Stampato in Italia - Printed in Italy